# 히말라야 있거나 혹은 없거나

**雪蓮道場 1**

히말라야 있거나 혹은 없거나

지은이 · 임현담
펴낸이 · 김인현
펴낸곳 · 도서출판 도피안사

2002년 4월 18일 1판 1쇄 인쇄
2002년 4월 22일 1판 1쇄 발행

편집진행 · 이상옥
본문 디자인 · 김형조
인쇄 및 제본 · 동양인쇄(주)

등록 · 2000년 8월 19일(제19-52호)
주소 · 경기도 안성시 죽산면 용설리 1178-1
전화 · 031-676-8700
팩시밀리 · 031-676-8704
E-mail · dopiansa@kornet.net

ⓒ 2002, 임현담

ISBN  89-951656-9-3 04980
      89-951656- Ⅹ -1(세트)

# 히말라야

있거나 혹은 없거나

임현담 글 · 사진

DOPIANSA 到彼岸社

종이거울 자주보기 – 유리거울은 내 몸을 비춰주고

종이거울은 내 마음을 비춰준다

· 도서출판 도피안사 '독서는 깨달음' 운동본부

산은 신이 머무는 곳이 아니다.
산 전체가 신이다.
와서 보라.

# 서문

그렇다. 인간들끼리의 일은 잊도록 하라.
그리고 온갖 괴로움과 울분이 겹쳐 굶주려 구하는 마음이여, 돌아가라!
그대가 나온 자연의 품으로, 방황 없는 조용하고 아름다운 그 품으로!

—F. 횔덜린의 『히페리온』 중에서

●── 사춘기를 지나면서 이런 질문을 만나게 되었다.

"나는 누구인가?"

이 질문은 곧바로 진학, 학업, 결혼, 승진, 논문 등등, 세속이 요구하는 가치를 충족시키기 위해 깊숙하게 가라앉았다. 그러다가 서른 중반을 넘겨가면서 부력을 가지고 슬며시 수면 위로 떠올랐다.

"나는 누구인가?"

이번에는 피할 수 없는 탐구가 시작되었다. 말하자면 삶을 제대로 파보기 시작했다고나 할까. 대부분의 사람들은 이런 경험을 하지 못하고 어떤 사람들은 이런 경험을 원치 않는다고 했으나, 내게 이 궁금증과 증세는 유별났다.

붓다는 물었다.

"그대 젊은이여, 잃어버린 물건을 찾는 것과 잃어버린 자기 자신을 찾는 것 중에 어느 것이 더 중요한가?"

닥치는 대로 책을 읽고 잃어버린 소[牛]를 찾기 위해 인도로 그리고 히말라야로 향했다.

사실 이곳 번잡한 문명세계에서의 생활은 내가 나 자신에게 접근하는 일을 초기 단계부터 차단해 왔다. 신문, 라디오, 잡지, TV, 컴퓨터 등등 온갖 것들이 의식과 관심을 외부의 다른 곳으로 유도해서 내면의 나를 만나기 어려웠다. 반면에 히말라야 품에 들어서면 문명의 모든 것들은 사라지고 외부로 쏠리는 다양한 길들은 닫혀 버리니, 오로지 산으로 향하는 길만 남게 되었다. 그러다가 다음 단계에는 산과 내가 남고 결국에는 자연스럽게 나만 남았다.

"마음이 외부의 현실적이고 개별적인 대상에서 놓여나면, 스스로를 느끼게 되고, 이어 본연의 마음자리가 찾아오며, 이 자리에서 종교적 심성이 탄생한다."

기막히게 딱 맞는 이야기였다.

나만 남으니 어찌 되겠는가. 모든 관계를 떨구어내고 나만 남았으니 그제서야 나에 대한 분석이 시작되었다.

결국 세상에 태어난 후, 이 몸뚱이를 끌고 수십 년 살아온 나라는 존재에 대해 처음으로 진지한 대화와 더불어 탐색을 시작할 수 있었다. '날마다 하는 일이 따로 없고(日用事無別), 오직 나 자신과 만나 어울린다(唯吾自偶諧)'라는 글귀처럼 하루하루 보낼 수 있는 곳이 히말라야였다.

"그래, 나라고 부르는 나는 누구인가?"

"나는 어디서 와서 어디로 가는가?"

외형적인 것들을 나누고 내부적인 것들을 쪼개나가다가, 다시 그 모든 것을 합쳐 보고……, 마치 나라는 하나의 카펫을 이루는 성분들을 찾아보고, 무늬를 분석하고……, 그리고 그 배후를 돌아보며…….

생사이변(生死二邊)을 확연하게 가르는 가톨릭이라는 모태신앙에 안주하던 내게 오온(五蘊)이라는 불가의 가르침을 만난 것도 그 무렵이었다. 우연이라고 말하는 일련의 명확하고 의도된 까르마[業]를 통해 손에 잡은 책 안에는 인간의 몸과 마음이 다섯 가지 덩어리[蘊]로 구성되어 있다는 내용이 들어 있었다.

신체를 구성하는 물리적 성분인 물질의 색(色), 신체 감각기관과 대상의 접촉으로 생기는 감정인 느낌의 수(受), 대상의 접촉으로 오는 지각 표상인 상(想), 후에 업에 영향을 미치는 의지적인 요소라는 행(行), 그리고 끝으로 인간의 인식능력 혹은 마음인 식(識).

또한 의식(意識) 역시 여덟 가지 층으로, 8식(識)으로 나누어지는 불가의 가르침이 그럴 듯해 세상의 모든 사물을 이 공식에 적용시켜 보기 시작했다.

"저 강아지의 오온을 생각해보자.……"

"저 소를 한번 나누어 볼까?……"

"그렇다면 식물에서는 어떻게 적용이 될까."

"산은 또 어떨까."

보이지 않던 세상이 열리고, 미처 알지 못한 분석이 머리에서 나름대로 정리되었다. 우주의 만다라[圖式]가 그려지기 시작했다.


히말라야에서의 어느 날 아침은 오랫동안 잊지 못할 것이다. 바위틈에서 비박하고 밤새 습기를 머금은 축축한 침낭에서 빠져 나오는 순간, 사위는 온통 빛이었다. 히말라야의 모든 산세들은 물론, 아직 이른 아침이라 숨죽인 야생화, 커다란 바위, 빙하, 계곡 등등이 어떤 신비로운 빛에 감싸여 있었다.

도대체 나라는 존재에 대한 생각은 티끌만치도 찾을 수 없이 통째로 사라진 세상은 온통 하나의 말끔히 순수투명한 상태였다.

'나는 누구인가?' 라는 질문조차 필요치 않았으니, 더 이상 나는 없었다.

종교학자들이 그 어떤 언어로 설명을 해도 그 날 그 순간의 빛나는 세상을 쉽게 설명할 수 없을 것이다. 당연히 무릎이 굽혀지고 고산의 희박한 산소 안에서 몸을 낮추며 절을 거듭했다.

이 일은 바울의 다마스커스와 유사한 경험일지 모른다. 이교도였던 바울이 다마스커스의 여정에서 예수의 열성적이고 으뜸가는 사도로 다시 태어난 것처럼, 나는 내 신앙을 버리고 새로운 길로 들어서기 시작했다. 내가 사라지며 산 전체의 빛과 하나가 되는 그런 체험 이상, 순수종교체험이란 어디에 또 있겠는가?

이러한 엄청난 자연경관 속에서의 경험들은 나 자신을 티끌만한 존재로 스스로를 낮추도록 만드니, 이제는 '나'가 아닌 위대한 근원에 대한 탐구가 동시에 생겨났다.

"누구에게 절을 했던가?"

바로 '그것'에 대한 절이었다.

히말라야는 변화무쌍한 거대한 산맥군으로 이루어진 하나의 단순한 형상의 이미지만은 아니었다. 무엇인가 있어 자꾸 끌어당기는 힘이 있었다. 감동을 주는 존재의 현현을 파악하기 위해서는 형상이라는 일차적인 요소를 걷어내야 했다. 그동안 서구문명이 만든 틀에서의 교육으로부터 다른 방법을 택해 분석을 시도해야 했다.

히말라야 역시 온(蘊)을 가진 생명체처럼 나누어 보기 시작하자 히말라야는 눈으로 장식된 산뿐 아니라 얼음, 물, 하늘, 야생화, 아트만, 사람, 짐승 등등의 여러 구성성분이 의식 안에서 분석되었다. 그것을 나누고 그 의미를 새겨 보고, 그러다가 다시 합쳐 보는 일을 반복하며 여행을 거듭하니 각각의 성분들이 소중하고 고맙고 신비로웠다. 그들이 서로 도와가며 히말라야를 만들어내고 그 중 무엇 하나가 빠져도 히말라야는 더 이상 히말라야가 아니었다.

어떤 이에게 이 세상은 돈을 벌기 위한 곳이고, 이름을 날리기 위한 곳이기도 하며, 더불어 수행으로 깨달음을 얻고자 하는 장소이듯이 하늘 아래 모두가 그 목적과 수단이 다르다. 히말라야 역시 어떤 이에게는 정복의 고지이며, 한편 생활의 터전이기도 하고, 학문적 탐구, 심지어 최근에는 다이어트 목적으로 찾는 등, 그 목적이 다양하다. 도오겐(道元)에 의하면 '자신의 장소를 발견한다면 그곳에서 저절로 수행이 시작된다'고 한다. 히말라야는 내게는 하나의 성소다. 지난 10년 동안 다르마─법(法)을 찾아 범부를 돌이켜 성인을 이루는─전범성성(轉凡成聖)의 가능성을 보여준 도량의 역할을 하고 있다.

아직 '독수리가 하늘을 날고 물고기가 뛰는 소식을 깨닫지 못했고, 장자(莊子)의 5만 말을 읽어도 아직 장주(莊周)가 나비 꿈을 꾸었던 도리'를 알지 못한다. 그러나 설산을 찾을 때마다 조금씩 저잣거리의 탁한 홍진을 털어내는 일은 물론, 깊게 느껴지고 밝혀지고 있어, 미래 어느 날 소[牛]를 찾고 일탈된 모습을 기대하기도 한다. 때가 되면 본래면목을 만날 수도 있을 것이고……

하여 해마다 『장자』의 목소리를 빌려, 붓다가 영산회상에서 들어올린 한 송이 연꽃 같은 은빛 설산 히말라야에 앉아 이렇게 이야기를 되뇌인다.

"저는 나아졌습니다."

"무슨 말인가?"

"저는 인의를 잊었습니다."

"그러나 아직 멀었다."

다음날 안회가 다시 말했다.

"저는 더 나아졌습니다."

"무슨 말인가?"

"예약을 잊었습니다."

"아직 멀었다."

또 다음날 안회가 말했다.

"저는 앉아서 고스란히 잊었습니다."

"어질구나!"


― 임현담(林玄潭)

## ● 트레킹 난이도(Trek Grades) ●

**트레킹은 통상 아래의 기준을 통해 다섯으로 분류한다.**

1. 트레킹 소요 날짜
2. 트레킹 시 고지대(3천m 이상)에 머무는 날짜
3. 하루에 올라야 할 최고 고도
4. 지형의 난이도
5. 하루 도보 여행의 거리
6. 최저기온

●**Grade 1**● 하루에 올라서야 하는 고도 차이가 300m 이내며, 밤의 최저기온이 영하로 떨어지지 않는 코스를 말한다.

●**Grade 2**● 고도를 800m 정도 올리며, 하루에 4~6시간을 걷는 트레킹으로 해발 4천m를 넘지 않는다. 최저 기온이 영하에서 약간 떨어지는 정도이다.

●**Grade 3**● 해발 4천m를 넘어가며, 하루에 4~7시간을 걷는다. 지형의 난이도는 보통이며 눈이 쌓인 지역을 통과한다. 어느 정도의 고통이 따른다.

●**Grade 4**● 하루에 4~8시간씩 15일 이상 걸어야 하는 트레킹이다. 해발 4천~5천m를 지나야 하며 최저기온은 영하로 떨어진다. 몸의 상태에 신경을 써야 하는 단계다.

●**Grade 5**● 15일 이상 걸어야 하는 트레킹으로 매우 힘든 길이다. 기본적인 등산기술이 필요하며 밤 기온이 영하로 많이 떨어진다. 지구력과 체력이 필요한 트레킹 코스다.

가이드북에 씌어 있는 트레킹에 관한 분류는 참고하는 것이 좋다. 자신의 나이와 평소의 지구력을 바탕으로 코스를 선택하는 일이 필요하다. 산은 체험하기 위한 장소이기에 무리하여 산행을 망치는 일은 피해야 한다. 단계가 올라갈수록 체력은 물론 많은 장비와 경비를 필요로 한다.

# | 차 례 |

산을 본받고 물을 규범 삼는다(模山範水)라는 고언이 있다.
많은 산 중에서 히말라야는 넓이, 높이 그리고 깊이가 다르기에 으뜸이 된다.
세속에서 추구하는 바를 잠시 내려놓고 설산으로 들어서면
어느새 정신이 진일보하는 것을 쉬이 느낄 수 있다.

일천의 바위는 빼어남을 다투고 일만이나 되는 골짜기는 흐름을 다툰다(千巖競秀 萬壑爭流).
산의 웅장함과 아름다움에 대한 표현이다.
설산에서는 이 아름다움에 기개가 더해서 세상사를 초탈하도록 이끌어준다.

히말라야는 화엄(華嚴)이다. 수많은 요소들이 서로가 서로에게
영향을 미치고 관여하며 하나의 거대한 생명체를 이룬다.
속기를 떨구어 내고 안으로 들어서면 이 배경들이 하나씩 둘씩 말을 걸어온다.

# 1

## 히말라야의 주인

무엇이든지 풍부하다고 반드시 좋은 것은 아니다.

더 바랄것 없이 풍족하다고 해서 그만큼 기쁨이 큰 것은 아니다.

모자라는 듯한 여백, 그 여백이 오히려 기쁨의 샘이다.

— 파스칼의 『팡세』 중에서

# 히말라야의 주인

●── 라우지가 커튼을 걷는다. 그의 손에 따라 유리창 저편의 히말라야가 평수를 넓히더니 급기야는 창을 가득 채우고야 만다.

"라우지, 창문을 열어 줘."

그는 하얀 치아를 드러내도록 웃으면서 창문을 활짝 밀어젖혔다. 매콤하고 냉기를 가득 품은 설산의 기운이 순식간에 가슴으로 달려들었다.

창 하나로 거대한 히말라야를 어찌 안아볼 수 있으랴. 몸을 일으켜 창가로 다가서며 설산 모습을 보다 광활하게 가슴 안에 품어본다. 설산에 시선을 고정시키고 있는 라우지의 등을 토닥거려 준다. 간밤에 뒤집어쓰고 잠든 싸구려 담요 보푸라기가 등뒤에 수북하다.

지난밤에는 아이들 꿈을 꾸었다. 태평양을 건너간 두 아들이 턱을 괴고 앉아 나를 놀렸다.

"아버지가 돈을 벌지 않으면, 저희는 공부를 끝낼 수 없어요."

"맞아요, 아버지가 책임져요."

"히말라야는 그만 다니세요."

이 무슨 개꿈인가.

인연의 끈을 놓고 깊은 산 속으로 들어가기 위해 찾아온 여기까지 졸졸 따라붙다니.

도대체 녀석들은 내가 이곳에 있다는 사실을 어떻게 알았을까.

대기 속에 구수한 냄새가 섞여 있다 싶었더니 주방 쪽에서 탁탁 장작 터지는 소리가 들린다. 이제 짜파티를 굽고, 압력밥솥으로 밥을 짓고, 그 무엇보다도 차를 끓여낼 시간이다. 기지개를 켜며 관절과 근육 구석구석에 설산 기운을 맞아들인다.

히말라야를 여행하다 보면 이른 아침 눈을 뜨자마자 찾게 되는 것은 한 잔의 치아(茶)다. 따뜻한 기운이 도는 컵을 양손으로 감싸고 어깨를 웅크리고 앉아 조금씩 홀짝거리는 맛은 경험하지 않은 사람은 모른다. 추위 속에서 따뜻하고 달콤한 치아를 한 잔 마셔 본 사람이라면, 금단현상에 빠진 마약중독자처럼 혹은 술탄의 하사품인양 황홀하게 찻잔을 받아 들게 된다.

꿈이란 무엇일까.

복잡한 의학적인 소견은 던져 놓고라도 무의식적인 발로임은 틀림없으리라. 너희들은 원하는 대로 바다 건너가서 살아라, 비행기를 태워 보내고, 이곳에 슬쩍 달려온 일이 무의식의 아랫도리를 슬머시 찔렀을까.

아침 시간에 산은 정적에 싸여 있다. 하늘을 이리저리 달려나가는 유장한 스카이라인하며, 아직 깨어나지 않은 저부 함지의 어둠, 채 백색에 이르지 못한 회색 빛의 거대한 철벽이 지상에서 이미 깨달음을 움켜쥔 선사의 깊은 침묵처럼 아침을 예비한다. 자격을 갖춘 수행자만이 출입이 가능하다는 듯 함부로 범접을 허락하지 않는 도량의 성성함도 내비춘다.

이제 한동안 열대 우림을 지나, 고도를 높여가며, 창문으로 보이는 저 풍경

이른 아침 산은 침묵에 잠겨 있다.
저부 함지는 어둠에서 채 깨어나지 않은 채 묵묵하고,
산정은 이제 막 솟아오른 햇살에 선명한 모습을 보인다.
하루 중 설산이 가장 무게를 갖는 시간으로 산의 모습은 마치 동안거의 수행자 같다.
차가운 기운과 함께 단단한 긴장감을 준다.

안으로 라우지와 함께 배낭을 메고 걸어 들어갈 예정이다. 강원으로 향하는 납자의 심정처럼 아무리 험난한 곳으로의 도정(道程)도 기어이 치러내고야 말겠다는 각오를 세우니, 삼동결제(三冬結制) 전날의 기분 역시 이러하리라.

"지난밤에 내 아들 꿈을 꾸었다."

"나쁜 꿈, 좋은 꿈?"

라우지가 관심을 보인다. 그는 초리(딸)가 둘이라고 했다.

"아이들을 보았으니 좋은 꿈이고, 돈 내놓으라고 했으니 나쁜 꿈이지."

녀석이 싱긋이 웃는다.

내가 아이들에게 바라는 것이 무엇인가.

큰 차, 멋진 스포츠카, 넉넉한 은행잔고를 가진 통장, 몇 장만 내다 팔아도 살림이 넉넉해지는 황제주, 희귀식물로 장식된 정원을 가진 넓은 집, 아름답고 정숙한 아내, 남들이 혀를 두르는 거액의 연봉.

이런 것들?

천만에.

아이들이 언제 어디에 있거나, 인생이라는 길에 어디에 있던지, 겸손하게 남을 생각하고, 자신의 생활에 최선을 다하고 그리하여 주어진 시간 안에서 늘 만족하는 생활을 했으면 한다.

한 개인이 형성되는 삶은 환경이 중요하다. 문명이 빗겨간 이 히말라야권의 주민들은 외부세계를 형성하는 돌, 시냇물, 빙하, 거침없는 하늘, 뇌운 등등이 발휘하는 신비와 더불어, 내부적으로는 자연에 대해 순응하는 순박함을 품고 산다. 저승이 이승에서 멀지 않고, 의식과 무의식은 다른 것이 아니며, 눈에 보이는 이 현상세계가 영원한 세계와 함께 어우러짐을 그들은 알고 있다. 반면에 문명세계는 철저히 이원화하여 이런 모든 것을 삶에서 분리시켰다.

우리는 어디서 무엇을 배워야겠는가?

"차 한잔 마시러 가자."

"예, 다이(형)."

네팔인들이 말끝마다 싸부(주인님), 싸부, 지극히 봉건적으로 상대하던 소리가 오랫동안 거슬렸다. 나는 싸부대신 다이(형)라는 이야기가 좋다. 하늘 아래 우리 모두는 형제가 아닌가.

주방으로 나가기 전에 다시 시선을 설산에 놓는다. 고봉을 만년설로 치장하고 하늘과 함께 어우러져 장관을 연출하는 저 신비로운 풍광에서는 시선을 돌리기 어렵다. 뭐라 할까, 진득하다고나 할까, 시선을 돌리면서도 잘 떨어져 나가지 않는 끈적함은 물론 완전히 눈을 돌리고도 순수한 잔상이 눈가에 하얗게 남는다.

말은 끝났는데 마음속의 울림은 종소리처럼 파장이 쉬 가지 않는다(言有盡而意無窮)는 의미를 풍경을 통해 이해한다.

칼 융이라는 걸출한 의사는 인간 정신세계는 물질과 마찬가지로 에너지를 가지고 있으며, 정신의 여러 구조 사이에서 그 에너지가 분배되고 이동되는 현상을 발견했으니, 바로 '심리 에너지론'이다. 물질문명이라고는 전무한 성역에서는 이 현상이 선연해서, 설산의 에너지와 나라는 개체의 정신 에너지가 양 방향으로 움직이는 물리화학적 과정이 쉽게 느껴진다. 설산은 무생물이 아님을 절실하게 느낀다.

 잠시 후 김이 모락거리는 찻잔이 앞에 놓인다.
 행복하다.
 라우지도 무척 기분 좋은 표정이다. 녀석은 기분이 좋으면 늘 고개를 슬쩍 흔들다가 턱을 앞으로 으쓱 내미는 버릇이 있는 듯하다.
 가난이 소중한 이유는 곳곳에서 발견된다.
 한때 부모가 가난했다는 사실이 부끄러웠다. 남들처럼 가지고 싶은 것을 마음대로 소유하지 못하는 생활이 남들에게 창피한 일이라 생각했다. 그러나 서서히 그리고 놀랍게도 가난을 통해 아무리 작은 것도 소중하다는 사실을 알아차리기 시작했다.
 다른 아이가 먹기 싫다고 투정하던 자장면 그릇이 내 앞에 놓였을 때의 희열.
 문명사회에서는 가치 없는 작은 물건과 행위들이 빈궁한 이곳에서는 매우 큰 기쁨이다. 가난이 주는 최고의 선물이다.
 이런 의식은 아직도 의식의 근간에 자리해서 물질적인 귀중함을 떠나 자연의 하나하나, 작은 돌, 나무 한 그루, 반짝이는 모래, 야생화 한 폭까지 소중함을 느끼는 자연친화까지 발전해 왔으니, 이제는 부모에게 큰절을 올려야 한다. 내게 남겨진 유일하고도 아름다운 유산이다.
 더불어 노자(老子)의 덜고 또 덜어낸다는 위도일손(爲道日損)은 물론 운수납자들의 무소유에도 새로운 각성을 가지게 된다. 궁하면 통한다던가, 도(道)에 이르는 길은 부족함이다. 오늘도 선객들은 식부족(食不足), 의부족(衣不

정상이란 가장 먼저 햇살이 찾아오는 자리다.

또한 낮은 곳으로부터 올라와 이제 모습을 바꾸는 첨단의 처소다.

우뚝하게 솟아오른 이마에 빛이

가장 먼저 달려오는 모습은 성자들의 후광처럼 종교적이며 상징적이다.

足), 수부족(睡不足)의 모름지기 3부족을 자처하며 적빈 경지 안에서 금욕에 몰두한다. 가난은커녕 스스로 소유가 전혀 없는 그들에게 이 우주의 모든 존재란 내 몸과 다름없이 소중하고 귀중하기 짝이 없으니, 상생의 화엄을 중요시하고 중생이 윤회의 고통이 끝날 때까지 돕겠다는 보디삿트바[菩薩]의 대보리심이 생기는 일은 당연하다.

옴.

가난한 자 천국에 든다. 이 말 뜻을 어찌 모르랴. 부자가 낙타를 타고 바늘귀를 어이 통과하랴.

이런 것들을 어디서 절실히 배웠는가?

서서히 점수(漸修)로 살아오다가 돈오(頓悟)스럽게 히말라야 자락에서 확 깨우쳤다. 이런 사실을 내 유전자를 이어 받은 아이들에게 전해 주어야 마땅하다.

세상의 많은 사람은 돈을 존중하지만 나는 찰나의 고요를 사랑한다. 돈이 많으면 사람의 마음을 어지럽힌다. 고요하면 진여의 본성을 나타낸다.

— 방거사(龐居士)

라우지와 나는 서로가 슬쩍 시선을 마주쳐가며 한 잔의 차가 주는 지극한 희열을 공유하고 있다. 그는 한 모금 마시더니 고개를 흔들고 이마를 으쓱하니, 역시 맛이 좋다는 뜻이리라.

볼펜을 꺼내 놓고 작은 가방에서 엽서 한 장을 뽑아 테이블 위에 놓는다. 어디 있는지 아들들에게 탄로 났고 꿈에서나마 보았으니 지구의 반대편으로 엽서를 보내야겠다.

차 한 모금을 마시고 볼펜을 들자, 가난하고 부족해서 행복한 이 아침의 의식이 서슴없이 흘러 내려간다.

●── 탈무드였던가, 이솝우화인가, 인도 우화였던가.

두 아들을 가진 늙은 아비가 있었다. 큰아들은 머리는 좋으나 노력하지 않고, 작은 아들은 힘이 세고 재주는 있으나 게을러 일하기를 싫어했다. 아버지는 이런 아들 때문에 늘 걱정이 끊이지 않았다.

"어떻게 하면 저 두 녀석 모두 사람구실 하게 만들까?"

여러 모로 궁리해 보았으나 뾰족한 수가 없었다. 그러다가 임종을 맞이한 아비가 아들을 불렀다.

유언을 시작했다.

"이제 내가 세상을 떠날 때가 되었구나. 내가 가진 것을 너희들에게 나누어 줘야겠다. 큰아들아, 네게 줄 것은 책장 속에 꽂힌 책 속에 있다. 그리고 둘째야, 너에게 줄 것은 밭에다 묻어 놓았다. 캐내어 유용하게 쓰도록 하여라."

아버지의 장례를 치른 두 아들은 각기 자기 몫의 유산을 찾으러 갔다. 큰아들은 두근거리는 가슴을 억누르며 책장의 책을 하나하나 꺼내 뒤져보았다.

"이상한데, 뭔가 있을 텐데……."

먼 산 윤곽이 드러나면서 산에 아로새긴 주름살들과 침봉의 골격들이 선연하다.

이렇게 산수자연이 참되게 속속들이 드러나는 모습을 바라보면

부자로 살겠다는 생각은 사라지고 은자로 살고픈 생각이 무럭 인다.

큰아들은 자꾸 책을 읽어 내려갔다. 혹시 자신이 못 찾는 것이 아닐까, 한두 번 꺼내 본 것이 아니었다. 그러다 보니 책장의 책을 모조리 외우게 되었다.

둘째 아들은 보물을 찾느라 괭이와 삽 등, 모든 연장을 들고 작업을 시작하여, 쉴새없이 땅을 파헤쳤다. 그런데 아무리 여기 저기 땅을 파헤쳐도 어떤 보물도 발견되지 않았다. 밭을 모조리 뒤집어도 허탕이라 '기왕에 파헤친 것, 씨앗이나 뿌리자' 생각했다.

마침 그때 나라에서 왕의 대신을 뽑는다는 방이 붙었다. 큰아들은 책을 본 것을 밑천 삼아 시험을 보아 장원급제했다. 둘째는 철저한 밭갈이로 튼튼해지고 강건해진 토질로부터 전례가 없을 만큼 훌륭한 수확을 얻었다.

아버지 기일에 서로 마주 앉은 두 형제는 그제야 깨달았다. 아버지가 남기신 유산이 무엇인지를.


나는 아이들에게 유산을 준다.

"무엇일까?"

책도 밭도 아니다. 당연히 창 밖으로 펼쳐져 있는 히말라야다. 이것이 아이들에게 가는 유산이고 내게는 서원이다. 7천m가 넘는 우뚝한 산봉우리를 250개나 가지고 있고, 동서의 길이가 장장 2천500km, 남북 간의 넓은 폭은 무려 300km에 달하는 거대한 산맥을 통째로 준다. 아이들이 내가 죽건, 죽기 전이건 학인의 자세로 이놈의 히말라야를 화두 삼아, 책장 안에 책을 뒤지는 첫째 아들처럼, 피폐한 밭을 열심히 파헤치는 둘째 아들처럼 몰두했으면 한다. 만년을 하루처럼 백색 커튼을 내두르고 고고한 자세로 앉은 이 가람으로 들어서서, 아버지가 지상에 남긴 유일한 유산의 가치를 바라보았으면 한다.

절대고독 하얀 순수의 이 세계는 내 경험에 의하면 캐내면 캐낼수록 오히려

아침이 찾아오면 바빠지는 곳은
　　　손님을 위하여 차를 끓이고 음식을 조리하는 주방이다.
　　이곳에서 형제 같은 현지인들과 함께 아침을 연다.
몇 가지 되지 않는 단순한 재료로 음식을 정성스럽게 만들어내고,
　　　그것을 받아든 여행객은 감사함으로 벌써 공복감을 잊는다.

히말라야에 기대어 사는 사람들은 후덕하다.
가진 것은 몇 가지 되지 않지만 마음은 히말라야처럼 맑고 더불어 높다.
큰바위 얼굴을 닮아가는 이들과 아침을 함께 시작하는 일은
잃었던 가족을 상봉한 듯 가슴이 따뜻하다.


커지는 신기한 광맥.

히말라야에 숨겨진 원형적이고 고대적이고 신화적인 의미를 참구하고, 고산증과 추위와 다투면서 원초적인 존재의 힘을 묵상하며, 영어권의 신앙과 합리주의에 물든 두뇌를 깨끗이 씻어놓고 저 푸른 하늘과 맞닿은 맑은 대기 안에 자리한 은빛 설산으로 들어선다면, 아버지가 해마다 설산 근처에서 어슬렁거리며, 심지어는 두 아들을 바다 건너 보내고, 얼씨구 지화자 히말라야로 서둘러 떠나온 이유를 확연하게 알리라. 아버지의 관점을 이해할 수 있으리라.

앞사람의 엉덩이가 코에 닿는 계단식 급경사, 돌들이 마구 굴러 떨어지는 거친 길목, 바닥을 알 수 없는 계곡, 절벽에 매달리듯이 서 있는 산양, 우기 때면 어김없이 등장하는 일망무제의 폭포수, 천길 아래의 급류, 냉기를 뿜어내는 빙하, 언제 쏟아져 내릴지 모르는 위태로운 눈언덕, 붓다와 옴마니반메훔이 그려진 마니석, 오색기를 몸에 두른 낡은 밧줄의 출렁다리, 으르렁거리는 천둥, 사지를 때리는 우박, 때로는 무지개, 혹은 폭설.

히말라야야말로 테세우스가 괴물 미노타우르스를 물리치고 미궁을 빠져나오도록 도와주는 아리아드네와 같은 존재다. 문명이라는 이름으로 굴절된 세간의 가치관을 빠져나올 수 있는 통로다. 내가 남긴 유산의 배후에 놓인 의미는 직접 체험해야 의식의 지평이 확대되고 결국 활짝 열리지 않으랴.

아들 녀석이 더운물이 나오는 500루삐짜리 게스트하우스 싱글 룸에 투숙하고, 이 아비는 10여 명이 동시에 머리를 맞대고 잠드는 20루삐의 도미뜨리에서 잠자더라도, 아들아, 와 봐야 한다. 이 유산이 어떤 것인지 보지 않는다면 내 죽고 나서도 갈릴레이 망원경을 들여다보기를 거부했던 학자들만큼 두고두고 조롱당할 것이다.

"와야 한다. 와서 큰 의심을 품고 끊듯이, 갈듯이, 쪼듯이, 다듬듯이 바라보고, 올라타고, 미끄러지고, 고꾸라지고, 굶어 보고, 거머리에 뜯기고, 고산증에 허덕이면서 육체적 · 정신적 개인 한계를 넘어서며 무의식을 만나야 한다."

"그러나 결코 서두르지 말고 고요히 발을 옮기면 어느새 마음도 고요하고 느릿해지리라."

"누리를 채우는 본향이 무엇인지 알아보고 부질없는 욕망의 덫에서 벗어나도록."

"히말라야를 통해 '무궁한 도의 문으로 들어감으로써 무극의 들판에서 소요하면서, 일월과 더불어 빛을 함께 하고, 천지와 더불어 영구불변한다'는 지인 (至人)에 이르도록."

> 마음의 노님은 빈 하늘 같고, 뻗치는 기운은 무지개 같아라.
>
> 신비로운 골짜기 천길 만길, 구름은 바람 따라 이리저리.
>
> 진리 닦고 힘 기르며, 소박(素朴) 쌓고 중용(中庸) 지키라.
>
> 천지 따라 자강불식(自强不息)하니, 이를 존웅(存雄)이라.
>
> 천지와 더불어 서고, 신의 조화에 영원히 함께 하며.
>
> 희망으로 시작하고, 끝까지 관찰하라.
>
> — 당(唐) 시인 사공도(司空圖)

이런 이야기를 어찌 다 쓸 수 있을까. 평수가 턱없이 좁은 엽서 뒷면에 '유산을 준다'고 긁적인다.

상속(相續)은 끝났다. 라우지와 히말라야가 공증인이다. 날짜와 더불어 서명을 한다.

이제 그들이 책과 밭에서 가치를 발견하는 일이 남았다.

라우지가 뒤에 서서 엽서를 들여다본다. 한글을 모르는 그의 눈에는 암호처럼 보이리라.

차가 아직 식지 않았다. 생각을 다듬으며 손바닥만한 엽서를 채우는 동안 이상스럽게 몸이 훈훈하다. 슬쩍 눈을 감자 배낭을 메고 이 산자락 어디선가 다리품을 팔아가며 울력으로 힘들게 오르는 내 새끼들의 표정이 보이는 것 같다.

범부속인으로 태어나 다양한 길로 삶을 살아가는 사바세계. 그 안에서 가계(家系)를 이루어야 하는 운명. 그러나 우리 가족은 비록 업에 따라 삭발수계를 못할지언정 이제 봉우리 하나하나를 강백과 선객의 길로 삼아 설산안거를 거듭하며 설산선풍을 이어나가는 행장(行狀)으로 산다. 때가 되면 설산을 의발로 전수하는 설산종(雪山宗), 이 물줄기 어디선가 구경해탈과 더불어 견성성불에 이르는 이가 나올지니.

미리 삼천배를 올리나니.

주방에 있는 창문이 큼직해서 마음에 든다. 날이 참 좋다. 투명한 대기가 산의 윤곽을 더욱 또렷이 그려내 사방팔방이 아름답다. 두고 온 내 산하 어딘가를 관동팔경이라 부른다던가. 이곳은 눈에 보이는 전후좌우(前後左右)는 물론 주야천지(晝夜天地)가 볼거리이니 팔경(八景)이 아닌 경계가 없는 만경(萬景)이 아닌가, 하여 나는 스스로 이곳을 설산만경(雪山萬景) 혹은 경계를 뛰어넘는 설산무경(雪山無景)이라 부르지 않을 수 없다.

언젠가 저런 풍경 안에서 목메어 이야기했었다.

"이 풍경을 결코 잊지 않게 해 주십시오. 이 생생한 느낌을 나의 마음속에 항상 간직하여 내세까지 함께 갈 수 있기를……."

내 새끼들도 그러하기를…….

히말라야의 주인이 되기를…….

압력밥솥에서 김 새는 소리가 요란하다. 찻잔을 비우고 시선을 다시 설산에 놓으니, 그 유산, 마르고 닳도록 참 넉넉하다.

## ●트레킹 타입●

히말라야의 일반적인 트레킹은 티하우스(Tea house) 혹은 로지 트레킹(Lodge trekking)과 캠핑 트레킹(Camping trekking)이 있다. 자신이 가고자 하는 지역에 따라 틀려지므로 사전 조사가 필요하다.

### 1. 티하우스(Tea house), 로지 트레킹(Lodge trekking)

트레킹 코스를 따라서 티하우스와 로지가 있다. 잠자리를 제공하며, 간단한 음료, 맥주, 현지 토속주 등을 판매한다. 싱글 룸, 도미뜨리 등이 준비되어 있다. 지도를 참고해서 적당한 거리마다 묵어 가면 된다. 주로 안나푸르나, 랑탕, 쿰부 등, 보편적인 코스에서 가능하다. 이 경우 준비물을 많이 줄일 수 있다. 여름 우기와 같은 비시즌인 몬순 시즌에는 일부에서는 철수하는 경우가 있기에 사전 정보를 얻는 것이 중요하다.

### 2. 캠핑 트레킹(Camping trekkings)

원거리 지역 혹은 오지인 돌포, 무스탕, 다울라기리, 마나슬루, 마칼루, 칸첸중가 지역을 트레킹 할 경우에 해당한다. 적당한 잠자리와 음식물이 절대적으로 부족하기에 경험이 풍부한 안내인, 포터, 식량, 캠핑 장비를 가지고 떠나야 한다. 당연히 고비용을 필요로 한다. 텐트, 슬리핑 백, 취사도구 등이 필수다.

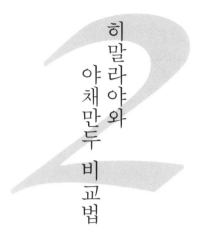

# 히말라야와 야채만두 비교법

전체로서 하나가 되는 것. 그것이 신성에 충실한 생이며,

그것이 인간의 최고 경지다. 살아 있는 모든 것과 하나가 되는 것,

스스로를 잊고 자연의 일체 속으로 돌아가는 것,

그것은 인간의 사상의 환희의 정점이며, 성스러운 산정이요 영원한 안식처이다.

—F.횔덜린의 『히페리온』 중에서

# 히말라야와 야채만두 비교법

●── 천지만이 백두산인가

햇살이 좋다. 판초 위에 짐을 꺼내 놓고 점검한다. 이제 산을 떠날 첫번째 준비인 셈이다.

방한복, 손전등, 사진기, 물통, 슬리핑백, 우모복, 세면도구, 모자 등등.

모두 꺼내 놓으니 제법 풍성하다. 마을 꼬마 하나는 알루미늄 물통 모양이 신기한지 이리저리 흔들다가 호기심을 참지 못하고 급기야 열린 뚜껑을 통해 안을 들여다본다.

산행에서는 가끔 이렇게 길을 멈추어 짐을 점검하는 것이 좋다. 밤낮으로 기온이 급변하면서 축축해지는 물건들을 해바라기 하는 일이 필요하다. 축축한 옷가지나 습기 먹은 슬리핑 백보다는 뽀송뽀송함이 온돌방처럼 얼마나 큰 위안인지 모른다. 또 고도가 올라가면 기억력이 감퇴되어 어떤 물건을 가지고 있는지 까맣게 잊게 되어 추위에 떨면서도 모자를 쓰지 않는 일은 물론, 장갑을 가지고 왔음을 기억하지 못하는 일도 있다. 이렇게 물건을 정리하면 고소에서 이런저런 실수를 줄이게 된다.

"요 – 케 – 호? (이것이 무엇이에요)"

꼬마가 궁금증을 참지 못하고 멸치봉투에 손을 댄다. 설명할 길이 없어 웃고 만다.

지갑 · 수첩 · 여권 · 지도 등등 간단하고 중요한 것들은 어깨걸이 가방에 넣고, 사진기 · 우비 · 방한복 · 수건 등, 걸으면서 꼭 필요한 물건들을 내 배낭 안에 넣는다. 나머지는 포터의 도카(대나무로 만든 소쿠리)에 넣으면서 점검을 끝낸다. 채워진 도카를 들여다보는 포터의 표정이 밝으니 간소함이 주는 기쁨이다.

짐을 들어보는 그에게 묻는다.

"가룽고 차? (무겁니)"

그렇지 않다며 수줍게 웃는다.

100번 정도 배낭을 꾸려야 산꾼의 도가 트인다는데, 꾸리고 꾸려도 아직 그 도가 어떤 것인지 알 수가 없다. 더불어 살아오면서 배낭 안에 꾸려진 짐처럼 모여지고, 흩어져 버린 재화에 대해서도 그 도를 알 수 없다.

온(蘊)을 감소시킬 뿐 쌓지 않고, 버릴 뿐 모으지 않고, 흩어버릴 뿐 모아서 묶지 않고, 불을 끌 뿐 붙이지 않는 것이 수행자의 기본자세라 했는데…….

집으로 돌아가 짐을 풀다보면 요긴하게 쓰지 않은 물건이 단 하나라도 있게 마련이었으니, 인생이라는 등정 길에 있어서도 평생 필요하지 않은 재화를 통장이나 주식이라는 이름으로 모아놓고 고인 물처럼 썩히는 일은 없었는지…….

"몇 번을 더 살아야 이 모든 짐 꾸리기를 활연하게 알아차릴 수 있을까."

짐을 보며 골몰하게 된다. '피곤한 여행자에게 1요자나는 멀며, 참된 가르침을 모르는 어리석은 자에게 생사윤회는 한없이 길다'는 『법구경』 이야기가 언젠가는 배낭 꾸리기처럼 생사윤회의 삶에서도 완벽한 성공을 거두어야 한다는 각오로 생각자리를 바꾸어 앉는다.

히말라야로 떠나올 때는 짐 속에 늘 문고판 책을 한두 권 가지고 온다. 가방 안에 넣기 전, 탁자 위 따로 꺼내 놓은 책이 눈부시다. 햇빛과 바람이 어루만지며 먼저 읽어보는지 후르륵 펄럭인다.

여행을 멈춘 저녁시간, 석양을 마주하고 앉아 몇 페이지를 읽어 내려가는 기쁨은 정말이지 대단하다. 오지 않는 기차를 기다리면서, 버스 출발을 기다리면서, 배낭을 등에 기대고 앉아 한 줄 두 줄 더듬어 내려가는 즐거움. 차표를 예약하고 돌아와 커다란 선풍기 돌아가는 찻집에서 라씨 한 잔 놓고 느껴보는 활자들이 품고 있는 이야기들.

일전에 다큐멘터리 방송에서 호주에 귀화한 일본인을 보았다. 대나무로 만들어진 피크닉 가방에 빵, 주스와 더불어 문고판 책을 가지고 호숫가로 떠나는 장면에 채널을 고정시켜야 했다. 그는 호수 옆 나무 밑둥에 기대고 앉아 푸시킨을 읽었다. 동그랗고 검은 테 안경, 건강해 보이는 짧은 머리, 흰털이 섞인 구레나룻.

반짝이는 눈으로 결코 빠르지 않게 이야기했다.

"이렇게 책을 읽으면 행복합니다. 제가 번잡한 일본을 떠나온 이유입니다."

연출하지 않았는데 붉은 나뭇잎 하나가 그의 어깨에 떨어졌다.

"멋진 일이군요."

기쁜 표정을 숨기지 않고 마치 보물처럼 낙엽을 들어 소중하게 책갈피에 넣었다. 나는 부러움으로 고개를 끄덕였다.

이번에는 히말라야에서 이미 읽었던 『미린다 팡하』와 『베단따 철학』을 다시 가지고 왔다. 모든 짐을 꾸리고 배낭의 겉주머니에 넣을 서적을 물색하던 중, 한 권은 문고판이기에 작다는 이유로, 또 다른 하나는 가볍다는 이유로 두 책은 다시 한번 히말라야로 향하는 행운을 얻었다.

나는 누구인지, 이 삶의 의미는 무엇인지 궁금해 불경과 힌두경전은 물론 종교서적을 닥치는 대로 읽었던 시절, 기원전 150년경 인도를 지배한 그리스의 왕 메난드로스와 인도인 학승 나가세나 간의 262개의 대담을 적어 놓은 『미린다 팡하』를 처음 만났다. 난해한 부분과 쉬운 부분이 뒤섞여 혼란스러워 우선 머리에 닥치는 대로 우겨 넣었으되 가슴으로 이해하지 못했던 부분이 제법 있었다.

그 책은 다시 5년 전 히말라야에 함께 왔다가 이번에 또다시 간택되었다.

"그대가 수레를 타고 왔다면 무엇이 수레인가 설명해 주십시오. 수레의 체가 수레입니까?"

"아니오."

"굴대가 수레입니까?"

"아니오."

"바퀴나, 차체나, 차틀이나, 멍에나, 밧줄이나, 바퀴살이나 채찍이 수레입니까?"

"아니오."

"대왕이여, 나는 그대에게 물어볼 수 있는 모든 것을 다 물었으나 수레를 찾을 수는 없었습니다."

나가세나는 그렇다면 '수레는 존재하지 않느냐'고 왕을 다그친다.

그러자 현명한 왕은 대답했다.

"수레는 이 모든 것, 즉 수레채, 굴대, 바퀴, 차체, 차틀, 밧줄, 멍에, 바퀴살, 채찍 따위를 가지고 있기에 이것을 반연하여 수레라는 명칭이나 통칭이 생

붓다의 탄생지인 룸비니는 초원지대이다.
이 자리에서부터 히말라야가 시작해서 북쪽으로 고도를 높이면서 위용을 자랑한다.
10대, 20대의 인생을 거치지 않은 30대가 없듯이 낮은 지역을 품고 있지 않은 산은 없다.
스스로가 가지고 있는 산에 대한 정의를 다시 돌이킬 필요가 있다.

겨난 것입니다."

　참으로 당연한 이야기.

　"이름이 나인가, 몸통이 나인가?"

　"아니오."

　"도대체 나는 무엇인가?"

　그러나 내가 자신을 스스로 바라볼 때는 이상스럽게 이 이야기를 적용하지 못했다. 물질〔色〕·느낌〔受〕·지각〔想〕·의지〔行〕·의식〔識〕이라는 다섯 무더기, 다섯 가지 스칸디스〔五蘊〕가 함께 반연되어 형성되어 있는 나.

　"과연 나라고 불리는 나는?"

　이것을 읽던 날, 따뜻한 차와 더불어 따끄리 모모라는 티베트식 야채만두를 씹고 있었다. 야채만두를 들여다보니 얼마나 쉬운 이야기였던가.

　"양파가 야채만두인가?"

　"아니오."

　"나물이 야채만두인가?"

　"아니오."

"감자가 야채만두인가?"

"아니오."

"밀가루로 만든 면피가 야채만두인가?"

"아니오."

"튀겨낸 식용유가 야채만두인가?"

"아니오. 이 모든 것을 반연하여 야채만두라 부르오."

당연하고 당연하지 않은가.

그 날 로지 주인이 깜빡 잊었다는 듯이 야채만두에 토핑하는 토마토 케첩을 가지고 오며 무엇을 읽느냐 물었다. 그러나 이것을 설명할 영어 실력은 물론 현지어 능력조차 없어 그냥 웃었다. 능선이 찬연했다. 햇살이 눈부시고 강렬했다.

만두를 맛있게 먹고 접시를 치우면서 갑자기 질문이 솟았다. 야채만두에 의한 당연한 흐름이었다.

"히말라야는 무엇인가?"

"초모랑마가 히말라야인가?"

"아니다."

"초오유가 히말라야인가?"

"아니다."

"칸첸중가가?"

"아니다."

"이런 것들, 이런 속성들이 합쳐져 만들어진 거대한 산맥이 히말라야."

이어지는 질문.

히말라야를 구성하는 요소 중에는 사막지대도 포함된다.
구름이 설산을 넘지 못해 강수량이 적은 히말라야 북쪽지대는
식물들이 잘 자라지 못하는 사막의 건조함을 보여준다.
산의 다양한 얼굴을 보는 일은 그곳에 피어나는 문화, 종교를 쉽게 이해하도록 만든다.

"해발 8천m 이상이 히말라야인가?"

"아니다."

"6천m?"

"아니다."

"4천m?"

"아니다."

"2천m?"

"아니다. 이 모두가 히말라야."


우리가 산이라고 부르는 기준은 어디 있을까. 국토의 대부분이 산으로 이루어지고 사방이 백두대간과 정맥들로 이루어진 한반도에 사는 민족으로는 눈을 돌려 융기된 곳들 대부분을 산이라고 부른다.

그러나 영국은 다르다. 구릉이 주된 이 섬나라의 경우, 1천 피트가 넘지 않으면 산(mountain)이 아니라 구릉(hill)이라고 부르고, 지도상에 등고선이 나타날 뿐 이름이 표기되지 않는 모양이다. 크리스토퍼 몽거가 감독하고, 휴 그란트가 출연하는 〈잉그리쉬 맨(The Englishman)〉이라는 영화에서는 이 1천 피트와 관계된 이야기들이 재미있고 감동적으로 펼쳐진다.

2차대전이 한창이던 1941년, 영국인 지도 측량사인 레지널드 안슨과 조지 가라드가 런던에서 웨일즈 지방에 도착한다. 피농가루라는 산의 높이를 재기 위해서였다. 소박하면서도 고집 센 이 마을 사람들은 평소 피농가루 산에 대해 대단한 긍지를 지니고 있었다.

마을 사람들의 관심 속에서 산의 높이를 측량한 두 사람은, 산이 되기 위한 높이인 1천 피트에서 15피트가 모자라 피농가루를 산이 아닌 언덕으로 판정하게 된다. 측정 기록에 따라 피농가루의 이름이 지도에 실리지 못하게 되자 마을은 난리가 났다. 자존심이 상한 것이다.

상심한 마을 사람들은 고육지책으로 자기들이 스스로 피농가루의 높이를 높이기로 결의한다. 늙은 신부님의 주도 아래 마을 사람들은 두 측량사의 발을 교묘하게 묶어두고, 남녀노소 할 것 없이 모두 총동원되어 피농가루 언덕 정상으로 흙을 실어 나른다. 곡절 끝에 피농가루는 재측정을 하고, 산 자격을 갖추게 되어 지도에 표기되었다.

비, 바람 등의 자연현상으로 산 높이가 줄어드니, 마을 주민들은 지금도 때가 되면 지도상에 피농가루를 유지하기 위해 양동이에 흙을 실어 정상으로 나른다.

크리스토퍼 몽거 감독이 자신의 어린 시절 이야기를 각본화한 것으로 영국의 지방색, 기록에 의존하는 그들의 객관성 등이 잘 나타난 수작 영화였다.

언덕과 산의 구분은 영국에서는 이렇게 해발 1천 피트(305m)이다. 물론 우리나라에서는 높이와 관계없이 모습이 그럴 듯한 모습이라면 산 대접을 받는다. 서해와 남해 해안선 부근과 도서지방에는 높이와 무관한 이런 산들이 제법 많다.

무엇이 산인가. 1천 피트 이상만 산인가? 영국인의 생각이 옳은 것일까?

『백유경(百喩經)』에 유명한 삼층 누각에 관한 이야기가 있다.

옛날에 어떤 미련한 부자가 있었다. 그는 어리석어 아무것도 아는 것이 없었다. 그가 다른 부잣집에 가서 삼층 누각을 보았다. 높고 넓으며 웅장하고 화려하며 시원하고 밝았다. 그는 무척 부러워하며 이렇게 생각하였다.

'내 재물은 저 사람보다 떨어지지 않는다. 그런데 왜 나는 지금까지 이런 누각을

히말라야에 사는 사람에게는 히말라야는 일상이며 생활이다.

그들은 히말라야에 대해 아무 것도 묻지 않는다.

그러나 우리는 히말라야가 무엇인가? 물어야 한다.

이렇게 묻는 자리에서 일상이 아닌 철학과 종교가 싹튼다.

이런 질문이 진정한 산행의 시작이다.

짓지 않았는가?' 하고 곧 목수를 불렀다.

"저 집처럼 아름다운 집을 지을 수 있겠는가?"

목수는 대답하였다.

"그것은 내가 지은 집입니다."

"지금 나를 위해 저런 누각을 지어라."

이에 목수는 곧 땅을 고르고 벽돌을 쌓아 누각을 지었다.

그는 벽돌을 쌓아 집을 짓는 것을 보고도 의혹이 생겨 잘 알 수 없었다. 그래서 목수에게 물었다.

"어떻게 집을 지으려는가?"

"삼층집을 지으려고 합니다."

"나는 아래의 두 층 집은 가지고 싶지 않다. 먼저 제일 위층 집을 지어라."

"어찌 그럴 수 있겠습니까? 아래층 집을 짓지 않고 어떻게 이층 집을 지을 수 있고, 이층 집을 짓지 않고 삼층 집을 지을 수가 있겠습니까."

그러나 그는 고집을 피웠다.

"나에게 지금 아래의 두 층은 필요 없다. 기어코 맨 위층 집을 먼저 지어라."

그때 사람들은 이 말을 듣고 모두 비웃으며 말했다.

"어떻게 맨 아래층 집을 짓지 않고 위층을 짓겠는가."


이 비유는 정진하지 않고 아라한에 이르고자 하는 게으른 사람들에게 주는 비유다.

설산에서 이 삼층 누각의 비유는 또 다른 관점에서 적절히 조화되니 빛나는 고봉에만 집착해서는 안 된다는 점이다. 『중용(中庸)』에도 '높은 곳에 오르려면 반드시 낮은 데로부터 시작한다'는 구절이 있고 '고층 누각을 오르려면 아래부터 올라야' 하듯이 히말라야 고봉만 집착하지 말고 하부구조부터 인정하는 눈을 가져야 하리라.

산은 허공에 떠있는 것은 아니며 히말라야는 하얀 3층 공중누각이 아니다. 아래로부터의 모든 것들이 촘촘히 인연이 되어 상의성(相依性)을 통해, 총합을 이루며 산을 이룬다.

온(蘊)이라는 것은 참 기막힌 이야기다. 간단하게 컴퓨터 본체를 열어보면 CPU, RAM, 마더보드, 하드디스크, 그래픽카드, 사운드카드 등등이 구성성분[蘊]을 이룬다. 합쳐져서 이루기도 하지만, 그 중에 무엇 하나라도 부정하거나 빼낸다면 제대로 된 컴퓨터는 존재하지 못한다.

## ●── 나눠 보고 합쳐 보고

히말라야는 '세계의 지붕' 혹은 남극, 북극에 이어 '제3의 극지'로 칭송 받는다. 서쪽의 파키스탄에서 시작해서(일부는 아프카니스탄으로 보기도 한다) 인도 서북부를 지나 티베트, 네팔, 부탄에 이르기까지 광대한 지역에 앉아 있다. 해맑은 얼굴을 가진 소년이 어느 날 집을 나와 여행을 시작해서, 허리가 굽고 얼굴이 온통 주름으로 뒤덮여 버리는 노인에 이르러도 순례를 마치기 어려운 험난하고 넓은 덩어리다.

하얀 고봉들이 마치 불두화처럼 피어나 어깨동무로 펼쳐지는 이 지역을 오가다 보면 인간에 의해 분절된 곳을 만나니 바로 국가 사이의 국경이다.

풍래죽면(風來竹面) 안과장공(雁過長空)이라던가. 바람은 빛나는 보석같이 휘황한 하얀 왕관을 머리에 얹은 고봉을 자유자재로 넘나들며, 추위를 피하려는 재두루미는 경계 없이 산을 넘어가고, 더불어 자연을 장식하는 야생화는 국경 없이 무심무위로 촘촘히 이어 나간다. 그러나 유독 만물의 영장으로 일컫는 인간만은 국적이 다르다는 이유로 마음놓고 오가지 못하는 현실의 부조리를 접하게 된다.

히말라야의 정의와 통상적인 분류법은 이렇다

> 동쪽의 부라마푸트라강 대굴곡점에서 시작, 서쪽의 인더스강 협곡에 이르는 장장 2천500km, 남북으로는 폭 200~300km의 산맥을 가리킨다. 즉 동쪽 부탄의 남차바르와(7천756m)에서 서쪽의 낭가파르밧(8천125m)까지 이어지는 이 산맥이 가장 정통한 의미의 히말라야산맥이며 그레이트히말라야라고도 부른다.
>
> 협의의 히말라야는 다시 동쪽으로부터 아삼히말라야, 부탄시킴히말라야, 네팔히말라야, 가르왈히말라야, 펀잡히말라야로 나뉜다.
>
> ── 남선우의 『역동의 히말라야』 중에서

이것은 국가와 국경에 따라 히말라야의 대간을 쪼개는 일로, 히말라야를 온(蘊)으로 바라본다면 가슴 아픈 일이다. 이런 분류는 국경을 넘을 때마다 종이조각의 빈칸에 이름, 국적, 여권번호, 체류기간 등등을 채우면서 히말라야의 본질을 다시 공부할 수 있도록 만든다.

차라리 높이에 따른 분류를 채택하는 것이 생명력이 있다. 고도에 따라 거주하는 생명체, 풍경, 즉 온(蘊)이 다르기 때문이다.

"히말라야는 무엇인가?"

히말라야라는 단어에 당연히 눈[雪]을 제일 먼저 떠올리지만 이것은 어떤 사람을 생각할 때 얼굴만 기억하고, 한국이라는 나라에서 서울만 기억하는 꼴이다. 사실 백두산은 천지 중심의 봉우리만 아니라 그 하부에 울창한 숲을 가지고 있듯이 히말라야 역시 눈봉우리만으로 이루어지지 않았다.

'지구'라는 이름 안에는 열대·온대·한대 지역은 물론이고 바다·강·평야·산맥·초원 등등의 자연계에 이루 헤아릴 수 없이 많은 동식물을 포함하게 되듯, 히말라야 역시 그렇다. 그 높이와 넓이만큼 다양한 기후로 인해 아열대, 온대, 한대는 물론 북쪽 외곽의 삭막한 사막까지 가지고 있어 많은 요소들이 화엄(華嚴)의 세계를 이루며 히말라야라는 하나의 명칭을 만들어 낸다. 붓다의 탄생지인 룸비니가 있는 테라이 초지에서부터, 왕성한 생명력의 원시림지대로 서서히 상승하며, 더 이상 초목이 자라지 않는 수목한계선의 건조한 지역을 넘어, 빙설로 완전무장한 고봉에 닿기까지 모두가 히말라야이다.

그래서 붓다의 샤카족 역시 설산족으로 보게 된다.

『숫타니파타』는 이렇게 기록한다.

대왕이시여, 저 히마반트(雪山)의 기슭
예전부터 코살라국에 속하는 땅에
재물과 용맹을 아울러 갖춘
한 단정한 부족(部族)이 삽니다.

그들은 '태양의 후예'라 일컬어지고
내 생족(生族)의 이름은 샤카,
대왕이시여, 나는 그 집에서 나와 수도자가 되었습니다.

히말라야는 푸른 초원과 경작지가 있는 저지대의 테라이 대지에 뿌리를 내리고 있다. 히말라야라는 정보를 가진 고유한 에너지 장은 붓다의 탄생지에서

저렇게 공공연히 빛나는 히말라야의 모습은 어떻게 이루어진 것일까.

수많은 요소들이 관여하지 않았다면 저런 모습을 이룰 수는 없다.

그 요소를 나누는 과정에서 공(空)이,

합쳐보는 길에서 화엄(華嚴)이 어우러진다.

이 과정을 겪어야 산은 드디어 산이다.

기초하여 고지를 향해 출발한다. 혹은 만년설을 출발선으로 시작해서 하향을 거듭하며 히말라야에서 발원한 물줄기가 적시는 모든 대지를 포함한다.

그러나 고도뿐 아니다. 더 큰 시선으로 보면 인도양을 내리쪼이는 태양, 그로 인한 바다에서 엄청난 수증기의 증발, 북으로 밀어내는 바람, 북쪽의 한랭한 기운, 별빛, 달빛 등등의 가없는 인드라망과 같은 관계가 개개 오온(五蘊)처럼 작용하여 서로 의존하며 히말라야라는 품성을 만드니, 히말라야 역시 그 자체로 독립된 존재가 아니다.

이 모든 것은 어느 한순간에도 분리되어 독립적으로 존재한 적은 없이 시간에 따라 인연을 만들어 나타내고 흩어지며 변해가면서, 결국 본질은 없고 보이는 성질을 가진 히말라야 모습을 이루게 된다. 바로 제법무아(諸法無我)다.

배낭, 야채만두는 물론 히말라야를 자세히 바라보면 온(蘊)과 기본적인 무상, 무아의 의미를 새길 수 있다. 입체파 화가인 조르주 브라크의 '나는 사물을 믿지 않는다. 단지 사물의 관계만을 믿는다'라는 말은 모더니스트들이 이런 생각과 궤를 같이 하고 있음이다. 그의 그림을 보면 하나의 면은 다른 면들과의 관계로 존재하고 있다.

사물은 사물 자체의 본질보다, 다른 것들과의 사이의 관계로 인해 규정되고 정의된다. '고동은 헤쳐봐도 고동소리를 찾을 수 없고, 나무를 헤쳐봐도 불을 찾을 수 없듯이' 그들은 그렇게 모여 인연이 이루어지면서 현상을 만들어낸다.

사실 이렇게 부분에서 전체를 보는 법, 혹은 전체에서 부분을 찾는 방법을 알아차린 장소는 사찰이었다.

수많은 구조물들이 함께 어우러져 하나의 덩어리를 만들고 있는 절[寺]. 일주문, 천왕문, 불이문을 비롯하여 법고, 운판, 목어의 범종각, 석탑, 법당, 대웅전, 대적광전, 극락전, 미륵전, 관음전, 명부전, 칠성각 등등, 산문을 이루고 있는 수많은 구조물들.

하나하나의 의미와 가치를 서술한다면 백과사전 분량이 된다. 그러나 분석만으로 끝내는 일은 라디오를 분해해 놓고 뒷수습하지 않는 악동의 짓이다. 악기의 소리를 악기의 일부로 보고 조각 내는 일과 같다. 절이라는 덩어리에서 하나하나를 일일이 해체하고 진유의 공(空)으로 바라본 후에는, 다시 모든 것을 합쳐 조망하는 과정을 거쳐야 한다. 바로 색과 공을 깨닫는 초석을 놓고 다시금 유기적으로 합쳐 가는 만법귀일(萬法歸一)이다. 더불어 만물일체(萬物一體)로 가는 길을 모색하는 것이니, 이 자리에서 공(空)은 화엄(華嚴)이 된다.

이제 시작하는 히말라야 걷기에서는 사찰에서의 시선처럼 히말라야를 구성하는 우림, 흐르는 물, 길, 야생화, 빙하, 배경이 되는 하늘 등등 수많은 요소를 주의 깊게 바라볼 예정이다.


이런 사유의 길이 어디 사원뿐이고 히말라야뿐이랴. 내 자신에게도 적용한다.

"나를 한 번 나누어 볼까?"

그러나 이런 시선을 내 자신 안으로 돌리면 참으로 갑갑하고 막막하기 짝이 없다. 아비다르마(阿毘達磨, abhi-darma)적인 설일체유부(說一切有部)식으로 나를 해체하려는 사유는 인색하기 짝이 없어, 오랫동안 나라는 존재에 대해 생각해온 편견 혹은 사유의 관성이 오온(五蘊)이 분리되지 않는 한 덩어리인양 해체시키기를 거부했다. 나라는 야채만두를 쪼갤 수 없다고 거절했다. 나는 나와 가장 가까운 것 같지만 사실 가장 먼 곳에 있었다. 경전에서는 그 아(我)의 허망함을 그렇게 끊임없이, 조금도 지침 없이 반복해서 강조했음에도 불구하

단지 집 입구에서 이리저리 배회하며
집 안에 들어서지 않는 일은 탐구정신의 결핍으로 보아야 한다.
더구나 정확한 공부를 기피하거나 설계도를 보지 않으려는 일도 그에 버금간다.
그런 정신은 인생이라는 여정에서 자신이 주인공이 아니라 평생 손님으로 살게 만든다.

고…….

히말라야 정복이 내 자신의 정복보다 어려우니 세상의 왕보다 강한 사람은 자기 스스로를 정복한 자라는 이야기가 나오는 모양이다.

나는 히말라야보다 견고하다. 31세의 나이로 형장의 이슬로 사라지는 승조(僧肇) 대사의 무수상정의 의연함과는 너무 멀리 떨어져 있지 않은가.

> 사대로 이루어진 몸은 원래 주인이 없고
> 의식의 작용인 오온 또한 본래 비었거니
> 이제 퍼런 사슬 아래 목을 내미니
> 봄바람 베는 듯 무심하여라.
>
> (四大元無主 五陰本來空 以首臨白刃 猶如斬春風)

꼬마는 주먹으로 흘러내린 코를 닦아내며 내 곁에서 멀어지지 않는다. 알루미늄 물통이 사라지자 관심의 대상이 바뀌어 이제는 코를 닦아낸 손으로 책을 슬며시 들춰본다. 햇볕이 비늘처럼 떨어져 내려 책표지가 눈부시다. 햇살 아래 눈을 감으면 눈 사이로 빨주노초파남보의 스펙트럼이 보인다. 눈을 다시 뜨면 햇살이 보이지 않고 밝은 천지로되, 눈을 감으면 눈썹 부근에서 산란하는 일곱 빛깔이 빛의 칠온(七蘊)처럼 신기하다.

히말라야에 눈을 돌린다.

빛나고 있는 모습은 구름이 없기 때문이고, 또한 고도가 높기에 빗물이 얼음 혹은 눈으로 변해 산정에 쌓여 있는 탓이다. 조건에 따라 움직이고, 변화를 거듭하고, 발전하며, 모습을 이루어 간다. 말하자면 타(他)에 의지하는 무자연성의 상호관계로 설산의 생명력이 유지된다. 히말라야는 이런저런 여러 조건에 따라 흘러가니 주인이 없는 셈이다.

현상이란 쉼 없이 변화하기에 영원한 가치를 가질 수는 없다. 하물며 나라는 미천한 존재는 말할 것도 없지 않은가. 세상에 집착이 없는 히말라야 같은 거대한 존재가 그렇게 변화를 거듭하니, 세간을 살아가는 나로서는 그보다 신속한 늙음과 쇠락은 당연한 결과이며, 또한 당연히 주인이 없음이라.

주인이 있다고 주장하고 그 주인이 변치 않기를 바라며, 집착하고 고정되기를 원한다면, 얼토당토않은 그 자리가 바로 두카〔苦〕의 씨앗이 뿌려지는 자리가 아닌가.

영원한 것과 구별되는 덧없음.

덧없음에 집착하여 발생하는 고통.

모든 것은 쉴 사이 없이 변한다. 현재가 과거와 다르다는 것은 재론할 여지도 없으며, 우주는 시간의 연속과 생성의 파도 속에 계속 모양을 바꾸어나가니 또다시 제행무상(諸行無常)이다. 나는 야채만두, 절집 혹은 히말라야와 똑같이 중성의 다른 것에 의지하고 의존하며 모양을 만들고 있으니 실체아(實體我) 혹은 자성(自性)이 없어 이것이 바로 제법무아(諸法無我)다.

"야채만두는 무엇이며, 나는 또 무엇이고, 히말라야는 무엇인가?"

나라는 자아에 억눌리며 세상을 산다는 것은 고통을 의미하지만, 이렇게 자아가 없음을 알아차린다면 삶이란 열반으로 건너가는 도피안(渡彼岸) 환희가 아니랴.

사실 나라는 존재도 많은 자연의 혜택과 함께 전 우주가 보내준 선물로 만들어졌으니, 이제 주위 세계와 함께 살고 있음을 서서히 느낀다. 장미가 스스로 아름다울 때 정원 전체가 더 아름다워질 터이니 스스로 잘 갈고 닦아야 우주가 환해진다. 신선〔仙〕이 된다는 것은 단순히 육신이 죽지 않는다던가, 인(人)이 산(山)에 있음이 아니라, 오온을 꿰뚫어 형체에 대한 집착을 사위고 그 배후의 무형적 성질에 합일되는 것일지 모르겠다.

『오래된 미래』의 저자 헬레나 노르베리-호지는 『사마디라자 수트라〔月燈三昧經〕』를 인용해서 이렇게 표현했다.

> 만물이 이와 같음을 알아라.
> 신기루이며, 구름의 성,
> 꿈이며, 환영인 줄을.
> 본질은 없고, 보이는 성질만 가지고 있는 것.
>
> 만물은 이와 같음을 알아라.
> 달이 호수로 옮겨간 일이 없는데도
> 밝은 하늘의 달이
> 맑은 물에 비친 것과 같음을.

오늘의 히말라야는 과거의 생각을 모으고 새롭게 진행하니, 덕분에 새롭게 보인다. 반야에 이르는 연각순례의 길을 인도하는 것처럼 보인다. 산 전체가 '전체로서 하나가 되는 것이 신성에 충실한 생이며, 그것이 인간의 최고 경지'라는 법문을 한다.

햇살이 산의 정수리에 부딪히며 히말라야가 빛난다.

스승은 말씀하셨다.

"저 달〔月〕은, 오 제자들이여, 숨김없이 공공연히 빛나도다. 저 태양은, 오 걸식 수행자들이여, 숨김없이 빛나도다. 완전한 자에 의해 선포된 가르침과 규

율은, 오 제자들이여, 숨김없이 공공연히 빛나도다."

히말라야는 법신으로 환하게 빛난다. 법이라는 비밀은 감추어져 있어서 비밀이 아니라, 속세의 욕심으로 인해 탁해진 눈으로는 보이지 않기 때문에 비밀로 남겨진 것이라든가.

눈에 보이는 모습은 물론 명확하게 드러나지 않은 일체의 변화 원인 역시 바라볼 수 있는 힘, 아니 본래 숨김없이 공공연히 보이는 것을 제대로 보는 힘을 구하기 위해 경전을 외울 필요는 없다. 이런 히말라야 풍경 안에서 미묘한 진리를 찾는 마음공부도 가능하다.

히말라야는 수많은 조각으로 해체가 가능해지니 눈에 보이지 않는 1층 2층의 히말라야가 모습을 드러낸다. 3층만을 바라보던 내 미련한 눈에 아래층이 윤곽을 보이며 공과 화엄이 어우러진다. 이제 산으로 들어가면서 더욱 열심히 파악할 예정이다. 한 발 더 나가 잘하면 오늘, 나는 내 자신을 오온으로 잘 쪼개서 제행무상, 제법무아의 진리를 완벽하게 적용시킬 수 있을지 모르겠다.

책을 어루만지던 꼬마는 이제 시큰둥하게 쪼그리고 앉아 땅과 놀기 시작했다. 나무 조각으로 햇살이 가득 담겨지는 바닥에 그림을 그리면서 노래를 부른다.

## ●고도에 따른 분류●

### 1. Shivaliks(Siwaliks, the Outer Himalayas or the Sub-Himalayas)
히말라야의 가장 낮은 곳에 위치한 지역으로 해발 9백-1천2백m 사이에서 출발한다. 폭은 겨우 16km에 불과하지만 북쪽으로 급격한 경사를 이루기 시작한다. 인도와 파키스탄 일부가 이에 속하며 이 바깥쪽은 깊은 계곡으로 히말라야와 분류된다. 시바릭스라는 이야기는 '시바신의 소유물'이라는 의미를 담고 있다.

### 2. Himachal(the Lesser Himalayas or the Lower Himalayas)
평균 고도 3천7백m에서 4천5백m에 자리하며 빙하가 시작되는 지역까지를 일컫는다. 아름다운 수목들과 야생화를 비롯해서 많은 동물들이 거주하는 지역으로 히말라야 생명력의 근원이다. 히말찰에서 찰은 언덕, 산을 의미한다.

### 3. Himadri(the Great Himalayas, Higher Himalayas or the Great Himalayan Range)
히말라야 북쪽의 길게 이어진 지역으로 평균 고도는 6천1백m이다. 여러 고봉들이 티베트-네팔-인도 사이의 국경 역할을 하고 있다. 수많은 6-7-8천m급 고봉을 가지고 있는 가장 높은 지역들이다. 일반적인 트래커들에게는 풍경으로 배경을 장식하며 외경을 느끼게 만들어주는 지형이다.

### 4. Trans Himalayas
히말라야를 넘어선 티베트 고원을 일컫는다. 평균 고도 5천330m로 지구의 지붕이라고 불린다. 북쪽의 길게 이어진 이 지역은 현재 중국인들의 티베트 점령으로 인해 수탈이 자행되고 있는 지역이다.

이 네 가지 분류를 아는 것은 여행에 도움이 된다. 자신이 걷고 있는 지역에 따라 이야기를 나눌 대상이 다르기 때문이다. 몬순 중에 여행을 할 경우, 숲속의 울창함을 눈여겨보고, 몬순이 끝난 후에는 지천에 피어오른 야생화에 감사해 하며, 겨울시즌에는 이미 열반에 들어 다음 빗줄기를 기다리는 식물군들을 바라볼 수 있는 기초가 된다. 고도에 따른 주변 생명체에 관한 관찰은, 높은 곳에 자리하고 험하고 열악한 환경에 있을수록 겸손하고 단촐한 모습을 보이는 생명체들에게 다르마를 배우는 힘이 된다.

# 3

## 히말라야라는 생명체

인간이 미지의 실재에 부딪혔을 때, 제일 먼저 하는 것은

그것에 이름을 붙이는 일, 즉 세례하는 일이다.

이름이 붙여지지 않는 것은 우리가 모르는 것이다.

모든 배움은 사물의 진정한 이름을 배우는 것으로부터 시작되고,

우리의 지혜의 문을 열어주는 중요한 열쇠가 되는 말의 계시로 끝난다.

— 옥타비오 파스의 『활과 리라』 중에서

# 히말라야라는 생명체

●── 히말라야 만트라

긴게 풀어지다가 계곡 사이로 숨어버리는 산길 입구에서 걸음을 멈춘다. 진흙을 덧바른 나지막한 집이 주변 배경과 더불어 풍경을 만든다. 인기척에 고개를 내민 선량한 눈빛의 한 남자와 시선이 마주친다.

오늘 이 시간이 되도록 손님 하나 받지 못했을까, 그의 애절한 시선을 피할 도리가 없어 주문한다.

"레몬차 한 잔 주세요. 그리고 계란 두 개 삶아주세요."

얼굴이 새까만 남자가 활짝 웃으며 알았다 이야기하고는 들어와 간이의자에 앉으라 권한다.

사람이 사람으로 살아갈 수 있는 도구 중에 하나는 언어다. 언어가 통하기에 이렇게 음식을 주문할 수 있었다.

가게 주인은 목에 걸었던 수건으로 먼지로 범벅된 의자를 탁탁 털어내더니 서둘러 석유버너에 불을 붙인다. 서늘하고 메마른 바람이 가게 안을 휘저어 흙먼지가 바닥에서 뱅글뱅글 맴돈다.

선불교에서는 근본적으로 언어에 회의적이어서 언어도단(言語道斷), 불립문자(不立文字), 교외별전(敎外別傳), 이심전심(以心傳心)이라는 표현으로 언어를 끊어 버리고 배후에 존재하는 큰 의미를 알아차리기를 권한다. 남쪽을 징벌하기 위해 당당하게 떠난 덕산(德山)이 용담을 만나 깨달음을 얻은 후, 그동안 애지중지하던 자신이 저술한 『금강경소(金剛經疏)』를 불사르고, 보각(普覺)선사는 스승 원오(圜悟)가 집필한 『벽암록』으로 불을 지폈던 것도 같은 이유다.

그러나 언어가 없으면 설법이 없다. 이것은 깨달음을 향한 열망이라는 번뇌가 없으면 번뇌가 모조리 꺼져버린 니르바나[涅槃]에 도착할 수 없다는 딜레마와 동일하다. '지면에서 넘어졌다면 지면을 집고 일어서야만' 하니, 번뇌를 다스리기 위해 번뇌를 도구화해야 함이다.

해탈을 얻겠다는 욕망을 통해서 욕망이 사라진 해탈에 이른다니!

'없음을 욕망하는' 무욕(無慾)은, 즉 대욕(大慾)이라는 이야기는 옳다.

"계란 두 개? 세 개?"

주인은 다시 손가락을 세워가며 확인한다. 고생을 많이 한 굵은 손가락이 잘 펴지지 않는다. 바람이 발목을 파고든다.

나 역시 손가락을 세우면서 대답한다.

"두이따 디노스(두 개 주세요)."

슬쩍 자세를 굽히자 능선 끝으로 거대한 연봉들이 마치 춤사위처럼 출렁이며 비경을 이룬다. 일거에 솟아올라 초연하게 자리잡은 모습이 그야말로 이미 언어를 넘어섰다.

『금강경』이 일컫듯 모든 상은 허망(凡所有相 皆是虛妄)하기에 히말라야의 상(相)과 형(形) 역시 언젠가 버려야 할 새장일지언정 현재 새를 잡기 위한 하

히말라야를 말로 설명하는 것은 지극히 어려운 일이다.

아무리 달변이라도 저런 산의 모습을 있는 그대로 타인에게 전하기는 어렵다.

산머리에서 굳건하게 솟아오른 히말라야를 보면 고상함이 전해져 온다.

그리고 높은 기운이 슬며시 다가선다.

이것은 언어의 형태로 전해져 오는 것이 아니라 어떤 정신으로 온다.

나의 도구이다. 언어 역시 형이상(形而上)에 가기 위한 형이하(形而下)의 사다리며 배다. 손가락이 달을 지목했다면, 달을 본 후에 손가락은 아무 소용이 없다. 그것이 바로 설법이라는 도구로 중생을 피안(아라한)으로 보낸 붓다가 열반에 들 무렵 '나는 깨달음을 얻은 이후로 오늘 그리고 열반에 이르기까지 그 가운데 일자(一字)도 설하지 않았다(四十九年 一字不說)'고 한 뜻이리라. 또한 마이스터 에크하르트가 '네가 하느님에 대해서 한 말은 하나도 옳지 않다'고 말한 이유다.

히말라야.

"그래, 히말라야로 가야지. 히말라야로 가야 해."

이런 결심을 했을 때, 제일 먼저 하는 일은 히말라야라는 형이하의 '언어'를 입안에 넣고 또박또박 발음하는 것이다.

"히 · 말 · 라 · 야."

'한 번 귀에 들어가면 영원히 도의 종자가 된다(一入耳根 永爲道種)'고 한다. 일상 언어를 해독하기 위해서는 혼이 말을 걸어오도록, 대응하고 있는 울림으로 가슴에 넣는다.

뿐인가. 집을 떠나와 드디어 산의 입구에 섰을 때도 입안에서 만트라로 오랫동안 굴린다.

"히 · 말 · 라 · 야."

만트라는 '다양하게 나타나는 생명의 근원으로, 반복함으로써 보호력을 발휘하는 단어'다. 설산을 생각하고, 여행이 무사하기를 기원하며, 산행 중에 삶에 대해 많은 공부가 이루어지도록 바라며, 입안에서 퍼져나가는 만트라 어절을 정성스럽게 바라보면〔觀〕 뭔가 기운이 다르다.

서울에서 배낭을 꾸리면서부터 산에서 걸어 올라가고 여정을 마칠 때까지 만트라를 읊는 일은 계속된다.

"히 · 말 · 라 · 야 · 히 · 말 · 라 · 야 · 히 · 말 · 라 · 야."

이렇게 저렇게 혀 천장에 붙여보고 혀끝을 스쳐보고 잇몸에 대어보고 치아에 슬며시 문지르며 지명을 완전히 익히면 '혈중 히말라야 농도'는 최고조에 도달하며 어느새 히말라야는 가슴에 우람하고 서늘하게 주석한다. 내 사고 안에 히말라야는 그 자신을 반영한다.

"옴 · 나 · 마 · 히 · 말 · 라 · 야 · 스 · 바 · 하."

의자에 앉아 풍경을 보며 노래하듯 세 번 이야기하자 목소리가 컸던지 주인이 웃는다. 주인은 달궈진 주전자에 물을 부어 넣는다. 콧노래를 웅얼대며 버너의 압축기를 익숙하게 조작하며 공기를 적당히 주입한다.

"메로 만트라 히말라야 호(내 만트라는 히말라야이지)."

설명을 해주자 그 역시 하던 일을 멈추고 진지하게 버너 앞에서 히말라야를 반복해 본다. 사람들이 어떤 만트라를 반복하는 동안, 표정과 눈빛이 진지하고 색다르게 변화하는 현상은 신기하다.

가게 안에 몇 개 되지 않는 가재도구들이 서서히 암반응을 통해 눈에 들어온다. 열 손가락 모두를 사용해도 충분히 남을 정도로 단출하다. 구석으로는 낡은 양탄자를 깔아놓은 평상이 있고 그 위로는 담요가 잘 정돈되어 포개져 있는 것으로 보아 주인 가족들의 침대 역할을 하는 자리다. 기둥에 여러 개의 불룩불룩한 자루들이 기대여 놓여 있고 몇 개의 상자들이 함께 있다. 감자, 양파, 그리고 생필품들이다.

먼지는 바람에 의해 서로 헤어지기 싫다는 듯이 무리를 지어 꼬리를 물며 사르륵 사르륵 계속 맴돌고 버너 불꽃이 바람에 흔들리며 쉭쉭거린다. 만트라로 인해 가슴 안에 히말라야가 들어 앉으니 진지하고 묵직하다.

## ●── 생명체로 대접받는 히말라야

레몬차가 유리컵에 담겨 나온다. 넉넉히 끓여냈는지 주인장 역시 자신이 마실 모양으로 컵을 들고 있다. 히말라야 주변에 사는 사람은 뜨거운 것에 대해 태도가 공손해서, 후욱 후욱 입으로 부는 모습, 잔을 잡는 행위는 물론 불을 쬐는 자세 역시 따스한 것들이 고맙다는 듯 매우 조심스럽다.

차가 역시 맛지다. 주인은 버너 앞에 쪼그리고 앉아 차를 마시면서 김이 모락거리는 끓는 물통을 들여다본다. 언제 계란을 꺼낼지 궁리하는 모양이다.

만트라에 이어서 하는 일은 의미를 반추하는 것이다. 발음을 했으니 의미를 찾아야 한다.

히말라야(himalaya)라는 단어는 산스크리트로 눈을 뜻하는 히마(hima)와 주거지. 거처, 즉 집을 말하는 알라야(alaya)로 구성되어 있다〔알라야는 중국으로 들어와 아뢰야(阿賴耶)로 번역된다. 아뢰야식은 식(識)이 존재하는 곳인 셈이다〕.

처음에 이 이야기를 듣고는 갸우뚱거리지 않을 수 없었다.

"눈의 집?"

"눈의 거처?"

몇 가지의 예외가 있으나 집이란 대체로 무생물이 아닌 생명체가 거주하는 장소를 의미한다. 고개를 갸우뚱거린 이유는 바로 히말라야라는 이름을 만든 고대 인도의 현자들이 '눈〔雪〕을 생명체로 보지 않았나?'는 사실 때문이었다.

객관적인 바깥 세계와 주관적인 내 안의 세계가 경계에서 만나면 여러 가지 의식활동을 통해 관념이 발생한다. 히말라야라는 이름을 붙인 고대 현자들은 그들의 관념에 광범위한 생명사상을 품고 있었음이 틀림없었다.

"어디까지가 살아 있음이고 어디까지가 무생물인가. 더불어 생명이란 무엇인가?"

히말라야의 이원을 생각하다가, 덕분에 그동안 고정관념으로 자리잡았던 생명과 무생물의 기준에 대해 다시 돌아보는 기회가 되었다.

사실 생명학자조차도 생명의 넓고 깊은 스펙트럼을 완벽하게 파악하지는 못하며, 시간이 지날수록 생명의 정확한 정의를 속시원히 풀어내지 못하고 있다. 지구상의 모든 가계를 이어나가고 세대를 거듭하게 만들며 생명의 마술적인 본질을 가진 DNA조차 생명이 아니라 염기가 사슬로 이어진 무생물이 아닌가.

생명과 무생물은 엄격하게 구분되어지지 않으니 '자연은 조금씩 생명 없는 물체로부터 동물로 옮겨가 그 정확한 경계선을 단정짓기가 불가능하다'는 그 옛날 아리스토텔레스의 이야기는 현세에서 다시 무게를 가지고 부활한다.

관찰하면 생명이란 명사(名詞)가 아닌 동사(動詞)로 행동하고 있으며, 동사가 모인 것이니 고정되어 있는 것이 아니라 흘러가는 사건이다. 힌두교도와 인디언들은 서구사회가 무생물이라고 주장하는 돌, 바위, 보석, 가구는 물론 시멘트로 지어 올린 건물들조차 생명이 있다고 생각하는 이유는 모든 존재 내에 에너지가 살아 있기 때문이라는 것이다.

눈에 보이는 찻잔, 포크, 탁자 역시 그들 눈에 의하면 살아 있는 존재다. 더불어 평원을 가로지르는 바람, 밤을 밝히는 달, 지상의 모든 생물체에게 에너지를 주는 태양, 검고 드넓은 밤하늘을 수놓는 별, 식물을 성장하게 만들고 많은 생명체에게 생명을 주는 강 등등은 물론, 주변에 포진한 보이거나 보이지 않는 자연현상 역시 모두 한 가지에 피어난 꽃처럼 다른 것이 아니며, 동시에 살아 있으며, 더 나아가 신이 거주하는 자리로 간주한다. 어디든 존재하는 신성(神性)—불성(佛性)과 일치하는 이것들은 우리 인간들의 생명과 이간되어 있지 않으므로 한 발 더 진행해서 신과 동격이라는 곳까지 이르고 있다.

하여 『브리하다란야카 우파니샤드』에서 샤칼리아 비다그다가 야쟈발키야에게 '신은 몇이요?'라는 질문에 많다는 뜻으로 '삼백셋이오. 그리고 삼천셋이오.'라고 답하게 된다. 『화엄경』「세주품」에서도 주천(主天), 주지(主地), 주일(主日), 주야(主夜), 주산(主山), 주해(主海) 등, 신이 아닌 것이 없다. 붓다와 동시대를 살았던 자이나교(Jina)의 마하비라 역시 막대기, 돌, 공기, 물, 동물, 곤충, 초목 그리고 모든 존재들은(안에 갇혀 있되) 모두 영혼을 가진 살아 있는 정령으로 보았다.

천지동근(天地同根), 물아일여(物我一如), 만물일체(萬物一切)라는 아름다운 이야기 안에는 우주적 지평 속에 대립이나 구분 없이 모두의 상대성이 해제되는 다즉일(多卽一) 일즉다(一卽多)가 자리하니, 히말라야의 어원을 캐며 우리 모두의 생명의 기반인 불성 혹은 신성으로 내려가면 충분히 고개를 끄덕일 수 있는 일이다.

이제는 표현도 깊숙이 생각해야 한다. 물은 낮은 곳으로 뛰어가고, 나무는 두 팔을 벌려 나를 맞고, 안개는 가슴으로 달려들고, 산은 구름에 묻혔다가 살

만트라를 직역하면 반복됨으로써 보호력을 발휘하는 단어다.
이 만트라 안에는 불가사의한 성스러운 가피력과
생명의 근원이 있다고 한다.
히말라야의 곳곳에는 만트라를 새겨 놓은 마니석들이 있어,
지나가는 사람들이 무의식적으로 이것을 보거나 읽음으로써
온갖 고난으로부터 보호받도록 배려하고 있다.

아나고, 별이 하늘을 일정한 보폭으로 걸어가고, 낙엽은 제자리를 찾아 앉고,
등등의 의인화를 통해 생명력을 돌려주는 일도 가슴 훈훈한 일이다.

  씨앗이 싹터 비와 태양과 바람에 의해 녹색식물로 자라고, 열매를 맺고, 그
알갱이는 불과 물로 인해 빵이 되고, 빵이 음식의 양분이 되어 혈액을 만들고,
혈청으로부터 태아, 사람, 시체, 흙, 암석, 무기물로 변한다.

이렇듯 물질은 언제까지고 자신의 형태를 바꾸어 나가는 자연의 형상이라는 사실과 그것이 생명 유지에 필수이니, 환경과 자연은 모두 인간의 운명에 관심을 기울이고, 우리는 하나라는 사실이 정겹지 않은가.

주인은 이제 계란을 꺼낼 시간이 충분히 되었다는 듯이 버너를 껐다. 펄펄 끓었던 물을 아깝게 그냥 쏟아 부을 생각이 없어 단지 수저 하나로 계란을 건져내려고 애쓰기 시작했다.

그 일이 어디 생각만큼 쉬우랴. 둘러보니 국자는 없으니 딱히 다른 방법은 없었다. 인도의 속담 중에 '하다가 하다가 보면, 이루어진다'라는 말이 있다고 한다. 어려운 산스크리트 문법을 불평하는 제자에게 스승들은 이 이야기를 즐겨한다고 한다.

결국 하다가 하다가, 하나를 건져냈다. 또 다른 하나는 언제쯤 뜨거운 물 밖으로 나올 것인가. 바라보는 일도 흥미롭다.

바로 한두 세대 윗편의 우리 조상들 역시 천지 모든 존재에게 영혼과 신이 살고 있다는 물활론을 따랐기에 마을 입구 서낭당 돌무더기에, 혹은 장독대 위에 정화수를 올려놓고, 일월(日月)은 물론 북두칠성 국자의 물이 떨어지는 시간에 기원을 올렸다.

이제 이런 이야기를 거부하지 않고 있으며 한 발 더 나아가 적극 긍정하고 있으니 그 출발점은 공교롭게 바로 '히말라야'의 어원 덕분이었다.

남쪽에서 북쪽으로 올라오다가 거대한 백색의 아름다움을 보고 '땅이름 짓기'를 시도하던 베다시대의 수행자들.

아무런 생각이 없었던 '집', '거처'라는 단어가 그들 덕분에 이제는 듣기만 해도 온돌방 아랫목에 앉은 듯 가슴이 따스해지지 않는가. 집이란 단순히 물리적인 기능이 아닌 생명의 생활형태를 담아낸 것이라는 고대 힌두교도의 마음 탓에 추위 대신 따뜻함을 선사 받는다.

그리고 나서 카비르를 다시 읽는다면, 집이라는 단어에 깊게 공명할 수 있다.

> 님은 참으로 나를 사랑하여
> 님의 '집'으로 이 방랑자를 초대한다.
> '집'이 있다는 것은 진정한 합일이며
> 그곳은 삶의 기쁨과 환희로 가득하다.
> ── 카비르

## ●── 살아 있는 히말라야

언어로 히말라야를 발음하고, 히말라야의 뜻을 충분히 인식했으면 이제 히말라야를 만날 자격을 부여받는다. 만트라를 외우고, 더불어 '눈의 집', '눈의 거처'의 뜻을 다시 새기는 일은 집에 초대받은 사람으로서의 당연한 예의다. 이런 과정 없이 찾아뵐 어른의 함자(銜字)조차 모르는 사람처럼 다짜고짜 설산에 접근하는 일은, 관광객으로 아무 생각 없이 절집으로 몰려가 기념촬영 후에 우르르 떠나는 일과 격이 같다.

사실 언어는 실체가 아닌 형태일 뿐이다. 그러나 만트라를 통해 언어를 형태에서 실체로 변환시켜 가슴에 자리잡게 만들면, 기호에 지배되는 담론 구조를 해체시키고 언어의 코드를 파괴시켜, 언어 이전의 세계로 심화시킬 수 있다.

계란이 소금과 함께 놓였다. 이곳에서는 삶아낸 달걀을 찬물에 식히는 법이 없다. 아직 뜨거운 계란을 걸상 모서리에 탁탁 부딪혀 껍질에 균열을 만든다. 조악하게 만들어진 라디오에서 실처럼 이어지는 힌두 노래가 풀어져 나오니 주

생명체의 거주장소인 집의 의미는 단순하지 않다.
히말라야 주변에서 집의 의미는
광범위한 생명사상에 근거를 둔다.
히말라야 주민들이 몬순이 끝나면
집을 정성스럽게 단장하는 일도 그런 정신의 무의식적 반영이다.

인은 아직 따스한 찻잔을 움켜쥔 채 실눈으로 노래를 따라 부른다. 그러다가 시선을 슬쩍슬쩍 이쪽으로 던져 또 다른 주문을 한다면 단숨에 달려올 태세를 갖춘다.

눈을 들어 설산을 바라본다. 히말라야는 해를 거듭하며 느껴보건대 더 이상 무생물이 아니다. 눈에서 무지가 떨어져 나가니 그는 점점 생명체의 제 모습을 갖추고 있다. 이곳을 거점으로 살아가는 생물을 생각하고, 그 생물들에게 생명을 주는 많은 존재들을 돌아본다면 내가 바보가 아닌 이상 더 이상 히말라야를 무생물이라 이야기할 수는 없다.

히말라야에서 한 걸음 더 나가 지구를 본다면, 생물계와 무생물계가 서로 무수하게 왕성히 상호작용하는, 소위 동시구족상응(同時具足相應)의 중중무진연기(重重無盡緣起)의 생주이면—생로병사를 겪어나가는 하나의 거대한 시스템인 생명체다.


우리가 향후 우주로 여행을 떠난다면 외계의 생명체와 만날 가능성이 있다. 그렇지만 외계의 별들은 지구와는 판이한 환경에 놓여 있기에 생명체의 모습이 전혀 다를 것이다.

"그렇다면 생명체를 어떻게, 어떤 기준으로 알아볼 것인가?"

영국의 과학자 제임스 러브록은 이 주제를 가지고 NASA에서 연구한 결과, 생명체의 정의는 낮은 엔트로피의 상태로의 이전을 뜻하며, 이 이론을 따르면 지구는 하나의 거대한 유기적인 생명체로 간주된다. 바로 '가이아론'이다.

사실 이 정신은 새로운 것은 아니다. 그러나 과거의 이런 정신은 사막에서 태어난 유대교, 크리스트교 그리고 이슬람교가 태어난 후에, 절대자가 우주를 창조했고 자신의 모습과 같은 형태로 인간을 만들었다는 유일신 사상 아래 편입되며 희석되어 갔다. 이제야 가이아 이론이 무게를 더해 가는 것을 보면 후세에는 동양의 도덕률이 질박한 자연 본성을 구원하리라.

가게 주인이 맛살라에 버무린 땅콩을 한 줌 주었다.

"삶은 계란을 먹을 때, 같이 먹으면 좋아요."

마치 가족에게 권하듯 부드러운 시선으로 한움큼 내밀었다.

우리가 남인가?

히말라야조차 생명체로 보는 마당에 당신과 나는 남인가?

루이제 린제의 『운명』에 의하면 '동정은 감상적이고 책임이 따르지 않는 감정의 동요'일 뿐이며 '동감은 다른 생명체, 그들의 기쁨과 고통, 그들의 생활 방식, 그들의 인격, 간단히 말해 삼라만상과 하나가 되는 가장 책임 있는 방식'이다. 동감은 동정을 넘어서며 '존재하는 것에 대한 사랑'이다.

현지인들을 바라보는 시선은 동정이 아니라 동감으로 이어져야 사랑으로 하나가 된다.

현지인 손님 세 사람이 집 안으로 들어오면서 주인 얼굴이 반가움으로 확 펴졌다. 그 중에 한 사람은 교분이 두터운 절친한 사이인지 잡은 손을 쉽게 놓지 않는다. 이제 다시 떠날 시간이 되었다. 히말라야 까마귀 서너 마리가 북쪽으로 날아간다.

고대 인디언의 지혜에 의하면 산을 향해 올라가는 일은 영적인 작업이다.


비전 탐구는 대개 높은 산에서 열리는 것이 바람직하다. 이런 이유로 우리는 종종 비전 탐구를 '언덕으로 올라가는 것'이라고 부른다. 높은 산이 바람직한 이유는 산에 올라가면 우리가 사는 세상을 더 잘 볼 수 있기 때문이다. 그렇게 높은 곳에 올라가면 우리의 태도 역시 더 높아진다. 우리의 시야가 시각적으로는 물론이고 내적으로도 넓어지기 때문이다. 높이 올라갈수록 우리의 시야는 더 넓어진다. 높은 곳에 올라가면 또 그 산의 힘을 느낄 수 있고, 그것에서 무언가를 받을 수 있다. 우리가 성당이나 사찰에서 예배의 분위기를 느끼는 것과 비슷한 일이다. 높은 곳에 올라가기만 해도 우리의 믿음은 더 강해진다.

산들이 잠시 가렸던 구름과 안개를 털어내며 웅장한 모습을 보여주기 시작했다. 가슴에 구멍이 날 정도의 서늘한 기운도 이제는 차차 사라지며 햇살과 더불어 화한 기운으로 바뀌어 나갔다. 저 멀리 수천 m에 육박하는 장엄한 봉우리의 모습을 보자 가슴이 콱 막혀왔다.

찬란한 제국. 모습을 이루는 동안 변치 않을 이름, 히말라야.

당당하고 백색으로 화려하게 구름 위로 솟아오른 수직의 세계.

힌두의 이야기처럼 정말 신들이 살고 있을 법하니, 히말라야는 무정(無情)한 사물이 아니라 생명체이며 그것도 정신적 의미가 충만한 그 무엇이다.

높이 올라가고, 그 생명체에 다가서며, 혼연일체를 시도하려는 나는 집앞에서 집주인에게 인사를 올리듯 정성스럽게 다시 한번 히말라야를 부른다.

"옴 · 나 · 마 · 히 · 말 · 라 · 야 · 스 · 바 · 하."

만트라를 외우고 뜻을 새기며 떠날 준비를 하니 이제 문지방을 넘어설 예의는 갖춘 셈이다.

북쪽으로 향했던 까마귀가 어디서 합류했는지 모를 동료들과 함께 동쪽으로 비스듬히 사선을 그리며 몰려간다.

가게 주인이 따라나오며 잘 가라고 합장 인사한다.

"나무로 가래 자누스(좋은 여행하세요)."

# 히말라야 일주문

## 4

아, 귀하여라, 이름 있는 이 산이여.

일곱 가지 보배인들 어찌 여기에 겨루랴.

(可貴一名山 七寶何能比)


── 한산(寒山)

# 히말라야 일주문

설산은 지난 경험에 의하면 첫날이 제일 힘들다. 문명의 이기들과 타협하고 지내온 몸과 마음이 이제 홀로 일어서 걸어나가기에 그렇다. 중독 혹은 의존에서 빠져나오는 일은 어두운 극장 안에 들어가거나, 밤에 손전등 하나 없이 나서는 일처럼 적응의 시간이 필요하다.

이곳 히말라야에는 길이 있되 탈거리는 없으니 오로지 두 발로 '걷기'를 해야 한다. 걷기만큼 문명적인 요소를 떨구어내기 좋은 것이 어디 있을까. 자크 라카리에르가 아니더라도 사람들에게 눈을 감기고 '걷기'라는 단어를 던져준 후, 떠올리는 이미지들을 이야기하라고 한다면, 태양, 달, 하늘의 별, 지평선, 능선을 타고 오는 바람, 오두막집, 보리밭, 노을 등등, 우리의 본향인 자연의 요소들을 기쁘게 이야기하리라.

걷기를 통해 가슴에 심어지는 것들은 바로 문명과는 무관한 인위적인 요소가 배제된 단어들이다.

"힘들어요?"

한 손으로 바위에 기대어 헉헉거리노라면 내 짐에 비해 열 배가 넘는 어마어마한 덩어리를 지고 가는 현지인이 도리어 걱정스럽다는 듯이 물어보게 마련이다.

바라보는 눈길에 정이 묻어난다. 그들의 얼굴과 표정이 까뮈의 이야기처럼 풍경과 일치하고 있음은 당연하며, 올리브나무가 아닌 히말라야 삼나무를 닮아 눈빛이 시원하다. 이럴 때는 네팔어로 이야기하는 것보다 힌디어로 대답해 주면 더 재미있어 한다.

"꼬이 바뜨 네히(별 문제 아니야)."

그러면 가던 길을 멈추고 '그 말은 인도 말이니 우리 네팔 말로 이렇게 하라'고 가르쳐 주기도 하고, '인도 어디와 어디를 둘러보았냐'고 묻기도 한다. 산 속에서 짐을 나르는 그들의 소망 중에 하나가 남쪽의 거대한 나라 인도 방문임을 쉽게 알 수 있는 궁금증 가득한 표정을 만든다.

인도의 수행자들은 갠지스를 따라 북상하며 히말라야를 그리고, 반면에 히말라야의 짐꾼들은 평야를 가로질러 강이 흐르고 온갖 꽃이 피어나며, 자동차와 기차가 마구 달린다는 인도를 그린다. 시선이란 그렇게 반대편을 바라보면서 서로 얽히는 모양이다.

고산에서 짐을 나르는 그들이 언제쯤이면 돈 벌어 버스를 타고 기차를 갈아타며 인도를 순례할 수 있을 것인가.

나 덕분에 그들이 바쁜 길을 쉬어가기에, 이럴 때는 호주머니 속의 사탕 혹은 비스킷을 나누어 먹으며 인도 이야기를 나누면 서로가 훈훈하다.

사실 히말라야에서 인도의 역할은 증대된다.

인도인 철학자 라다크리슈난은 자신의 저서 『인도철학사』서문에서 이렇게 이야기했다.

현지인과의 교류는 절대적으로 필요하다.

오랫동안 이 산의 주인인 그들을 단순히 경제적인 잣대로 가볍게 보아서는 실패한다.

그들의 종교, 전통, 문화는 우리에게 속 깊은 울림과 더불어 개안을 선물해 준다.

길을 가다가 현지인을 만나는 경우 상대가 아무리 어린아이라도

인사말을 잊지 말아야 한다. 나마쓰떼(내 안의 신이 당신 안의 신에게 인사드립니다).

풍요로운 자연은 넉넉한 식량을 주었으며, 사람들은 힘겨운 생존경쟁에서 자유로울 수 있었다. 인도인은 결코 이 세계가 권력이나 재산을 얻기 위하여, 혹은 더 많은 영토를 차지하기 위하여 싸우는 전쟁터라고 여기지 않았다.

자연을 개척하고 극복함으로써 물질적인 삶의 문제에 더 이상 정력을 쏟아 부을 필요가 없게 될 때, 우리는 보다 차원 높은 삶, 즉 어떻게 하면 보다 완전한 영적인 삶을 영위할 것인가 하는 것을 생각하게 된다. 짐작컨대, 기진하게 하는 기후조건은 인도인들로 하여금 조용히 은거하고 싶은 성향을 자라나게 하였을 것이다. 무성한 활엽수의 방대한 숲들은 믿음이 깊은 영혼이 그 속을 평화롭게 거닐며, 신비의 꿈을 꾸며, 환희의 노래를 부를 수 있는 좋은 기회를 제공하였다. 세속의 일에 지친 사람들은 이러한 자연을 찾아 길을 떠나고, 바람소리와 시냇물소리, 새들의 지저귐과 서걱이는 나뭇잎 소리를 듣는 가운데 내면의 평화를 얻어, 건강하고 활기찬 삶으로 다시 돌아간다.

그러나 여행자가 보는 시선은 라다크리슈난의 들뜬 조국 찬가와 같지는 않다.

건기의 푸석한 죽음의 땅에 생명을 주는 몬순이 찾아오면 만물이 소생하여 유지하다가, 겨우 살 만하면 또다시 건조함이 몰려와 죽어간다. 그렇다고 몬순의 시기가 생명체의 천국은 아니다. 그 시기에도 지나친 빗줄기로 토사에 쓸려가고 범람으로 익사한다.

생로병사가 큰 틀 안에서 작은 삼사라[輪廻]의 법륜을 마구 굴리며 거친 환경과 난해한 카스트 체제 아래에서 나고 죽고, 죽고 난다.

이런 현실은 여행객에게 종교적 영감을 불러일으키며 삶[生]은 두카[苦]라 가르친다.

"아니, 저 생명은 왜 태어나서……."

갠지스에 던져진 아이 시체 덩어리를 바라보며, 강물에 떠내려가는 죽은 물소를 보면서 이런 생각조차 없다면 인도(印度)는 인도가 아니다. 다시 저잣거리로 돌아와 잘 닦인 인도(人道)나 걸을 일이다. 때로 섭씨 50도에 육박하는 북인도 대지에 서서 자이셀마르 사막에서 불어오는 열풍을 맞으며 붓다를 명상하지 않을 도리가 없다.

『잡아함경』은 이른다.

"수행자들이여, 온 세상이 불타오르고 있다. 온 세상이 불타오르고 있다는 것은 무엇을 말하는가? 눈이 불타고 있다. 눈에 보이는 세상[色]이 불타고 있다. 눈의 분별[眼識]이 타오르고 있다. 눈이 보아서 즐거운 것이나 괴로운 것이나 모두 불타고 있다. 무엇 때문에 불타오르고 있는가? 탐욕의 불이 타오르고 있다. 분노의 불이 타오르고 있다. 어리석음의 불이 타오르고 있다. 또한 생로병사의 근심 걱정과 고통의 불길이 타오르고 있다. 이처럼 귀에서도, 코에서도, 혀에서도, 몸뚱이에서도, 나아가 마음에서도 불길이 훨훨 타오르고 있느니라."

척박한 환경에서 나고 죽는 모습에서 느끼는 연민은, 이 세상이 연이어 불길로 이어지는 고해(苦海)라는 진리를 보여주는 핀 홀이다. 인도를 가지 않고 자신이 앉은 자리에서 이 모든 것을 면면히 볼 수 있다면 이미 싯다이며, 보디샛트바이며, 붓다이리라.

사바세계의 사바란 산스크리트의 '참아라'인 사하(Saha)가 어원이다.

"사바 사바 사바(참고 참고 또 참아라), 그리고는 다시 사바세계로 태어나지 말아라."

이런 생각이 절로 떠오르는 인도는 라다크리슈난의 시선과는 달리 세속의 상징이다. 혼탁하고 더러움으로 가득 찬 내 육신을 상징하는 듯한 저잣거리를 지나면서 이 고통을 참고 사는 사람들이 눈물겨우니 바로 여행자의 인도다.

그 인도를 지나 북으로 가면 사바(Saha) 끝에 연꽃 하나, 마하카사파(摩訶迦葉)가 보았던 우주를 향해 피어오른 백련설산 히말라야가 있다.

돈, 명예, 이성 등등의 욕망으로 물들었던 마음은 물론, 죽고 살고 고통에 허덕이던 거리에서의 감정은 길의 끝, 히말라야에 이르면 꺼져가는 불꽃처럼 스러지기 시작하니 신기한 일이다.

더불어 극심한 기후의 변동 속에서 육신은 비록 지금은 스스로 아끼지만 언젠가 스러져 갈 허망한 것, 또 저렇게 빛나는 산과는 달리 더러움에 물든 것임을 깨우치게 된다. 다르마[法], 카르마[業], 삼사라[輪廻]의 도(道) 입구에 들어서는 듯하며, 변치 않는 늘 청정한 어떤 오묘함이 있음을 체험하게 된다. 이어 고를 멸하는 망집의 소멸의 길이 보인다.

이것은 바로 『유마경』 「불도품(佛道品)」에서 말하는 번뇌의 진흙(인도라는 저잣거리)을 겪어야 불법을 쉬이 일으킬 수 있음이다.

그들 현지인에게 이런 인도에서 히말라야로의 가치와 진의를 전하기는 무리다. 차라리 끝간데 없이 펼쳐진 바다를 이야기해 준다.

"나는 비행기 타고 바다를 건너왔어."

"너, 바다 알어? 물이 많이 모인 곳."

여기서 시작한 시냇물이 강을 이루고 커다란 바다를 이루는 과정을 이야기하면 산에서 살다가 대부분 산에서 삶을 마감하는 그들의 눈빛은 상상의 세계로 빠져드는 듯 그윽해진다.

묵묵하게 아득한 경지를 보이고 은근히 유장함을 나타내는 히말라야.

물끄러미 바라보는 일만으로 본래면목의 길이 보이는 듯하다.

고요하게 관찰하는 히말라야 안에서 진정한 본질이 드러난다.

이 과정은 스스로의 본성을 순화시키고 도덕성을 회복시키는 힘으로 바뀐다.

쉬었다가 가고, 또다시 숨을 고르면서 상승의 세계로 올라서면 반나절이 지나기도 전에 우선 육체가 허우적댄다. 구슬땀이 흐르고 배낭걸이가 어깨를 눌러 손과 팔이 슬며시 부어오르며 저려오기 마련이다. 그뿐인가. 하루 사이에 고도를 많이 올려야 하는 경우에는 어지러움증을 동반한 고소증으로 온몸이 산소를 달라며 아우성치니 위협적이다.

절집의 일주문(一柱門)이 대웅전에서 멀면 멀수록 좋다고 주장하는 내게는 이런 과정이 점수(漸修)스럽게 긍정적이다.

일주문이란 속인과 구도자의 경계를 나누며, 세속의 번뇌와 산만한 마음을 하나로 모아 이제 청정지역으로의 진입을 준비하는 자리다. 설산에서의 첫날은 일주문을 지나는 것과 같으며 그 대가는 육체적 고통이다. 오르기는 힘들어도 때리면 때릴수록 더욱 커다란 소리를 내는 종처럼 고통은 심할수록 그만큼 쉽게 설산과 합일되는 값어치를 갖는다.

이렇게 고생스럽게 걸어 올라가면 몸과 마음에 붙은 세속의 속진은 스스럼없이 떨어져 나가, 나와 대상을 분리시키지 않고 하나됨이 이루어지는, 즉 히말라야와 합일하게 되는 과정이 전개된다.

한편 정신적으로는 걸음걸음 안에 세상의 관계들이 떨어져 나간다. 나는 이곳에서 더 이상 아버지가 아니고, 남편이 아니고, 아들이 아니고, 선생님이 아니며, 국민이나 시민 역시 아니다.

히말라야에서는 모든 인연이 떨어져 나가는 만연방하(萬緣放下)가 되어 순수한 나만 남아 그를 끌고 가게 된다. 한 걸음 한 걸음 발을 내려놓을 때마다 세상 인연과는 멀어져 간다. 인도에서 바라보았던 수많은 중생들의 고통과 그에 따른 측은지심은 이제 그 시선을 거두고 외부에서 내부로 볼록렌즈의 초점을 옮겨 맞춘다.

사실 이것들은 입문의식이다. 기계문명과의 절연을 요구하는 통과의례다. 성철스님을 뵙기 위해 3천 배를 해야 했던 이유는 망념을 떨구어 내기 위한 의식이듯이 이렇게 힘들고 아득해야 그야말로 그릇이 비워지며 설산을 제대로 만날 자격, 즉 설산이 담겨질 공간이 주어진다.


우리의 맑음을 보기 위해서는 청정함[戒], 고요함[定] 그리고 열린 마음[慧], 즉 계·정·혜라는 삼학(三學)이 필요하다.

계(戒)란, 우선 이 몸을 잘 다루는 일로, 물을 담을 그릇이 반듯하고 단단하게 만들어져야 물이 담겨져도 새지 않는 이치고, 그 방법은 바로 청정함으로 이끄는 다섯 가지 계(五戒)이니, 생명을 존중하고(不殺生), 아낌없이 베풀고(不偸盜), 청정행을 행하고(不邪淫), 진실을 말하고(不妄語), 정념을 지키는 일(不飮酒)이다.

이어 두 번째의 정(定)이란 물이 조용해지는 고요함이며, 그리하여 세 번째 혜(慧)는, 탁한 구정물이 모두 가라앉아 번뇌의 찌꺼기가 모두 사라져 드디어 무루(無漏) 지혜의 달이 나타나며 명경지수 해인(海印)에 이르는 과정이다.

히말라야에서는 계가 스스로 온다. 어기려 해도 어길 만한 것이 없어 어길 수 없는 청정지역이라 자연스러운 계를 따라 정이 자리잡고, 이어 혜가 뒤따르니 속세와 유리되는 도량이 시작된다.

그리하여 첫날을 끝내고 죽은 듯이 밤을 지내고 나면 다음날부터는 조금씩 몸이 가벼워져 3~4일이 경과하면 큰 부담이 없어지니, 적응이란 이름으로 큰 산이 고개를 끄덕이며 받아주는 것이다.

일주문 안의 초목들이 건강하다. 대자연의 평화로움과 안락함이 가득 차 숨을 몰아쉬며 그 향기에 몸을 적셔본다. 호흡만으로 큰 위안이다. 지나왔던 것을 버리면서 비우며, 새로운 것을 채우기 위해 다시 천천히 걸어 올라간다.

## ●── 일주문 안을 들어서는 일행

내가 준 사탕을 입에 물고 앞서간 꿀리가 이야기했다.

"이 오르막을 오르면, 끝에 집이 있어요. 차를 팔아요, 코카콜라도 있어요."

그의 말대로 언덕을 하나 올라서자 오솔길 옆에 판자와 진흙으로 이어 만든 움막집이 있다. 팔리지 않아 흙먼지를 뒤집어 쓴 콜라 박스와 스테인리스 찻잔들이 보인다. 개 한 마리가 고개를 슬며시 돌려 내 모습을 본다. 점잖기가 마치 만만치 않은 도력을 가진 수행자 같아 반갑다.

"발보리심(發菩提心) 해라."

서로의 시선이 떨어지기 전에 개에게 축원을 던진다.

이야기가 끝나서야 시선을 다시 먼 산으로 돌리니 들어준 것 같아 고맙다.

점점 무거워지는 배낭을 내려놓고 인기척으로 고개를 내미는 사후지(주인

히말라야에 특별한 일주문이 세워져 있지는 않다.
그러나 출발해서 처음 하루 이틀은 일주문을
지나는 것처럼 마음자세를 고친다.
이제 도량으로 들어서는 마당에
고요한 세상으로의 진입을 준비한다.


장)에게 뜨거운 차 한 잔과 짜우짜우(라면)를 부탁한다.

올라온 길이 보이지 않는다. 계곡을 따라 급격하게 고도를 높여 왔기에 길들은 모두 시선 아래에 숨어 버렸다. 음식을 준비하는 동안 차라리 움막 뒤의 작은 언덕을 올라보기로 한다.

그러면 그렇지. 멀리 히말라야 산군이 일망무제와 망부제애의 풍광으로 가슴을 탁 트이게 만든다. 전인미답의 공간이 한두 곳이 아닌 현애준령(懸崖峻嶺)이 좌우로 이어져나가며 병풍처럼 펼쳐져 있다. 거친 가운데 세밀하고(粗中

有細) 세밀한 가운데 거친(細中有粗) 풍경이 아름다움의 끝에 서 있다.

탄성이 절로 터진다.

"와."

바람소리인가, 어디선가 웅웅웅 소리가 들리더니 곧바로 내 탄식 안에 청량 법음의 옴(진언)이 더해지며 심축(心軸)을 흔든다.

집주인 역시 이 자리에서 산을 바라보기를 즐겼기에 앉기 좋은 통나무 의자를 만들어 놓았다. 되가지고 가지 않은 스텐리스 컵이 바닥에 뒹굴고 있어 의자 끝에 올려놓는다.

문명사회에서 인간을 위해 만들어 놓은 자동차와 공장들은 매연을 뿜어 가시거리를 줄이고, 하늘 높이 솟은 탑과 건물들은 산을 넘어서며 인간의 시야를 가린다. 자연의 본질인 아름다움을 가리는 모든 것들은 인간이 만들어 낸 작품이다. 인간의 지식과 인간의 창조물이 첨가되지 않은 히말라야에서는 본연의 아름다움이 이렇게 그대로 나타난다. 인간이 손을 대면 댈수록 아트만을 가리는 번뇌처럼 혼탁해진다는 것을 풍경이 웅변한다. 알음알이가 늘어날수록 본래면목이 가려진다는 사실을 보여준다.

옛사람들은 큰산을 지나면서 그 영기에 얼굴을 부채로 가리거나, 그렇지 못할 경우에는 큰절을 드렸다고 한다. 흉노족들조차 천산(天山)을 지날 때면 늘 말에서 내려 절을 올리고 조심스럽게 지나갔다.

나, 큰절을 올린다.

부동의 히말라야.


당나라 희종태자(僖宗太子)는 출가해서 보문(普聞)이 된다. 후에 석상(石霜)선사를 찾아뵙고 불법을 묻게 되었다.

"사부님, 저에게 간단한 방법을 하나 가르쳐 주십시오. 어찌하면 도를 깨우칠 수 있습니까?"

사부는 고개를 끄덕인 후에 손가락으로 앞산을 가리켰다. 그러면서 말했다.

"저 앞산이 고개를 끄덕일 때까지 기다렸다가 말해주마."

보문은 이 한마디에 그 자리에서 깨달았다.


절을 올리고 단정하게 앉아 내가 먼저 고개를 숙였다 들어 끄덕인다. 머리를 돌리면 피안(回頭彼岸)이라지만 고개를 돌릴 필요는 물론 고개를 끄덕일 필요조차 없이 이 자리가 그곳이다. 어느 세월에 히말라야가 고개를 끄덕이겠는가. 끄덕인다고 할 때는 이미 끄덕인 후니 설산이 끄덕일 일이 있을까(才說點頭頭己點 雪山那有點頭時). 내가 먼저 끄덕인다.

## ●── 일행으로 혼자 앉아

앉아서 심호흡을 해본다. 차가운 바람이 폐포 깊숙이 마구 달려들어 온다. 히말라야는 언제 보아도 좋다. 세잔느가 그렇게 좋아하는 생 빅트와르 산의 이야기처럼 몇 달이고 기약 없이 앉아 이리보고 저리보고 싶다.

행자는 떠나지만〔動〕 머무르기도〔靜〕 한다. 떠남으로 인한 움직이는 과정에서 얻는 것만큼 좌선으로 앉아 바라보는 관(觀)으로 받아내는 수확 역시 만만치 않다.

정(靜) 중에는 외부세계가 나에게 열어주는 풍경을 완전한 정숙, 고독, 정적과 침묵 안에서 느껴볼 수 있다. 이때 세계는 갑자기 가슴을 열며 비밀을 보여주기도 하니 이 열려 있는 시간이 브라흐만과 아트만이 만나는 순간이며 불성이 다가서는 찰나다. 세계가 나에게 가슴을 열지 않는다면 '세계에 있어 나는 죽어 있는' 것이리라.

히말라야를 다니면서 남과 더불어 여정을 꾸리기 어려운 점이 바로 여기에 있다. 저 멀리 펼쳐지는 풍경 안에서 갑자기 영감을 얻어 자리를 깔고 앉으려면 혼자여야 한다. 도반이나 일행이 있다면 혼자 멈추어 가부좌를 틀기 어렵다. 쉬어야 하는 이유와 멈추어야 한다는 동의를 구하기 위해 지금 이 순간에 이런저런 감동을 설명하고, 이렇게 저렇게 의식 전이를 시키며, 이야기를 나누어 가지는 사이에 비밀의 문은 닫혀져 버린다.

일행이란 말 그대로 하나[一]로 행위해야 하기에, 같이 먹고 자고, 함께 걷고 쉬어야 하며, 서로를 보살펴야 한다는 묵시적인 약속이 깔려 있다. 일행(一行)이라고는 자신 혼자만 끌고 가는, 무소의 뿔과 같은, 문자 그대로의 순수한 일행일 때, 행자는 진정한 운수납자가 된다. 일행으로 인해 일어나는 여러 가지 생각이 내부로 들어와 응축되며 일념(一念)으로 변하면 만념(萬念)을 물리칠 수 있다. 산행의 목적이 마음공부일 경우 여러 명이 일행이 되는 여정은 대부분 실패하기 마련이라 독행(獨行)이 중요하다.

> 고요히 있으면 성자가 되고
> 움직이면 왕이 된다.
>
> (靜而聖 動而王)
>
> ─『장자』〈천도(天道)〉 중에서

빛이 따사롭다. 하늘에서 직접 다가오는 햇빛과 설산에 반사되는 빛들이 모두 뒤섞여 사방이 명랑하다.

게으를 정도로 오랫동안 앉아 있어 보도록 한다. 버트런드 러셀의 이야기처

나는 누구인가? 묻지 않고 나는 무엇을 할까?를
먼저 생각하는 일은 순서가 그르다.
더구나 나는 누구인지 알지 못하면서 이미 무엇인가 하고 있다는 것은 실수다.
히말라야 산행도 마찬가지다.

히말라야는 무엇인지? 궁금증을 품지 않고 산을
이미 걷고 있다는 것은 방법론에 문제가 있다.

럼 '시간이 중요하지 않다는 것을 이해하는 것이 지혜의 문'이다. 갈 길을 가늠하고 시간에 따라 여정을 계획하는 일보다 시간에 대해 초연하면 지혜가 꽃을 피운다고 했다. 고속으로 달리는 차에서 볼 수 있는 풍경과 걸어가면서 시야에 잡히는 풍경의 범위와 깊이가 다르다는 사실은, 구태여 물리학에서 '달리는 빠르기가 빛의 속도로 접근할수록 시야가 좁아진다'는 이야기를 옮기지 않아도 체험적으로 쉬이 알 수 있다.

긴 시간의 선상에 앉아 속도를 늦출수록 관찰하는 대상의 속성은 마치 시간에 따라 물 안으로 깊게 스며드는 차맛처럼 그윽하게 드러난다.

통나무에 앉아 시선을 빠르게 움직이지 않고 장엄풍경을 응시한다.

"바람은 어디서 불어오는가?"

"구름은 어느 쪽으로 흘러가는가? 비구름인가, 지나가는 얇은 구름인가?"

"햇살은 어느 쪽에서 내려오고 있는가?"

"독수리는 사냥을 위해 허공에 정지되어 있는가, 바람을 즐기며 하늘을 맴도는가?"

"조랑말은 어디서부터 다가오고 있는가, 소리로 볼 때 방울의 크기는 어느 정도인가? 짐꾼들은 지금 몇 명이 일행이 되어 지나가고 있는가?"

주변의 모든 것을 하나하나 주의 깊게 듣고 바라본다. 그리고는 눈을 감는다. 모든 존재는 내가 정지하고 머무르면서 밝혀진다.

> 홀로 너럭바위 위에 올라앉으면
> 계곡물소리 차고 그윽하구나.
> 고요히 둘러보면 못내 아름답고
> 바위골짜기 위에는 실구름이 머무는구나.
> 호젓이 앉아 그윽하게 즐기나니
> 나무그림자 해를 따라 낮아지네.
> 내 고요히 내 미음을 관(觀)하니
> 연꽃 한 송이 진흙 속에서 피어나네.
>
> ― 한산(寒山)

고대 부족들은 자연 안에서 살아가면서, 자연과 하나임을 가르치기 위해 눈을 감기는 방법을 사용했다. 마을의 주술사 혹은 노인에 의해 눈이 가려진 채 나무 밑에 가서 하루를 지내야 했다. 노인은 '다시 올 때까지 나무와 함께 있어라. 나무를 만지고, 두드려보고, 생각하고, 껴안고 뿌리를 베고 누워 잠들어라'고 주문했다.

그리고는 다음날 마을로 데리고 와 눈가리개를 풀어주고 '그 나무를 찾으라'고 이야기하면 소년은 나무를 몇 개 만지지 않고도 끌려가듯 쉽게 찾아내기 마련이었다.

문명사회에서 정지(停止)라는 개념은 약화되고 있고 반면 속도가 증가하고 있다. 빠른 차, 빠른 인터넷은 물론 유행 역시 하루가 다르게 빠르다. 히말라야라는 세계를 가슴에 꺼안기 위해서 우선 침묵과 더불어 이런 감속을 거듭하며—느림도 부족하니—한 발 더 나가 정적인 것을 배워야 한다. 이 산에서조차 빨리빨리 재촉하며 걸어 올라간다면 비행기를 갈아타며 구태여 먼 서쪽의 이 자리까지 올 이유는 없으리라.

설산에 부는 바람, 이곳에 사는 사람, 풍경과 하나가 되어 그들이 가지고 있는 리듬에 몸과 마음을 맞추려면, 히말라야가 며칠이고 부동의 자세를 유지하면 미동이 없는 설산 봉우리 하나인양 그 모습을 그대로 따라야 한다.


다시 눈을 떠서 전면을 응시한다. 그리고 다시 눈을 감으니 세상의 풍경이 모조리 마음 안에 자리잡고 있는 신기한 현상을 본다. 말하자면 히말라야가 내 안에 있는 것이다. 반복할수록 눈을 감았을 때와 시선을 열었을 때와의 차이점이 없어지고 드디어 산은 내것이 된다. 감을수록 얻어지는 현상이다.

서울로 돌아가 히말라야를 보기 위해서는 눈을 감으면 된다. 그러면 동에서 서쪽으로 울창하게 사열하듯 솟은 히말라야 연봉들을 선명하게 볼 수 있을 터이니 말하자면 '보기 위해 눈을 감는다.'

마음 안의 풍경들이 예사롭지 않다. 푸른 하늘에 출렁이는 설산의 스카이라인, 바람소리까지 육화되며 모조리 살아 있다.

본다는 것에 대한 통상적인 의미는 눈으로 본다는 것이다. 그러나 마음자리를 본다든지 위파사나로 자신의 몸을 본다고 할 때, 보는 주체는 눈이 아니다.

"그 보는 주체가 무엇인가?"

"눈을 감고도 히말라야가 선연하게 보이는 주체는 무엇인가?"

이것이 마음의 영상(映像)인지, 말하자면 마음과 하나인지, 아니면 마음 바깥의 어떤 것, 즉 마음과 구분되는 마음 너머의 것인지…….

오로지 식일 뿐이다(唯識).


　　"세존이시여, 모든 비파사나사마타(毘鉢舍那三摩他) 중에서 영상(影像)은 그 마음과 같은 것입니까, 아니면 다른 것입니까?"

　　"선남자여, 마땅히 다름이 없다고 말해야 한다. 왜냐하면 그 영상은 오직 식(識)일 뿐이기 때문이다. 선남자여, 식의 대상은 오직 식이 현현한 것일 뿐이라고 나는 설한다."

　　　　　　　　　　　　—『해심밀경(解深密經)』「분별유가품(分別瑜伽品)」중에서


눈을 감아도 히말라야가 보이면 다시 새롭게 묻는다.

"산을 바라보는 자, 누구일까?"

"산을 가슴에 품은 존재, 누구일까?"

저 멀리 반도에서 낡은 배낭에 짐을 넣고, 하늘을 날아, 털털거리는 버스를 타고 궁벽한 산마을로 들어와, 등산화 끈을 단단하게 묶고 이 산 안으로 걸어 들어온 자는 누구일까?

비행기표를 구했고, 가이드북으로 미리 가야 할 산길을 선택했고, 지도를 보고 오늘 하루의 길을 걸어오게 만든 주인공은 오로지 마음[心] 혹은 식(識)이었다. '마음이 그들(오온)을 앞서가고, 마음이 그들의 주인이며, 마음에 의해 모든 행위는 지워진다'는『법구경』의 게송은 정확하다. 팔만대장경의 단 하나의 의미이며 전오식, 제6식, 말나식, 아뢰야식을 모두 아우른 마음[心].

그러니 산을 바라보고, 가슴에 산을 넣은 존재는 마음이며, 히말라야 역시 마음이니, 달마가 서쪽에서 오신 직지인심(直指人心)의 진의가 멀지 않은 곳에

있게 된다.

히말라야에서는 마음의 본질이 절로 온다. 마음이 세속을 향해 있으면 재가자(在家者)이며 다르마에 향하면 그가 어디에 자리하든 출가자(出家者)라던가. 우리 모두는 이 산에서 세간을 떠난 출가자이다.

사방은 입을 닫고 침묵하는 것들로 채워져 있다. 작거나 큰돌과 바위들, 말없는 야생화와 풀잎들, 말없는 봉우리와 구름과 태양. 설산의 모든 존재들은 마음공부를 도와준다. 그러니 해마다 이 산을 찾지 않을 도리가 있을까.

『리그베다』의 나아싸드(Rigveda.10 : 129) 찬가의 창조에 관한 내용을 보아도 마음의 중요성을 말한다.

> 없음도 없었나니, 있음도 없었나니,
>
> 세상도 없었나니, 허공도 없었나니,
>
> 그때에 그 너머도 없었나니, 무엇이 뒤덮고 있었으리오,
>
> 어디에 그 무엇의 바탕이 있었으리오,
>
> 깊고도 묵중한 물은 무엇이었으리오.
>
> 죽음도 없었나니, 하여 영생도 없었나니, 밤과 낮의 표시 또한 없었나니,
>
> 바람 없는 가운데 스스로 숨을 쉬는 하나가 있었나니,
>
> 그 외의 다른 것은 그 어느 것도 없었노라.
>
> 어둠이 있었노라, 이 모든 것은 어둠으로 뒤덮인 물이었노라,
>
> 태초에 태허(太虛)로 뒤덮인 것이었노라.
>
> 바로 그 하나를 열(熱)은 위신력(威神力)으로 만들어냈노라.
>
> 그 이전에 욕망이 있었노라, 맨 먼저 '마음'에 씨앗이 있었노라,

마음이란 참 오래된 것이다. 운서주굉의 표현에 의하자면 골동(骨董)이다. 붓다는 새벽별을 보고 깨달았다. 그러나 그 새벽별은 전에도 떴고 그 후에도 꾸준히 모습을 보이고 있다. 많은 세월 속에 사람들은 여전히 그 샛별을 바라보지만, 같은 별을 보아도 아무런 것도 느끼지 못하는 사람부터 깨달음을 얻어내는 존재까지 마음의 차이로 인해 결과는 극명한 대비를 낳는다.

사실 유식학(唯識學)에서는 외계 대상은 실존하지 않고 주변의 피상적인 것들은 내면의 정신작용의 결과라고 이야기한다. 외계사물은 선재하는 질서 속에서 일어나는 정신적 경험으로, 단지 우리 마음에서 일어나는 것을 외부의 본질로 해석한다고 이야기한다. 이전의 경험을 통한 관념에 의해 남겨진 인상이 그 원인이 된다는 것이다.

붓다의 새벽별은 수많은 세월 동안 중중무진 축적해온 식(識)의 결과이다. 히말라야에서의 경험들은 색안경의 농도를 점점 옅게 만들어주고 언젠가는 그 안경마저 떨어져 나가면서 저 아래 아뢰야식이 맑게 용해되는 길로 인도하는 역할을 맡는다.

이름을 알 수 없는 봉우리들이 푸른 하늘을 배경으로 하얀 선을 긋는다. 천봉만봉으로 우뚝하니 서서 하늘 주변에 하얀 톱니를 그린다. 땀이 식으니 척추가 시릴 정도의 냉기로 채워진다. 페르시아의 시인 우마르 하이얌은 '술 한 병 그리고 시집 한 권이면 이 황야도 내게는 천국'이라 했다던가. 우마르가 이곳에 섰다면 술 한 병은 물론 한 권의 시집도 필요하지 않으리라. '꽃을 드니 미소를 짓는다'가, 우마르는 산을 보며 미소지으며 불교의 보디삿트바나 힌두의 구루로 재탄생했으리라.

봉우리 하나마다 각각의 이름이 있겠으나 불보살, 명왕, 나한처럼 보이기도 하고 한편으로는 선객의 부도밭처럼 느껴지기도 한다. 관음봉, 보현봉, 문수봉,

네가 네 모습을 단정히 하고 너의 눈길을 한곳에
집중한다면 바야흐로 자연의 화기가 몰려들 것이다.
또 너의 이것저것 분별하는 생각을 없애고 네 태도를 바르게 하면
올바른 정신이 몸에 찾아들 것이다.
그리고 덕이 너를 훌륭하게 해주고, 도가 바야흐로 너와 함께 있게 될 것이다(장자).
산에서 이 말은 금과옥조다.


미륵봉, 지장봉, 일광봉, 원효봉이면 어떻고, 눕체, 마칼루, 비슈누, 마나슬
루면 어떠랴. 이름과 더불어 높이의 고저는 상관없으니 모두 하늘을 향해 우러
르며 머리를 치켜든 설산일화(雪山一花), 일화개만엽(一華開萬葉)으로 상가람
마(승가)를 이룬 듯이 보이며, 백색의 백련백화가 난만하게 피어오른 듯하다.

바람이 분다. 이제는 그들이 침묵을 거두고 일제히 도량석을 외우는 듯 웅장

하다. 히말라야의 산천초목이 모두 이미 니르바나에 닿고 눈에 보이는 산천초목(山川草木)이 성불(成佛)을 이루었을까.

짜우짜우가 다 만들어졌는지 아래에서 나를 찾는 소리 요란하다. 내려가기 전에 다시 삼배를 올리고 만트라를 외운다.

옴아훔바즈라구루파드마싯디훔.
옴아훔바즈라구루파드마싯디훔.
옴아훔바즈라구루파드마싯디훔.

반복할수록 발 밑의 야생화들이 합창하듯 함께 진동한다. 통나무 의자가 흔들리는 기분이며 자성 청정한 보디삿트바들이 함께 만트라를 외우는 듯이 기운이 사방으로 동심원처럼 퍼져나간다.

눈을 감아 히말라야를 가슴에 넣고, 내생에 또다시 이 산에서 공부를 진행할 수 있도록 숙업에 주술을 건다. 히말라야는 내게 신성한 바티칸이며, 예루살렘이며, 룸비니이고 메카다.

의자에 놓았던 컵을 들고 내려오니 집주인이 그곳에 누구와 있었냐고 묻는다. 손가락을 세워 나 혼자였다고 이야기했다.

다시 고개 쪽으로 바라보았다. 혹시 계곡 위로 헬리콥터가 지나가지 않는지 두리번거려본다. 나 역시 아직까지 이명처럼 만트라가 들렸다.

옴.

바람이 야생화 사이를 지나가며 장난을 치는 모양이다.

일주문 주변에서 첫날은 이렇게 진행됐다.

5

히말라야의 뿌리

때로는 사다리를 올라갈 때 계단 몇 개를 껑충 뛰어오른다.

그리고 이 뛰어오른 계단들은 내가 그렇게 한 것을 용서하지 않는다.


— 니체의 『짜라투스트라는 이렇게 말했다』 중에서

# 히말라야의 뿌리

●─── 피라미드 하부는 언제나 녹색

해발 2천440m의 림체를 지나면서 내리막 오르막을 반복하더니 급기야 짙은 수목, 깊은 숲속으로 빨려든다. 나뭇가지와 길가에 무성한 풀섶을 걷어내며 앞으로 나가는 동안 바짓가랑이가 물기로 금세 축축하게 젖어 오른다. 하늘을 찌르는 나무들이 많기도 하다.

사람을 나무로 비유해서 광화문과 명동에 세워진 무성한 인간 숲을 이야기한 시인이 있었다. 아름드리 나무는 물론 몇 천 가지의 식물군이 계곡을 가득 채운 이 자리는 광화문이나 명동거리보다는 출퇴근 1호선 전철 안이라는 표현이 더욱더 어울릴 듯하다. 그러나 이곳은 세속의 고단한 근심이나 걱정거리는 없는 진정한 우림이다.

강력한 산 냄새와 더불어 밥 짓는 냄새 비슷한 누린내가 수목향 사이에 가끔 섞여 온다.

초등학교 시절 외삼촌과 함께 올라선 마을 뒷산 깊숙한 곳에서 이상한 냄새를 맡은 적이 있다.

산의 요소에서 우림을 제외시킬 수는 없다.
깊은 수목에 잠겨진 산의 하부는 가장 생명력이 충만한 곳이다.
산행 중에 이 지역을 피해 비행기로 훌쩍 고지로 날아드는 일은 절름발이 경험이 된다.

"이건 늑대가 살고 있기 때문이야."

그는 어두운 동굴을 지목했다. 그리고는 또 다른 냄새 앞에서 말했다.

"이 냄새는 저기 여우굴 때문이지."

그는 기선을 제압한다며 돌을 던지면서 워워 소리를 질렀다.

소년 시절 그가 가르쳐준 여러 가지 추적법들과 이야기는 산에서 지극히 유용했다.

가던 길을 멈추고 숲속의 깊은 어두운 자리를 노려보아도 움직임은 전혀 없다. 누린내의 강도와 숲의 크기로 보아 곰 혹은 표범 같은 몸집이 큰 짐승의 것이다. 가끔 산길에서 곰에게 얻어맞아 한쪽 턱이 기형으로 변하고 흉터가 요란한 고산족을 만나니 이런 경우에 긴장을 늦출 수 없다.

사방은 인기척 하나 없이 고요히다. 커다란 그늘을 안에 품고 있는 숲을 깨우는 소음이라고는 내 숨소리 하나. 두 팔을 벌린 그 많은 나무들은 침묵으로 일관하며 가끔 더워지는 나를 식히려는 듯이 물방울을 정수리에 툭 떨구어 준다.

숲의 고요함은 안정감을 주면서 어느 사이에 긴장감이 스르르 풀려간다. 그냥 나를 가볍게 내려놓을 수 있을 듯하다. 온갖 짐승들은 이 숲속에서 모태의 자궁에 들어온 듯한 평화로움을 느끼리라.

"돌을 던져서는 안 된다. 소리를 질러서도 안 된다. 손님으로 들어온 내가 행패를 부려서는 안 된다."

막지 않고 길을 내준 그들에게 감사하는 마음으로 그들의 친구인 발 밑의 '풀섶 하나조차 조심하며 지나가리라'고 냄새 풍겨 나오는 쪽을 향해 약속한다.

녹색의 형제들이 가득한 숲 끝으로 해맑은 햇살이 들어온다. 몸을 거의 뒤로 젖혀가며 위를 보자 햇살이 우림의 꼭대기를 비추고, 잔여의 빛들이 살찐 잎새들로 엮어진 우림 천장에서 흔들린다. 아름답다. 수많은 나무들은 사원의 기둥 같다. 녹색 스테인드글래스 치장된 거대한 사원에 들어온 듯 경건해진다.

이곳은 생명력, 생동감 그리고 운동성이 충일한 살아 있는 하나의 거대한 아쉬람이자 신전(神殿)이다. 다시 더욱 몸과 마음을 조심한다.

『라마야나』에서 왕자 바라타는 말했다.

"아쉬람의 평온을 방해하는 것은 옳지 못하다고 배웠습니다. 어느 왕이나 왕자라도 아쉬람에 대하여는 그곳의 새나 짐승들까지도 놀라지 않게 조심해야 한다고 배웠습니다."

옴.

서울을 떠날 때 배낭 안에 『소로우』보다 『베단따』를 넣어 온 일은 잘한 행동이다. 신전 안을 걸으면서 '시민 불복종'을 생각하랴.

우림 사이를 뚫고 바닥까지 빛다발이 내려온 곳에 서서 하늘을 우러른다. 빛은 아낌없이 마음 안으로 직접 들어오니 이런 녹색의 아름다움에 감동한다. 잎새들과 더불어 녹색의 눈을 뜬다.

티베트 『사자(死者)의 서(書)』는 말했다.


오, 고귀한 가문의 자손이여! 잘 들으시오. 여섯 가지 빛에 대해서 알고 싶으시오? 희미한 백색 빛은 신들의 영역에서 비치는 빛이며, 희미한 붉은색 빛은 아수라계에서 비치는 빛이라오. 희미한 푸른색 빛은 인간계에서 비치는 빛이고, 희미한 녹색 빛은 축생계에서 비치는 빛이오. 또 희미한 황색 빛은 아귀계에서 비치는 빛이며, 칙칙한 회색 빛은 지옥계에서 비치는 빛이라오. 그대의 몸은 이 여섯 가지 빛깔 중에서 장차 태어날 차원의 색깔로 바뀔 것이오.


축생으로 태어나는 것도 다 이유가 있다. 날짐승들이 사후세계(死後世界)에

서 이런 아름다운 녹색 빛을 본다면 무의식
적으로 끌리지 않을 도리가 없다. 그들의
터전은 지친 몸을 쉬게 하고 평안히 잠들 수
있는 녹색으로 충만한 이런 자리가 아니었
던가.

숨을 잠시 고르자 우림의 키 큰 나무에서
떨어지는 물소리와 더불어 이 숲 주인인 새
들을 포함한 동물들이 가볍게 움직이는 소
리가 조금씩 들려온다. 조심스러운 행동으
로 그들이 긴장을 풀었을까.

새들의 푸드덕거림에 다시 올려본다. 나
는 생태계 피라미드의 가장 하부에 들어와
우러른다. 이 우림은 히말라야의 하부이기
도 하니 거대한 삼각형의 기본 구성성분이
기도 하다. 진화의 도정 저편에 있는 내 아
버지의, 아버지의, 아버지는 언젠가 이런
숲속 왕국에서 생활을 했다. 의식은 시간을
거스르며 무의식에 접근한다. 내 무의식의
심연 안에는 문명에 의해 파괴되지 않은 순
수한 숲들이 고스란히 남아 있다.

진화의 과정에서, 영적으로 순화되는 과정에서 모든 색을 탈색해가며, 회
색·황색·적색·푸른색, 그리고 녹색에 대한 집착을 버리며 순수해진다면 자
연스러이 시간을 거슬러 천상으로 오른다. 그것이 바로 『사자의 서』의 빛 에너

'자연은 눈에 보이는 정신이고
정신이란 눈에 보이지 않는 자연'이다.
깊은 녹지를 지나면서 이 자연이 정신의 일부,
사유의 주체의 한 부분을 이루고 있음을 느낀다.
마음 안의 녹색을 찾아낸다면 나무를 베거나 꽃을 꺾는 일은 있을 수 없다.

지에 관한 핵심으로, 태초부터 진화의 과정이 고스란히 담겨 있는 아뢰야식 스펙트럼의 비밀이다.

다시 생각한다.

"무엇이 히말라야인가, 하얀 고봉들만이 히말라야인가?"

"아니오."

"그러면 4천m 이상이 히말라야인가?"

"아니오."

이 녹색 세계도 히말라야다.

그렇다면 다시 물어본다.

"인간은 무엇인가?"

거슬러 내려가면 진리를 듣고 고개를 끄덕일 수 있는 인간이라는 존재 하부에는 녹색이 가득한 축생의 세계도 자리한다. 우리가 거쳐온 수많은 진화의 시간을 뒤돌아볼 수 있음은 숲이 주는 선물이다.

히말라야에서 이런 숲을 건너뛴 채 비행기를 타고 훌쩍 높은 고도의 마을로 접근하는 일은 가능하면 피해야 한다. 계단을 차근차근 오르며 그 의미를 새기는 일이 산행의 필수다.

숲의 고요함 안에서 서서히 깨어나는 나의 하부구조인 지난 과거와, 녹색으로 채워진 산이 대화를 나누며 한 발 한 발 내딛는 일이 중요하다. 기초의 주체를 통해 여행의 가치는 흔들림 없이 튼튼하게 완성된다.


● —— 절벽에서 삶을 배운다

나무가 헐벗은 언덕 사면에 산사태가 일어나 있다. 마치 피부가 벗겨진 것처럼 흉하다. 나무가 없거나 밀도가 낮은 지역에서는 이 정도의 낙석을 동반한 산사태가 몬순기간 중에 흔하다. 해마다 경사면을 따라 천둥소리를 내지르며 쓸려 가는 눈사태와 산사태를 보아왔다. 불안한 지형에 빗물이 흙 안으로 스며들면 바위들은 무게를 이기지 못하고 이렇게 허물어져 내린다. 눈 역시 쌓인 단층을 따라 빗겨 흐르며 사태를 일으킨다.

위치와 시간에 대한 정의가 새삼스럽다. 산사태가 일어나는 시간에 이 자리에 없었다는 것이 다행이다. 이렇게 다소 떨어진 위치에서 바라본다는 사실과 바로 머리 위에서 사태가 일어나는 공간적인 요소, 그리고 내가 이 지역을 통과할 때와 그렇지 않을 때 발생하는 시간적인 요소. 그것을 지배하는 것들은 카르마이리라. 초모랑마에서 최고의 전문 등산가가 많이 죽는가 하면 초보 아마추어가 정상까지 아무 탈 없이 오르는 이유도 그러하다.

산사태를 피해 새로운 길이 열려 있다. 이 길을 오르내리며 짐을 운반할 자신의 형제와 친척, 그리고 이 길을 따라 가축을 끌고 지나갈 자식들을 생각하면서 성심 성의껏 만들어 놓은 우회로다. 아래로는 휩쓸리면 뼈조차 추스를 수 없는 엄청난 물길이 지나가 바라보는 일만으로도 위태롭기 짝이 없다.

"이 길을 처음 만들었던 사람은 누구일까?"

"몇 개의 통나무와 더불어 바위를 얹어 놓아 뒤따르는 사람의 편의를 제공한 선구자는?"

고마울 따름이다.

그러나 길이 활처럼 안으로 굽어 있어 이렇게 협소한 길이 얼마나 이어질지, 혹은 중간에서 사라져 버렸을지 가늠할 수가 없다. 길 주변에는 현지인들이 뱉어 놓은 담배꽁초가 여러 개 떨어져 있는 것으로 보아 모두들 이 자리에서 심기를 가다듬고 조심스러이 길을 진행했음이 틀림없다.

돌아갈 수는 없다. 『주역』의 이야기처럼 이런 일은 '천지 간의 기운이 풀리

티베트불교에서 오색깃발을 중요시하는 것은 이유가 있다.

이 깃발들은 바람에 날려 탈색되며 투명하게 변해 바람 안으로 떨어져 나간다.

색(色)이 공(空)으로 변해 가는 것이다.

티베트불교에서 죽음 이후에 만나는

빛을 이해한다면 녹색 우림의 의미도 선명해진다.

고 음양의 두 기운이 교감한 결과'이기에, 인간이 옳고 그름의 평가를 내릴 수는 없다. 아랫배에 힘을 준다. 급류의 굉음을 품고 절벽을 타고 오르는 바람이 세차 방풍 잠바가 풍선처럼 부풀어오른다.

히말라야는 친절하지 않다. 멀리서 바라보는 경관은 깊숙이 들어올수록 장관을 내버리고 온갖 위험으로 치장하고 복종을 요구하며 때로는 조롱하기도 한다. 해발 2천m에서는 인도양에서부터 다가선 몬순의 엄청난 빗줄기로 인한 산사태는 물론, 4천m 이상 고도를 올리면 눈사태가 위협적이다. 좁은 길을 내주면 조심스럽게 가야 하고, 폭우를 퍼부으면 가지 말아야 하고, 눈사태로 길이 끊어지면 멀리 며칠이고 돌아갈 수밖에 없으니, 복종하지 않는다면 이 산에서 살아갈 수 없다.

우선 휘파람을 길게 분다. 한 사람이 간신히 지나가는 길에서 또 다른 사람을 만나거나 짐을 싣고 오는 노새라도 만나면 큰일이다. 돌을 여러 개 던져 이쪽에서 사람이 건너간다는 신호를 보낸다. 아무런 소리나 반응이 없으니 아무도 없다는 반가운 신호다.

배낭을 다시 고쳐 메고 신발 끈이 제대로 묶여 있는지 확인하고 지체 없이 빠르게 앞으로 나간다.

좁은 길을 돌아서자 이제 더 이상 길은 없고 절벽 위에 걸쳐진 산사태의 사면이다. 씻겨나간 길 위에 토사와 함께 듬성듬성 집채만한 바위들이 자리하고 있다. 언덕 사면에 슬쩍 얹혀 아슬아슬한 바위들 아래에는 곤죽 같은 진흙이 자리해서 언제 덮칠지 알 수 없다. 발 하나가 길 위에서 시간을 오래 끌면 몸이 스르륵 미끄러지고 연쇄적으로 붕괴가 일어날 듯이 위협적이다.

어차피 발을 들여놓은 것, 후회는 없으니 한 발 한 발 일정한 간격으로 집중하며 앞으로 향한다.

죽음이 한 뼘 옆에서 속삭인다.

"슬쩍 발을 이리로 내밀어 봐."

그 속삭임을 따르면 나는 더 이상의 이 세상에 속하지 않게 된다. 흘러내리는 토사와 바위를 끌어안고 절벽 아래 급류로 자유낙하 하게 되니 이제 낡아 가는 육신의 옷을 자연스럽게 벗게 된다.

"어서 이쪽으로 내밀어 봐."

그러나 살아야 한다.

잃을 것이 있다는 사실을 안다는 것. 이것은 중요한 경험이다. 히말라야에서 소중한 체험 중에 하나는 이런 목숨걸기를 통해, 내가 무엇을 가지고 있는지, 그리고 가지고 있는 것들이 정확히 무엇인지 알게 되는 점이다. 물론 삶이라는 엄청난 것이 죽음이라는 녀석의 반대편 존재로 확인된 일은 가장 큰 수확이었다.

반대에 있는 무엇들, 낮은 밤으로 강화되고, 밤은 낮이 있어 더욱 아름다우며, 남자는 여자로 인해, 더불어 여자는 남자로 인해, 자신의 입장과 존재의 대대(對待) 관계를 보다 뚜렷하게 표현하여 왔다. 하물며 죽음과 일란성 쌍둥이인 삶이야.

이 유실된 산사태 지형은 제법 길다. 토사가 발목까지 쓰윽 빠져 발을 다음 자리까지 떼어놓기가 점차 힘들어진다. 더구나 배낭의 무게가 발에 실리니 쉬운 일은 아니다.

죽음. 그것 참 별 것 아니다. 방수처리 된 내 가죽부대는 내 발 한 걸음마다 달려 있으니 손쉽고 간단하다. 점차 지쳐가면서 마음이 묘하게 변한다. 나 대신 굴러 떨어지는 돌멩이가 '그래, 옆에서 본다면 죽음이라는 파국은 아무것도 아냐.' 말한다. '허공법신을 버리고 나처럼 죽어 봐.' 속삭이며 '그것이 방하착(放下着)'이라고 그럴 듯한 목소리를 낸다.

"잠시 쉬어 봐."

또다시 속삭인다.

쉴 자리가 아니다. 쉴 수가 없다. 숨이 가쁘고 현기증이 일어나고 보폭이 좁아지더라도 꾸준히 앞으로 진행해서 이 사면을 벗어나지 않으면 안 된다. '잠시 쉬어 봐'라는 권유가 '열심히 살아야 해'라는 이야기처럼 들린다.

## ● ── 녹색의 계단을 건너뛰지 말아야

100여 m나 될까, 무사히 건너왔다. 제대로 된 길이 이렇게 반갑다니.

배낭을 내려놓고 발을 굴러 신발에 묻은 진흙과 토사를 털어 낸다. 뒤를 돌아보자 빗물에 젖어 번들거리는 바위가 여전히 위협적이다. 친한 친구 하나는 간암으로 얼마 전에 길지 않은 삶을 접었다. 병실에서 그는 내 손을 잡으며 '너를 따라 그곳에 가고 싶다'고 했다. 멀리 갔다고 생각하지만, 그가 있는 자리는 멀지 않음이다.

삶은 아름답다. 죽음이 있기에 그렇다. 내가 가지고 있는 모든 것들, 그것이 소중하기는 하지만 내가 가지고 있는 것은 정확히 잃을 것과 똑같음을 알아차린다. 많은 수행자들과 구도자들이 히말라야에서 육신의 가죽부대를 벗어 놓는 이유가 보이고, 삶과 죽음이 둘이 아니며, 육신의 해체는 별 것 아니라는 초월의식 역시 슬며시 싹튼다. 매년 히말라야에서 돌아다니는 일은 엄청난 경관에 경이감을 느끼고, 이런 것들을 반복하며 삶의 중요성을 바라보며, 삶에서의 무거운 짐들을 슬며시 내려놓기 위함이다.

녹음이 울창한 우림 윗편으로 하얀 히말라야 봉우리들이 솜씨 좋은 재단사가 만들어 놓은 은빛 레이스처럼 동서좌우로 펼쳐져 있다. 발돋움으로 히말라야를 잘 보려고 노력해 본다. 물결치는 녹색의 바다 위로 백색의 섬이, 은빛의 대륙이 둥실 떠 있는 듯하다. 그러나 멀리서 본다는 것은 얼마나 충분치 않은 지 애틋함만이 무럭무럭 커진다.

봄에는 싹이 트고[生], 여름에는 자라고[長], 가을에는 열매를 수확하여 씨앗을 확보하게 하고[收·邃], 겨울에는 봄의 생을 위하여 씨앗을 땅 속에 감춘 다[藏]. 이런 사계절의 과정에서 겨울의 상징은 백색이다. 히말라야는 그리하여 백색 안에 무엇인가 큰 씨앗을 감추고[藏] 있는 셈이다.

"무엇일까?"

느닷없는 위험들로 포진한 히말라야에서는 고도를 높여 갈수록 공부를 강요한다. 위험은 산의 한 요소이며, 구성성분이자 얼굴이다. 먹고살기 위한 공부는 서른을 훨씬 넘겨가며 대학과 전공의 시절 동안 충분히 해왔고, 이제 히말라야를 다니면서 마음공부를 거듭한다. 바로 감추어진 씨앗을 찾기 위함이다.

몇 년이나 더 이렇게 배낭을 메고 산기슭을 떠돌 수 있을까. 10년 전 히말라야에 발을 들여 놓을 때보다 체력이 많이 약해져 고작 100여 m의 빠른 걸음에 아직까지 숨이 차다. 오늘이란 남아 있는 생애의 첫째 날이기는 하지만 이 나이에서 남아 있는 날들은 나날이 쇠(衰)해지게 마련이다. 보다 더 산을 잘 오를 수 있는 체력을 가진 날은 내일이 아니다.

이제는 더 이상 지상 사람이 아닌 이성선 시인의 〈도반〉이라는 시구가 귀에서 맴돈다.

벽에 걸어 놓은 배낭을 보면
소나무 위에 걸린 구름을 보는 것 같다.
배낭을 곁에 두고 살면

삶의 길이 새의 길처럼 가벼워진다.

지게 지고 가는 이의 모습이 멀리

노을진 석양 하늘 속에 무거워도

구름을 배경으로 서 있는 혹은 걸어가는

저 삶이 진짜 아름다움인 줄

왜 이렇게 늦게 알게 되었을까.

알고도 애써 모른 척 밀어냈을까.

중심 저쪽 멀리 걷는 누구도

큰 구도 안에서 모두 나의 동행자라는 것

그가 또 다른 나의 도반이라는 것을

이렇게 늦게 알다니

배낭 질 시간이 많이 남지 않은 지금.


내 도반에 다름아닌 배낭에서 사탕을 하나 꺼내 입에 넣고 다시 구름이 빙설과 어우러진 북쪽 능선을 향해 걸어간다. 참 아름답다.

당나라의 시인 왕지환(王之渙)은 〈등관작루(登觀鵲樓)〉에서 '천리 밖까지 바라보고자 다시 한층 누각을 오른다(欲窮千里目 更上一層樓)'라고 노래하고 있다. 조금 더 멀리 보고 더욱 많이 느끼기 위해 앞으로 나간다.

## ● —— 향기로운 숲

다시 녹색이 넘쳐나는 숲으로 들어선다. 냄새가 무척 좋다. 『잡아함경』 '건달바 상응'의 열 가지 건달바 천신이 모두 모여 있다.

뿌리의 향에 머무는 천신, 고갱이의 향에서 머무는 천신, 속껍질의 향에서 머무는 천신, 껍질의 향에서 머무는 천신, 잎의 향에서 머무는 천신, 꽃의 향에서 머무는 천신, 열매의 향에서 머무는 천신, 맛의 향에서 머무는 천신, 싹의 향에서 머무는 천신.

사실 큰산은 생명체다. 평지에서 거슬러 온 대기의 흐름이 산에서는 변화를 일으키고, 이에 따라 바람, 구름, 햇살 등등의 요소가 영향을 받아 눈, 비, 구름, 천둥과 번개, 폭풍 등등, 천변만화를 유발하며 폭포수와 더불어 강을 만들어 낸다. 이 물기는 토양을 적셔 온갖 식물을 키워내고 동물들을 거둔다.

하부 저지에 있는 이런 울창한 숲 안에는 온갖 생명들이 둥지를 틀어 생로병사(生老病死) 어묵동정(語默動靜)의 활기찬 보금자리를 만든다.

삼라만상은 서로 사랑한다. 세상 만물은 하나의 '너'로 향하고 있다. 살아 있는 모든 존재는 서로 내밀한 관계 속에 있다. 동물과 식물을 비롯한 모든 존재는 끼리끼리 서로 흉내냄으로써 형제적 사랑으로 함께 결합되어 있는 것이다.

— 에르네스또 까르데날의 『침묵 속에 떠오르는 소리』 중에서

지구의 생태적인 균형을 이루고 지구를 지구스럽게 유지하는 요소 중에 하나는 바로 문명사회에서 '보잘것없는' 평가를 받았던 식물군의 집(숲)에 의한다. 그들이 바로 지상에서 사랑의 시원이다.

이런 숲에서는 엄청난 에너지를 품은 설산의 원동력과 생명력을 느끼게 되고, 당연히 영적 소양이 고양되며 변화하는 자신을 느낀다. 인도의 최고 사상들이 군중으로부터 유리된 이런 숲에서 지적인 진화를 통해 탄생한 것도 같은 이유다. 히말라야라는 강을 건넌 사람은, 그 후에는 과거와 같은 삶을 살 수 없음이 이런 경험들에서 기인한다. 생명체의 거대함에 압도당하며 그 생명체가

이성을 사랑하는 사람은 이성에, 하느님을 사랑하는 사람은 하느님에,
히말라야를 사랑하는 사람은 히말라야에게 삶을 지배당한다.
그렇지만 그 지배를 벗어나기 위한 전 단계는 이성에 대해, 하느님에 대해,

히말라야에 대해 완벽하게 아는 일이다.

결국 물아양망(物我兩忘)이 되는 순간에 더 이상 끼어 들 틈이 없어지니,
바로 이성이 되고, 하느님이 되고 히말라야가 된다.
히말라야를 오르는 일은 그 순간을 만나기 위한 준비며
그러기 위해서는 첫계단부터 올라야 한다.

서로 사랑으로 상호의존하는 모습을 통해 내부의 변형을 겪으니, 안근 안식, 비근 비식, 이근 이식 모두 한번씩 점검되며 고요함이 맑음으로, 맑음이 밝음으로 흐른다. 이제는 더 이상 세속이 주는 기쁨을 동경하거나 끌려가지 않는다.

녹색이 안정감 있다. 녹색은 존재하는 모든 색 중에 가장 편안한 색이라고 배웠다. 칠판이 녹색인 이유도 그렇다고 하지 않았던가. 밝은 노랑, 차갑고 어두운 청색과 달리 녹색은 본질적인 무관심과 평온을 유지한다.

그런 면에서 아르튀르 랭보는 기막히다. 〈헛소리 II 언어의 연금술〉에서 '나는 모음의 빛깔을 발명했다. A는 검고, E는 하얗고, I는 붉고, O는 푸르고, U는 초록이다'라고 했다. 만트라 '옴(A-U-M)'에서 유지의 역할을 담당하는 U는 초록이 아닌가.

화가 칸딘스키 역시 '녹색에 이르면 수평운동, 원심운동, 구심운동이 소멸되어' '정지가 발생'한다고 이야기했던 것도 주목된다. 하여 우림에서는 시간이 잘 흐르지 않는다.

식물나라가 대단하다. 맑은 바람이 내부에서 흐르다가 멈추고 다시 조용히 일어나니 그 바람 역시 녹색이다. 높은 나무는 덩굴식물이 올라오도록 길을 내주고, 아래로는 음지식물이 잘 자라도록 환경을 만들어 주는 등, 그 원상원융의 모습이 눈물겹다. 마치 인드라의 구슬 속에 서로의 빛이 투영되듯 수많은 인자들이 서로 관여하고, 기대고, 도와주며, 생명력, 생동감, 운동성으로 꽉 찬 무궁무진한 생명세계를 이루고 있다.

'개체는 개체에 대한 개체다'라는 이야기는, 개체는 많은 개체 안에서 개체가 됨을 의미하며, 그 안에는 상호연관성이 구체화된다. 숲에서 관찰을 통한 이런 생각들은 자연스럽게 명상가, 종교가, 철학자의 길로 이끈다.

비행기를 타고 이 지역을 빗겨간다면 경험할 수 없다. 이 지역을 두 발로 걸어나가면서 히말라야의 중대한 온(蘊) 중의 하나인 짜여지고 묶여 가는 무성한 녹색 화엄구조를 보아야 한다.

녹색 우림에 투항한다. 또다시 물방울 몇 개가 이마에 낙하한다. 오늘은 종일 이 지역을 통과해야 한다. 원시 수액이 오르내리는 이 원초적인 숲속과 험로에서, 전생의 한 시절이었던 축생의 빛으로 온통 물들어 보아야 한다.

다시 이야기한다.

"히말라야는 흰색뿐인가?"

"아니오."

"얼음과 빙하로만 이루어졌는가?"

"아니오."

대답조차 필요 없다는 듯이 사방은 태고연하게 녹색으로 물들어간다.

## ● 히말라야의 또 다른 분류 ●

### 1. 아샘 히말라야

히말라야에서 가장 동쪽에 치우친 구역으로 브라마푸트라강(江)이 크게 휘는 지점으로부터 부탄의 동쪽 경계까지 가리킨다. 인도에서 티베트 국경지대까지 열대성 수림으로 구성되어 아직도 탐사되지 않은 지역이 많다.

### 2. 부탄 히말라야

부탄 영토 내에 포함된 부분을 말한다. 7천m급 봉우리가 몇 개 알려져 있으나 입국이 어렵고 체재비가 비싸 답사되지 않은 곳이 많다.

### 3. 시킴 히말라야

히말라야 구분 중에서 가장 좁은 부분으로 부탄과 네팔 사이에 있다. 예로부터 춤비계곡을 따라 티베트로 향하는 카라반의 통로가 있어 히말라야 중에서도 가장 일찍 알려진 곳이다. 칸첸중가(8천603m), 자누(7천710m)를 비롯해서 개성 있는 산들이 자리한다.

### 4. 네팔 히말라야

네팔 영토 내에 있는 부분으로 초모랑마(8천848m), 로체(8천516m), 마칼루(8천463m), 다울라기리(8천172m), 초오유(8천201m), 마나슬루(8천163m), 안나푸르나(8천091m) 등 8천m급 봉우리와 다양한 많은 트레킹 코스를 가지고 있다.

### 5. 가르왈 히말라야

네팔 서부 국경인 깔리강(江)에서 인더스강의 지류인 수틀레지강(江) 사이에 위치한다. 히말라야산맥의 북쪽을 달리는 잔스카르 산맥이 티베트와 인도 국경을 형성한다. 최고봉은 난다데비(7천817m)로 그 외 힌두교의 성지를 다소 품고 있다.

### 6. 펀잡 히말라야

서 인더스강과 동쪽의 수틀레지강 사이에서 네모꼴 형태를 이룬 지역으로 낭가파르바트(8천125m)를 품고 있다. 파키스탄, 인도 사이의 국경분쟁 지역이므로, 접근하기 전에 사전 확인이 필요하다.

### 7. 카라코람

히말라야산맥의 서쪽에서 북쪽으로 달리는 산맥으로, 카라코람은 '검은 자갈'을 뜻한다. 세계 제2위의 K2를 비롯한 4개의 8천m급 봉우리와 5개의 대빙하를 안고 있다.

# 6

히말라야의 시냇물

유연히 휘어지는 강물의 흐름

흐르고 흘러, 막히면 돌아서

마침내 도착한나.

— 옥타비오 파스의 〈태양의 돌〉 중에서

# 히말라야의 시냇물

●── 풍경은 모여 있음이다

하염없이 빛을 쏘아대는 설산을 그대로 볼 수는 없다. 창조의 선물인 빛으로 충만하게 무장된 설산이 오늘따라 더욱 밝다. 빛은 자연적인 것 이상이며 정신적인 무엇이다.

안구 통증으로 눈물이 주르륵 흐른다. 가방을 뒤져가며 색안경을 찾는다. 콧잔등에 흐르는 땀으로 안경이 미끈거리고 색유리로 인해 자연의 모습을 그대로 볼 수 없어 쓰지 않으려 했으나 자칫하면 설맹(雪盲)으로 갈 수 있다.

아뢰야식을 왜곡하는 말나식과 같은 선글라스를 착용하기 전에 설산의 모습을 다시 한번 본다. 선글라스를 착용한다면 이제 헤드폰을 쓰고 새소리를 듣고, 장갑을 끼고 연꽃을 만지는 격이리라.

길을 가는 사람에게 필요한 것은 외경이다. 돈 혹은 사람에 대한 추구가 아니라 숭배할 만한 성스러운 세계에 대한 찬양과 존경을 마음에 담아야 한다. 이렇게까지 물신주의에 사로잡히기 전에는 많은 성스러움이 시선을 돌리는 곳마다 자리했다. 수 없는 깨달음, 선지식, 아라한, 구루, 스승들과 더불어 사자후의 성인들을 탄생시킨 배경은 바로 그것이었으나 현대 사회에서 성스러움은 이제 배후로 물러났다.

다행히 히말라야에는 성(聖)이 남아 있다. 이곳은 오지 중의 오지이며 접근하기 난해한 설산만중위(雪山萬重圍)의 깊숙한 자리로, 접근하면 할수록 외경심을 갖도록 만든다. 나 자신의 무한히 작음과 세계를 꾸려나가는 상호의존성의 거대한 실체가 드러나, 의식이 설산에 대해 찬미하고 존경심을 품으며 저잣거리에서의 삶을 반추하게 되면서, 어느 사이에 가슴 안의 어떤 눈이 스르르 떠진다. 그리하여 전에 미처 보지 못했던 것들이 조밀하게 눈에 들어오니 바로 성(聖)스러움이다.

쉬는 김에 푹 쉬기로 하고 바위에 걸터앉는다. 선글라스를 쓴다.

구름 한 점이 길게 이어지며 산정의 허공에 멈추어 있다. 색유리의 안경 안으로 들어오는 색감이 역시 자연스럽지 않다.


히말라야 계곡에 모여 거칠게 흘러가는 물빛이 탁하다. 석회질이 많이 섞여저 물을 그대로 마셨다가는 문제가 생긴다. 짧은 기간 동안은 문제가 없으나, 길을 가느라 땀을 많이 흘리고, 고도를 높여가면서 만나는 탈수증에 마신다면 신장 결석을 만들 가능성이 많다. 반면에 발 밑으로는 맑은 옥수가 흐른다. 바위 사이에서 흘러나와 졸졸거리는 물줄기는 맑고 정갈한 맛을 자랑하기에 수통을 가득 채워도 좋다.

물에 적신 손으로 입 주변을 닦아내고 목을 축인다. 포도주, 맥주, 온갖 청량음료, 커피, 차, 과일주스보다 신선하니 바로 히말라야의 담연한 맛이다. 맑음에서 기인하는 첨가되지 않은 싱거움은 바로 말나식이 배제된 본질의 세계에 다름 아니다.

히말라야의 빙하에서 발원한 물은 이제 낮은 곳을 찾아 내려간다.

석회질이 많아 회색빛을 품은 물은 하류로 내려가면서 정화되어 맑음을 품게 된다.

탁(濁)이 정(淨)이 되는 것은 흐름(氵)이 있기 때문이다.

수통의 물을 모두 버리고 새 물을 넘치도록 담는다.

노자는 『도덕경』에서 무미를 맛보라(味無味) 했다. 그것이 자연의 지극한 말(乃自然之至言也)이라던가.

"먹어 봐."

포터는 내가 전해주는 수통 대신 맨손으로 떠서 마신다. 동그랗게 손을 모아 물을 담고 정성스럽게 마신다. 그리고 남은 물기로 이마와 목을 닦아낸다.

과거의 그 많은 싯다와 선지식(善知識)이 지금 세대에는 없다는 불평은, 달은 그대로 있으나 혼탁해진 연못 때문인지 모르겠다. 세월이 거듭되면서 생겨난 소위 말하는 서구 문명의 '발전과 진보'로 인한 폐해로 맑은 물들이 사라지고 우리는 더 이상 달을 비추지도, 더불어 보지도 못하는 듯하다.

사실 내적인 눈이 열리기 전에는 그저 물은 물이다(見水是水). 그러나 히말라야에 깊이 빠지며 관조할수록 더 이상 물은 단순한 물이 아니다. 사방 존재들이 자신의 이름으로부터 걸어나와 말을 걸며 조용히 속삭이게 마련인데 하물며 물이야.

의식은 외적 세계와 풍요롭고 풍족한 관계를 가짐으로 물이 자신의 법을 이야기하게 되니 이미 물은 우리가 이야기하는 그 물이 아니다.

모두 성(聖)을 배경으로 하는 요소들이 주는 결과들이다.

석천인(釋天因)은 말했다.

"오직 우뚝 솟은 산을 구경하고 졸졸 흐르는 물소리를 들음으로써 마음을 기쁘게 하자는 것만 아니라, 뜻을 산수에 붙여 인(仁)과 지(智)의 즐거움을 좇아서 본선을 회복하여 도(道)에 이르자는 것이다."

"물은 무엇을 의미할까?"

풍경에서 기쁨만 취할 것이 아니라 무엇이든 배워야 한다. 눈을 중중첩첩으로 흘러가는 물에 두고 마음을 집중하며 묻는다.

"물에서 무엇을 배울까?"

고산족 소녀 하나가 위에서 내려온다. 가슴을 가로질러 헝겊을 둘러메고 있는 것으로 보아 학교에 가는 모양이다. 나를 발견하고 저만치 바위 뒤에 몸을 반쯤 숨기고 머뭇거리고 있다. 순박함이란 저렇게 드러내기를 주저하는 속성을 갖는다.

손짓으로 부른다. 몸을 바위에서 완전히 뺐다가 숨기기를 여러 번 거듭하다가 용기를 내서 조용히 다가온다.

"스쿨마 자니?(학교 가니)"

이방인이 자신의 언어를 한다는 것은 무장해제의 신호인지 얼굴에 순식간에 웃음이 번진다. 고개를 끄덕이며 학교에 간다고 대답하더니 갑자기 아래로 뛰어간다.

저러다 넘어지면 어쩌지, 걱정하는 순간에 갑자기 멈추어서 내 흉내를 낸다.

"스쿨마 자니! 스쿨마 자니!"

어서 학교에 가라고 손을 흔들어 준다.

산에는 물이 있어야 한다. 산과 물은 서로 어울리며 상응한다. 그래서 옛 어른들은 이 둘을 합쳐 산수(山水), 한 몸으로 이야기했다.

히말라야라는 장소가 한없이 자유로우면서도 풍경의 일체감을 이루어내는 이유는 적절한 장소에 적당한 물이 있기 때문이다. 곳곳에 펼쳐진 호수와 급류들의 아름다움이란……

물은 산이라는 법계에 있어서 중요한 온(蘊)이다. 산이라는 부동(不動)함과 물의 유동(流動)이 음양의 태극처럼 어우러져 역동적인 과정을 통해 구조적인 조화를 거듭하며 전체적인 풍경을 이룬다.

『역경』의 서문 안에 이런 대목이 있다. 칼 융의 글이다.

서양 사람들은 도(道)라는 것을 이해하려고 할 때에도 '도라는 말 자체가 지니고 있는 정확한 의미는 무엇인가?' 묻는다. 그러면 동양 사람은 그 서양 사람을 창 곁으로 데리고 가서 '당신 눈에 보이는 것이 무엇이오?' 묻는다. '거리, 사람, 자동차, 집 등등'이라 대답한다. '또 무엇이 보이는가?' '언덕', '또?' 이렇게 한없이 말할 것이다. 그리고 난 후에 동양 사람은 두 팔을 벌리면서 이 모든 것이 다 도라고 말할 것이다. 이것을 동시적이라고 부른다. 동양인들은 사실의 전체를 볼 때 그 전체를 그대로 받아들이지만 서양인들은 몇 개의 존재로 분할(分割)하여 받아들인다.

예를 들면, 여기 많은 군중들이 모여 있다고 하자. 서양 사람들은 이 군중을 보고 '이 사람들은 어디서 왔는가?' '왜 이 사람들이 이렇게 모였는가?' 하고 묻겠지만 동양인들은 그런 것에 관심이 있지 않고 만약 묻는다면 '이 사람들이 이렇게 모인 것은 무엇을 의미하고 있는가?'라고 할 것이다.

"풍경이란 무엇인가?"

"모두 자연스러이 모여 있음이다."

"도란 무엇인가?"

"모두 모여 있어 어우러짐이다."

나는 동양인으로 살아가고 있음이 다행스럽다. 내 질문에 대한 스스로의 답은 동양스럽다.

산이라는 풍경에서 물을 제외시킨다면 산수의 풍경은 물론 도에서도 이미 어긋나리라. 동양정신의 아름다움은 이런 어울림과 아우름이다. 서양의 정신은 '이것 아니면(or) 저것'이지만, 동양은 '이것과(and) 저것', 한 발 더 나아가 '이것은(is) 저것'인 화엄상생 우주관이다. 대립물이 없는 아름답고 매혹적이며 조화로운 우리의 사유다.

문화계의 인사 한 분이 보름달 뜨는 날, 벚꽃놀이 파티를 계획했다. 초청장에 파티에 필요한 물건을 하나씩 지참해달라고 부탁했다. 당일, 서양 친구들이 가지고 온 것은 달을 보기 위한 망원경이 대부분이었고, 동양 친구들은 마치 약속이나 한 듯 차 혹은 술을 가지고 왔다.

동양인들의 생각은 조그만 대롱 구멍을 가진 망원경을 통해 달 표면의 코페르니쿠스, 쿨라비우스, 플라토 크레이터를 가까이 그리고 정확히 보자는 것이 아니었다. 풍경 안에 모여 있는 모든 것, 꽃과 달은 물론 이것을 즐기려는 상대편의 마음까지 아우르는 풍류의 도가 몸에 베어 있기에 술과 차를 준비해 왔다.

방탕한 인생을 사는 예술가가 동양에서는 환대를 받지 못하지만, 서양에서는 그 예술적 업적만으로 별다른 폄하 없이 대접받음도 같은 맥락이다. 동양은 예술은 물론 작품을 만드는 인간의 모든 것을 한데 묶어 평가한다.

하나의 예를 더 들어보자.

1990년 노벨 문학상을 받은 멕시코의 옥타비오 파스의 경험이다.

흐름은 때로는 폭포를 이루어 거품과 함께 급하게 떨어져 내린다.

히말라야를 걷는 동안 물의 탄생에서부터

급류, 폭포, 맑은 시냇물, 강 등등 다양한 물의 형태를 볼 수 있다.

이것은 내부 의식의 흐름과 일치하기에

스스로의 의식변화와 견줄 수 있는 좋은 시간을 마련해 준다.

나는 어느 날 오후, 힌두교의 성지인 무트라(Mutra)의 줌마 강가에서 거행되는 작은 의식을 참관한 적이 있다. 그 의식은 매우 간단했다. 석양녘에 한 사제가 조그마한 사원 모양의 나무더미에다 성화를 붙이고, 강가의 거북들에게 먹이를 주었다. 그리고는 신자들이 종을 치고 노래하며 향을 사르는 동안, 그 사제는 송가를 읊조렸다. 그곳에서 멀지 않은 곳에 크리슈나를 모시는 큰 사당이 있었는데, 그 날 그 의식에는 크리슈나를 믿는 이삼십 명의 사람들이 참가하였다. 사제가 불을 당겼을 때(우리 앞으로 펼쳐지기 시작하는 거대한 밤의 장막 앞에 그 불빛은 얼마나 연약한 것이었던가!) 신자들은 노래하고, 고함치며, 뛰기 시작했다. 그들의 어지러운 동작과 고함소리는 나에게 역겨움과 고통을 주었다. 그 무절제한 열광은 너무나 엄숙하면서도 또한 너무나 소박한 것이었다. 불쌍한 고함소리가 높아가는 가운데, 몇몇 벌거숭이 애들은 깔깔거리며 뛰놀고 있었고, 어떤 이는 무심히 낚시를 하거나 또 다른 이는 헤엄치고 있었다. 어느 촌부는 꼼짝 않고 서서 흐린 물에다 오줌을 누고 있었다. 여인들은 빨래를 하고, 강물은 유유히 흘러갔다. 모든 것이 일상 속에서 그대로 지나가고 있었고, 유일하게 신이 난 것은 목을 빼고 먹이를 쫓는 거북뿐이었다. 결국 모든 것이 침묵 속에 다시 잠겨 들었다. 거지들은 시장으로 돌아가고, 순례자는 여관으로, 그리고 거북은 강으로 돌아갔다. 이것이 크리슈나에 대한 경배의 전부인가?

　동양의 강은 그렇게 흘러간다. 벌어지는 일을 무심히 받아들이며 그렇게 도를 이루어 흐른다. 강은 관찰대상이나 물리적인 현상이 아니라, 놀고, 즐기고, 살아가는 곳으로 인간의 삶과 별개의 것이 아니다. 신에 대한 경배란 삶에서 유리되거나 분리되어 있지 않고, 멀지 않은 곳에 있다. 모두가 하나되어 살아가는, 말하자면 도의 입장에서 만물을 파악하는(以道觀之) 사유의 경지를 서양의 눈으로 헤아리기 어려우리라.

수건에 물을 묻혀 짠다. 색안경을 벗고 얼굴을 문지르고 다시 팔뚝까지 닦아
낸다. 고산에서의 건조한 피부는 물이 마냥 반갑다.

고산 소녀는 아직 떠나지 않고 이곳에 시선을 놓고 기웃거린다. 학교가 있는
아랫마을까지는 30분은 족히 내려가야 할 텐데……

산성의 구름이 천봉 만봉 위를 유유히 이동한다. 비록 색안경을 썼으나 풍경
이 눈 안에서 맑다.

## ●──물은 불이다

생명의 기원은 물이다. 물분자($H_2O$)는 수소 원자(H) 두 개와 산소 원자(O)
하나가 결합한 것이다. 이렇게 물 하나를 만드는 공유결합은 안정적인 결합체
를 만들며 생명체의 근간이 된다. NASA가 달, 화성, 목성의 위성 등등에서 꾸
준히 얼음과 같은 물의 형태를 찾는 일은 바로 생명의 기원 찾기와 같기 때문이
다. 인류의 문화발상지 역시 주기적으로 비가 내려 강물이 범람하는 강변이며,
우리 몸 중 제일 많은 요소가 물이라는 사실도 자연스러운 일이다. 인간이란
물에 뿌리를 내리는 수경식물(水耕植物)과는 달리 물을 몸 안에 담고 다니는 수
경동물(水耕動物)이다.

하여 고여 있거나 흐르는 물을 보면 생명, 문화의 탄생과 유지를 생각하지
않을 수 없다. 시냇물은 산의 혈관이고, 강은 벌판의 동맥이다. 산이 있어 물
이 있고, 물은 산에 생명력을 부가하니 산수간(山水間)은 상호보완이다.

장대한 종교적 평원을 가진 힌두교에 의하면 브라흐마는 연꽃 안에 놓여 있
다가 탄생했다. 그는 자신의 존재를 알아내기 위해 연꽃 줄기를 따라 탐구했으
나 도저히 찾을 수 없었다. 할 수 없이 연꽃 안에 다시 앉게 되었다.

그때 물로부터 두 가지 소리가 반복적으로 들려왔다.

"타(Ta), 파(Pa)."

즉 타파스(Tapas, 苦行), 혹은 열(熱)을 의미했으니 브라흐마는 고행을 시작해서 범아일여(梵我一如)의 근원으로 가는 길을 찾았다. 고행으로 카르마를 격렬한 열로 태우고 순수한 존재로 바꾸었다. 물에서 열이라는 의미를 읽어 냈으니 역시 반대편의 성질과 하나가 되는 도와 수렴된다.

화학을 공부한 사람이라면 물을 만드는 수소와 산소는 가연성은 물론 폭발하듯 타오를 수 있는 불의 성품을 가졌다는 사실을 안다. 물(水)과 불(火)은 세상의 인연에 따라 전혀 반대쪽으로 표상이 갈리는 셈으로 이것도 바로 도의 조화며 '얼음 안의 불'이란 이런 세계다. 디오니소스의 하느님이란 '눈부신 컴컴함'이라는 이야기도 같은 세상이다.

물은 서로를 비비고 부딪혀가며 그 떨림으로 의미심장한 언어를 대신한다. 그 소리와 더불어 온갖 종류의 바람소리, 새들의

노랫소리, 현지인들이 야크를 부르는 소리, 계곡을 메우는 새소리 등등, 설산 풍경 속에 여러 파장들이 함께 한다. 모든 소리들은 물소리와 어울리면 산을 더욱 성스럽게 관음의 세계로 만든다.

설산을 배경으로 은빛으로 반짝이며 흐르는 강을 보면,
이 자리를 거슬러 올라가면 이상향을 만날 듯하다.
그 잔잔하고 맑고 밝으며 투명한 세계는 바로 정신적인 유토피아다.
또한 흐르는 물 성분의 끝에는 저렇게 흐르지 않고 뭉쳐진 물의 또 다른 속성인 빙하가 있다.
마치 순백의 순수를 품은 환골탈태한 수행자 같아 절을 올리기도 한다.

"스쿨마 자니!"

"스쿨마 자니!"

소녀가 잊었다는 듯이 다시 떠들기 시작하자 포터가 벌떡 일어서 빨리 학교에 가라고 소리지른다. 소녀는 다시 바위 뒤로 숨었다. 이번에는 바위가 작아 몸이 완전히 가려지지 않는다. 포터는 바위에 걸터앉아 담뱃불을 붙인다. 그동안 골초인 그를 제지할 방법이 없었다. 힘든 짐을 내려놓고 이마의 땀을 닦아낸 후 피어 올리는 한줄기의 담배연기. 그 작은 행복을 건강 운운하며 제지하기엔 너무 각박한 것이 아닌가. 담배를 피면서 콧노래를 웅얼거리는 모습이 이제 피로는 많이 가신 모양이다. 존재들이 물가에서는 대부분 평화를 되찾는다.


몸의 여러 감각 중에 시각(視覺)과 함께 청각(聽覺)은 독특하다.

시각은 나에게서 바깥으로 달려나가고 더불어 되돌아오면서 파악된다. 시각은 일반적으로 제한적이다. 가시범위라는 것을 가지고 있어 보려는 방향으로 고개를 돌리지 않으면 알아차릴 수 없으며, 또한 시력(視力)으로 볼 수 있는 거리가 결정되고, 시야(視野)로 범위가 정해져 정면으로 최대한 180도다.

반면에 청각은 어떤가. 비록 귀가 앞을 향하고 있지만 사방의 소리는 나를 향해 달려오니 내가 우주의 중심처이자 핵심이 된다.

숲에 앉아 마음을 가라앉히는 경우, 눈을 뜨고 앞을 바라보면 풍경이 열린다. 풍경을 잘 바라보다가 눈을 닫아 외부로부터 눈으로 들어오는 정보를 차단하면 청각이 강화된다. 신기한 것은 청각이란 시각과는 다르게 범위가 없이 전후좌우상하, 모든 방향에서 달려들어 온다는 사실이다. 눈처럼 뒤가 보이지 않는 것이 아니라 비록 뒤에 있다 하더라도 바람에 부석거리는 낙엽소리는 물론 다람쥐의 사각거림, 풀벌레의 울음소리 등이 청각을 통해 우주의 중심인 나에게 XYZ 좌표로 잡혀온다.

또한 청각은 사물 내부를 파악할 수 있는 힘이 있다. 여기 작은 상자가 있을 때, 눈으로 얻어낼 수 있는 정보는 볼 수 있는 외부의 모습뿐이다. 그러나 손으로 가볍게 두드려 밖으로 나오는 음을 들으면 그 내부의 성질을 알 수 있으니 사물의 내부를 파악할 수 있음은 청각의 또 다른 능력이다. 이런 소리, 즉 음파를 이용해서 내부를 들여다보는 과학적인 장비가 초음파기다.

눈을 감고 산에서 청각을 키우면서 사방의 소리를 들으면 산의 요소를 이해하게 만든다. 깊은 우물에 돌을 던져 넣어 깊이를 짐작하듯이, 히말라야의 침묵 끝에 가끔 들리는 소리들이 히말라야의 내면을 반영한다.

누군가가 내게 이야기를 하고, 스님이 법문을 하시고, 고운 목소리로 세레나데를 부르고, 새가 곱게 지저귀고, 바람이 숲속을 지나갈 무렵 눈을 감는다. 눈을 감고 내가 우주의 중심에 위치하고 있다는 사실을 파악한 후에, 집중해서 듣는 이런 소리 안에서는 마치 손으로 두드려 본 듯, 온갖 것들의 내면이 보여진다. 이것을 느끼지 못한다면 우주의 중심이 될 자격이 없다.

그 소리들은 어느 순간, 시간이 지나면서 더 이상 내게 담겨지지 않는다. 빛이 유리를 지나듯 그냥 투과하고, 막힘 없는 물처럼 흘러가며 더 이상 청력이라는 감각에 의존하지 않고 포획되지 않으며 관통한다.

소리라고 느껴지지 않고〔情〕 소리라 생각지도 않으며〔知〕 소리나는 쪽으로 고개를 돌리지 않으니〔意〕, 듣는 나〔我〕와 소리내는 물체〔境〕가 일여(一如)하다.

이 자리가 바로 관음(觀音)이리라.

아직 경지를 모르지만, 향엄(香嚴)선사가 대나무에 돌이 부딪히는 소리에 새 세상을 만났다는 사실을 이해한다. 브라흐마가 흘러가는 물에서 '타(Ta)파(Pa)'를 들었음도 이해한다.

흐르는 물소리 아름답고 짐꾼의 흥얼거리는 노랫소리 즐거우며 뒤편에 솟은 산 당당하다. 인간과 동물은 외부세계에 의한 충동으로 움직이지만 설산과 물은 욕망을 가지고 있지 않은 힘으로 온(蘊)을 구성하고 있다.

욕망을 가진 것과 욕망을 가지지 않은 것이 나타내는 모습을 비교하니, 언제쯤이면 욕망을 소진해서 산과 같은 얼굴을 가질 수 있겠는지, 길이 멀기만 하다. 그러나 욕망을 가지지 않은 무위함 덕분에 산에 앉아 물을 바라보는 사람은 자연의 운동에 내맡기는(任自然之運動) 기운에 감응되어 편안하다.

## ●── 이미 결정된 승자

고등학교 3학년 늦은 여름에 심한 병을 앓았다. 보름 이상 기침이 멈추지 않더니 가래에 피가 섞여 나왔다. 급한 대로 찾아간 의사는 결핵이라는 진단을 내렸고 휴학의 길로 접어들었다. 외가 어른 한 분이 결핵으로 세상을 달리하셨기에 걱정이 많은 모친의 권유로 대학입시는 내년을 기약해야 했다. 교과서와 참고서를 멀리하고 대신 소설책을 가까이하는 투병생활이 시작되었다.

오진으로 밝혀진 것은 몇 달이나 지난 후였다. 개인병원에서 결핵이라고 진단된 엑스레이 사진을 통사정해서 어렵게 빌려 가지고 성모병원을 찾았을 때, 내 질병은 결핵이 아니었다. 고등학교 3학년의 황금 같은 시간이 잘못된 진단으로 그렇게 흘러갔다.

진학을 담당하신 선생님은 대학의 급을 낮추고, 대신 의과대학을 가라고 말씀하셨다.

"의사는 안정적이거든……."

사실 이것은 부모의 결정과 동일했다.

"안정적으로 사는 게 좋아. 안정적인 직업, 안정적인 생활……."

물거품은 물에서 일어나기에 물 성분과 다르지 않다.
파도는 바다에서 일어나기에 바다와 본질이 같다.
번뇌는 어디서 일어나는가. 번뇌는 어떤 것과 일맥상통하는가.
포말을 이루며 거칠게 흘러가는 히말라야 물줄기를 보면서
그 순수동일성에 대한 개념을 따져본다.

그때 참으로 '안정'이라는 이야기를 많이 듣게 되었다.

사실 우리의 지상 목표는 안정이다. 자신도 편안하고 고요한 상태를 원하고, 주변의 모든 사람들이 별다른 고난이 없이 그리 살아가기를 희구한다.

그렇다면 우리 마음에 자리한다는 불성(佛性)은 어떠한가. 그 기본적인 성향은 타오르는 불길이 꺼져버린 적막한 고요, 즉 안정(安定)과 안정(安靜)이다. 사람들은 물론 생명체들이 안정을 갈구하는 이유는 내부의 불성이 있기 때문이고, 그 불성이라는 고향으로 귀향하기 위함이다.

말하자면 안정으로 향하는 불성의 추구에 다름 아니며, 그 마지막 자리가 본래면목(本來面目)이다. 『예기(禮記)』〈악기(樂記)〉에서 '인간이 태어나면서 고요한 것〔靜〕은 천성'이라는 말은 사족이 된다.

바스반두(世親)의 『유식삼십송(唯識三十頌)』 제4송에 의하면 아뢰야식은 폭류와 같다고 한다. 그러나 마지막 자리에 도달하면 부동의 진여가 된다(恒轉如瀑流 阿羅漢位捨). 우리가 낮은 곳에서의 묵묵한 바다를 칭송하는 이유도 이런 안정을 바탕으로 하는 부동(不動)으로의 추구다.

물은 낮은 곳으로 이르면서 점차 침묵을 품는 모습은 참으로 의미가 깊다. 불가의 표현을 따르자면 잠시도 멈추지 않고 격류 혹은 폭포처럼 일어나는 번뇌장(煩惱障), 소지장(所知障)을 지나 청정(淸淨)에 이름과 비유가 된다. 어떠한 다툼〔爭〕도 삼수(氵)변의 물을 따라가면 정(淨)이 된다는 표현은 관수세심(觀水洗心)으로 기막히게 적절하지 않은가.

세상에 존재하는 물 중에 왕중왕(王中王)은 바다이다. 히말라야 계곡의 시냇물, 거대한 나이아가라 폭포, 갠지스, 미시시피 그리고 아마존보다 바다는 위대하다. 이유는 가장 낮은 곳에 위치하고, 모든 강을 겸손하게 받아들여 다투지 않기 때문이니, 스스로 위대해지는 방법은 스스로 낮추는 일, 겸손해지는 일, 다투지 않는 일이 최우선이라고 물은 『도덕경』을 통해 말한다.

최상의 선은 물과 같다. 물은 만물을 이롭게 하지만 다투지 않는다. 모든 사람이 싫어하는 낮은 곳에 있기를 원한다. 그러므로 도에 가깝다 한다.

(上善若水, 水善利萬物而不爭, 處衆人之所惡, 故幾於道)

이곳의 시냇물은 낮은 곳으로 내려가 갠지스라는 이름을 얻게 되고 또 시간이 흐르면 바다가 되어 일체의 속성을 버리고 여러 강과 한 몸이 된다.

존재의 기본은 변형이다. 흘러가는 동안 영원이란 존재하지 않고 끊임없이 변화를 거듭한다. 내가 그렇구나 긍정하는 순간, 이미 강물은 이미 새것으로 채워진다. 생명이 태어나면서 단 한순간도 멈추지 않고 흐름이라는 과정을 거치듯이 물줄기도 그러하다.

갠지스라는 이름은 사실 멈추어진 것이 아니라 끊임없는 요동을 일컬으며, '나'라는 개체 역시 단 한순간 일치하는 모습을 보인 적이 없이 찰나마다 변화하는 것이다. 이렇게 매순간 변화하는 과정을 마치 영구불변하는 실재로 파악한다면 오해다.

세상의 모든 것들이 순식간에 사라지고 물만 남아 있다고 상상해 보면, 고요한 물에 의지하여 움직이는 물(依靜水故 有其動水)이 있다. 고요함[靜]에 이미 움직임[動]이 포함되어 있으니, 가을 결실 안에는 봄샘추위, 따가운 햇살, 모진 바람, 세찬 빗물이 함유되어 있다. 말하자면 번뇌의 기본은 적멸에 기초한다. 아뢰야가 아무리 폭포처럼 격류를 일으키더라도 시간의 흐름은 이 싸움에서의 승자를 이미 진여(眞如)라는 바다로 결정해 놓았다.

뿌리가 없는 나 역시 가장 낮은 곳으로 흘러간다. 불생불멸의 불성으로의 귀

산을 바라보고 있노라면 있는 듯 없는 것 같고,
물을 바라보고 있노라면 없는 듯 있는 것 같다(觀山有若無 觀水有若無)는
이야기는 산 혹은 물이라는 하나의 형상을 통해 정신적인 경계로 나감을 뜻한다.
단순한 산행이 아니라면 주의 깊게 느껴보아야 한다.


향을 진행 중이다. '남으려 하는 것은 욕된 것, 머물려 하는 것은 아직 너를 넘어서지 못한 것'이라고 물은 말한다. 그렇게 흘러가면 훗날 푸른빛으로 일렁이며 대양을 이루면서 적상(寂常) 침묵하리라.

물은 속삭인다.

"저 높은 곳을 향한 신앙에서 저 낮은 곳을 향한 신앙을 택하라."

"거부하지 말고 흘러가라, 낮은 곳으로 흘러가라, 흘러 흘러가며 침묵을 배우라."

히말라야는 참 많은 배움을 준다. 설산수행(雪山修行)의 의미를 되새길 수 있다. 칼로 친다해도 결코 둘로 나눌 수 없을 만큼 강하고, 동쪽 제방을 무너뜨리면 동쪽으로, 서쪽을 허물면 서쪽으로 흘러가는 맥없이 싱겁기 짝이 없는 물이 큰 배움에 한몫 한다.

히말라야의 그 많은 구성성분〔蘊〕 중에 물조차 선지식이다.

인간이 그 어떻게 표상하며 그 어떻게 생각하며 그 어떻게 이름짓던 간에 아랑곳없이, 저 스스로 자재현전하는 산수가 때로는 아아(峨峨)한 설악(雪嶽)으로, 때로는 푸른 언덕의 야산으로, 때로는 백척 폭포, 때로는 잔잔한 시냇물로 그때 그때 때맞추어 현성(現成)하는 것이다.

소동파(蘇東坡)가 밤새 들은 야래팔만사천게(夜來八萬四千偈)의 시냇물소리가 바로 지금 현성(現性)한 것이다.

일본 조동종 초조 영평 도원선사는 그의 정법안장 '계성산색편(溪聲山色篇)'에서 이 대목을 이렇게 감파(勘破)했다.

'후세학도인(後世學徒人)들도 이 산류(山流) 수불류(水不流)의 이 입문(入門)으로 들어가라.'

— 고형곤의 『선의 세계』 중에서

소녀는 바위 뒤에서 빠져 나왔다. 햇살이 소녀의 얼굴을 환하게 비추기 시작했다. 학교를 간다는 사실을 잊어버린 듯 이쪽을 물끄러미 바라본다.

급하게 가야 할 곳에서는 급하게, 쉬어 갈 곳에서는 쉬어 가는 지혜를 품은 것들이 모여 낮은 곳으로 걸어간다. 이 자리에서 쉬임 없이 떠나가면서도 또다시 이 자리를 새로움으로 바꾸고, 맑음으로 채우기 위해 지칠 줄 모르고 도착하는 모습이 장관이다. 한 웅덩이에 살림으로 모여 넘쳐 나가며(盈科而後進), 무수한 낮과 밤을 용맹정진, 용맹가용맹(勇猛加勇猛)으로 흘러가니 물소리가 학인들의 독경소리와 같다.

나 역시 저 안에 희(喜)·노(怒)·애(哀)·낙(樂)·구(懼)·애(愛)·오(惡)·욕(欲)에 묶인 업보를 풀어놓으면 물처럼 맑아질 수 있을 것인가.

다시 목을 축이고 손끝에 물을 스쳐본다. 물의 속성처럼 멈추지 않기 위해, 그리고 삶의 어느 날에는 물보다 낮아지기 위해서, 찾은 소〔牛〕를 두고 저 낮은 저자를 향해 내려가기 위해서, 마음은 물 안으로 뛰어든다.

몸은 이제 자리를 일어나 하늘계단을 향해 움직이기로 한다.

"니르바나(解脫)마 자니?"

"모크샤(寂靜)마 자니?"

히말라야의 중요한 온(蘊)인 물에게 묻고 걸음을 떼어놓는다. 소녀에게 손을 흔들자 아이도 덩달아 손을 흔들다가 합장한다. 쫑알거리는 입모습을 보니 나마스떼라는 인사말이다.

멀리 유백색의 빙하가 호방하게 이음새를 이어나가며 차가운 장엄을 보여준다.


나는 강으로 뛰어들었다. 검은 눈의 천사들이 내 곁에서 헤엄쳤다.

달, 가득한 별들과 우주의 차들, 그리고 내가 보았던 모든 형체들, 내 모든 연인들이 거기 내 곁에 있었다. 내 모든 과거와 미래들이.

그리고 우리는 모두 함께 작은 나룻배를 타고 천국으로 갔다.

두려울 것도 의심할 것도 없었다.

— Radiohead의 〈Pyramid song〉

# 히말라야의 야생화

# 7

밝고 밝은 온갖 풀 끝에 밝고 밝은 조사의 뜻이로다

(明明百草頭 明明祖師意).

— 영조(靈照)

# 히말라야의 야생화

●──── 뿌자의 길을 들어서며

시야를 가리는 바위를 돌아서자 능선을 촘촘히 채운 야생화들이 요란하다. 그동안의 거칠고 힘든 지역을 지내온 보상인지 새롭고 아름다운 통로가 열리고 있다. 길에서 벗어나 꽃들에게 다가선다.

여기까지 오르기 쉽지 않았다. '높이 서려면 산 정상에 서고, 낮아지려면 바닷속으로 들어간다(高高頂上入 深深海底行)'는 문구를 앞에 세우고 올라왔다. 가끔 구름 사이에 하얀 설산이 보여도 그곳까지 며칠 걸려야 한다는 사실은 잘 알고 있었다. 산이란 시련과 수고수난(受苦受難)이 있기 마련이라 몸이 고도에 익숙해지도록 천천히 추스렸다.

"이제부터 산이 가파르니 천천히 걸어야 한다. 너무 빨리 걸으면 숨이 차고, 숨이 차면 어지러워지고 기운이 약해져서 더 이상 가지 못하겠다고 생각하게 된단다. 그러니까 좀 천천히 걸어야 한다."

파이드루스가 자신의 아들 크리스와 떠난 산행에서 이야기했던가. 어깨에 걸친 배낭조차 내 편은 아니어 점점 심한 부담을 주다가, 등짐이 정이 들어 그야말로 내 몸의 일부인양 느껴질 무렵에 나타난 풍경, 그야말로 장관이다.

늘 그렇듯이 오름짓은 힘겨운 상태지만 모든 수고로움을 보상하는 이런 야승(野僧)들의 야생화 벌판이 기다린다. '존재의 신비'라는 말이 터져 나온다. 고행 끝에 만나는 낙원 같은 그 무엇이니 바라보기만 해도 무한한 힘이 충전된다.

설산, 하늘, 구름, 야생화 등, 풍경의 온(蘊)이 일체의 연생연멸(緣生緣滅)의 하나의 의식으로 확연히 만남의 장을 열어 의사소통이 스스로 일어난다. 설산에서의 풍경이란 물질적이고 물리적인 결과로 인한 어떤 외향이 아니라 서로 간의 교통으로 인한 불성 혹은 도(道)의 내향적 흐름이다.

문득 호남장사(湖南長沙) 경잠(景岑)선사의 유산(遊山) 공안으로 가슴이 밝아진다.

> 장사가 어느 날 산놀이[遊山]를 끝내고 산문 앞에 이르자, 수좌가 여쭈었다.
> "스님께서는 어디를 다녀오시는지요?"
> "산놀이 갔다 온다."
> "어느 곳을 다녀오셨습니까?"
> "처음에는 향기로운 꽃길을 따라갔다가 다시 떨어진 꽃을 따라 돌아왔다."
> "봄기운이 물씬합니다."
> "가을 이슬이 연꽃에 맺혀 있는 것보다 낫다."

질문 안에 해답이 있음을 우리는 알고 있다. 호기심 가득한 아이들이 눈을 크게 키우고 거침없이 묻는다.

"하늘은 왜 파랗게 보여요?"

"새는 어떻게 하늘을 날 수 있어요?"

나팔꽃의 원산지는 히말라야다.

하얀 설산에서 출발한 이 꽃은 불교의 전파 경로처럼 해가 솟아나는 동쪽으로
끊임없이 진행하여 한반도까지 도착했다.

설산에서 만나는 이 나팔꽃은 달마조사가 서쪽에서 오신 뜻,
즉 법이 동쪽으로 향한 의미를 전한다.


"사람은 어떻게 태어나요?"

그런 의미에서 라다(羅陀)라는 붓다의 제자는 고맙기 한량없다. 그는 '무상
이라 하는데 도대체 무상이 무엇인지', '고(苦)라고들 하는데 무엇이 고인
지?' 붓다에게 솔직히 여쭈어 그 답이 『상응부경전』의 「라다상응(羅陀相應)」
에 모여 있으니 후학들은 얼마나 고마운가.

답재문처(答在問處).

즉 물을 때, 그 연장선상에 답이 있다. 묻지 않는다면 답을 알아낼 방법이
존재하지 않으니 평생 껴안고 가는 이뭣꼬를 포함한 모든 공안이 사실은 질문
이며 의심덩어리이자 답이다. 사는 것이 무엇인지와 더불어 죽음이 무엇인지

묻고 참구하지 않는다면 결코 알아낼 수 없음도 같은 맥락이다.

'어디를 다녀오시냐?'는 수좌의 질문에 큰 법(法)은 살아나며 답은 꿈틀거린다. 근기가 낮은 내가 이렇게 자의적으로 풀 자격이나 있는지 모르지만, 이 공안은 품고 있는 빛이 아름다워 스스럼없이 끌려간다.

인도에서 히말라야로 오르는 것처럼, 저잣거리에서 성소로, 일상이 존재하는 평범한 세상에서 경계를 넘어서 산으로 오르고, 그 후에 성성한 기운을 잃지 않고 되돌아왔음을 나타내는 듯하다.

히말라야 산행은 눈부신 백련화 설봉이 만발한 도량 참배이기에 이 대화 안의 꽃길 과정은 가슴에 사무친다. 더불어 그동안의 산행에서 내가 무엇을 보았는지 스스로 묻게 된다.

깊게 심호흡을 거듭한다. 이 지역의 야생화는 꽃잎이 작다. 자칫하다가는 발걸음에 뭉개질 수 있어 앞으로 나가지 못하고 다시 길로 돌아온다.


현재 히말라야 문화권에서 신에 대한 사랑과 존경을 나타내는 행위는 뿌자(puja)다. 타밀어로 꽃을 의미하는 '뿌'에 바친다는 의미가 결합된 단어다.

북쪽에서 인도로 들어온 아리안들은 동물을 살육하는 희생제를 지냈으나 기원전 6세기 불교, 자이나교 등, 아힘사(非暴力)를 지향하는 자비의 종교들이 등장하면서 비판받아 위축되기 시작했다. 결국 지배층은 인도 하층민이며 피지배자들의 의례인 뿌자를 받아들이고 그것이 정착되어 오늘에 이르고 있다.

히말라야는 스스로 무성한 야생화들의 야화방초자총총(野花芳草自叢叢)의 뿌자를 받아들이고 있다. 대지에 동물의 피를 뿌리는 것이 아니라 꽃공양을 통해 불살생의 덕목을 산에 가득 채우고 있다.

청명한 바람에 온갖 색들이 흔들려, 화려하다 못해 현란하고 그리하여 어지러워 조금 비틀거린다. 보이는 것이 꽃이라 꽃이 보이지 않으니, 무원(無願)의 접촉인 만안시화화불견(滿眼是花花不見)이다.

사실 해마다 봄이면 굉장한 충격을 받는다. 연녹색의 새싹과 함께 온통 바쁘게 다투어 피어나는 꽃들에게 경이로움을 느끼지 않을 수 없었다. 오늘 또다시 그런 충격과 기쁨에 사로잡힌다.

봄이 오면, 나는 정원을 지나면서 해마다 똑같은 충격과 경이를 느낀다. 때가 되면 생겨나 발아를 시작하는 새싹들, 자연의 섭리를 어기는 것이 마치 두려운 듯 미풍에 떠는 어린 나뭇잎 앞에서 나는 경탄한다. 경이로운 것은 자연의 섭리가 결코 어긋나지 않는다는 것이다. 다시 말해서 세계가 기능하는 것이다. 낮이 길어지고 빛과 열이 돌아온다. 잎이 나고, 꽃과 씨앗이 생겨난다. 동식물이 태어나고 성장한다. 한 치의 위반도 실수도 없다. 진행은 변함이 없다. 인간사와 무관하게 우주라는 거대한 기계는 냉혹하고 완벽하게 돌아간다. 태양과 그 격랑을 넘어서, 산과 빙하를 넘어서, 하늘의 둥근 천장과 은하계, 봄날 아침 당신을 놀라게 하는 나무들을 관통하는 이 작은 초록색 전율의 반복은 120억 년 이래 우주의 무대를 뒤흔든 웅대한 공연에 나 자신이 참여하고 있다는 감흥을 주는 것이다.

— 프랑수아 자콥의 『파리, 생쥐, 그리고 인간』 중에서

이런 경이와 감탄의 순간, 탄성을 지르는 순간, 이들과 분리되지 않은 하나의 마음〔一心〕에 깃든다.

이 순간 어디 시(是)가 있고 어디에 비(非)가 있겠는가.

유(有)와 상대하지도 않으며 무(無)에 기대지도 않게 되니, 한량(限量)을 넘고 언어를 지나 식(識)이 사라지며 오로지 봄〔視〕만이 존재한다. 아니, 봄도 없

이 이 모두와 순진무구한 에너지에 합일된다.

눈으로 들어오는 정보와 내 마음의 작용이 하나가 되니, 바로 이 순간이 선(禪)이 살아 나오는 무상각(無上覺)을 설하는 조사의 뜻이다. 이 짧은 경탄에 순간적으로 사마디[三昧]에 들어간다.

그러나 '와, 이것 봐라, 이렇게 아름다운 꽃의 이름이 무엇일까?' 생각을 진행시키고, 사진기를 꺼내면서 꽃을 구도 안에 우겨 넣으면 그들은 나와 분리가 되며 삼매가 깨져 버린다. 대부분 이렇게 생각을 일으킴으로써 어처구니없게 실패하기 마련이다. 다시 제자리에 가기 위해서는 놓아버리는 기나긴 시간이 필요하다.

"그들과 분리되지 않고, 아름다움의 사마디[삼매]를 깨지 않고, 분별심을 일으키지 않는 무위(無爲)의 사진 찍기는 어려울까?"

"그저 순일한 마음으로, 일심으로 풍경을 담기는 힘든 일일까?"

찍든 찍지 않든, 그저 비선비악이며 무색투명한 조주선사의 '뜰앞 잣나무'의 세계가 문득 그립고, 피차(彼此), 시비(是非), 귀천(貴賤), 미추(美醜), 선악(善惡)의 분별지가 없는 그 경지가 사진 안의 그 무엇처럼 가깝기도 하고 멀기도 하니, 이제는 웬만하면 사진기를 꺼내지 않는다. 피(被)사체라는 말은 그런 의미에서 무겁고 무섭다.

또한 풍경이 수승한 순간 외로움은 잊혀진다. 인도의 카주라호에서, '아, 고와라' 석양빛에 숨막힌 적이 있었다. 어둠이 오는 시간까지 장관에 넋을 빼앗겼다가 별들이 하나 둘 나타나며 별똥이 하늘을 둘로 가르면서야 제 정신으로 돌아왔다.

그러다가 숙소로 돌아오는 길에 문득 외로움이라는 사치스러운 감정이 찾아왔다.

질문이란 중요하다.
인생이란 무엇인가? 야생화란 도대체 무엇인가?
이런 질문에서 철학적 사유가 시동을 걸고 출발을 준비한다.
이런 질문 없이는 저 편 대답을 만날 수는 없다.
질문은 정답의 가장 중요한 요소다.

"외로움?"

내친 김에 외로움이라는 감정의 근본을 파보아야 했다.

망아의 풍경에서 잊혀졌던 외로움의 본질은 사실 '나'에 대한 아집 때문이었다. 내가 너와 연결되어 있고, 인드라망을 통해 이렇게 저렇게 유기적으로 끝없이 연결되어 촘촘히 짜여 있는 자연 안에서 어느 누구도 혼자가 아니었다. 그런 존재가 외로울 이유가 없었으니, 외로움은 착각에서 출발하는 감정이었다.

차차 외로움이라는 감정은 나와 결별을 시작했다. 외로움은 용기를 잃게 하고, 용기를 잃으면 세상을 잃는 것과 동일했다. 이제 외로움이라는 감정은 내게서 배제되어 있다. 산길에서 외롭다고 느껴지면 산길에 더불어 머물고 있는 야생화에, 나무에 눈길을 주었고, 한밤중이라면 바깥으로 나와 하늘의 달과 별을 보았다. 모두 나와 함께 있었다.

부수적으로 얻어진 것은 두려움의 소실이었다. 외로움과 두려움은 하나에서 출발한 일란성 쌍둥이었다.

과학자이며 철학자인 화이트 헤드의 이야기를 보면 서양은 이런 생각을 품은 지 얼마 되지 않았다.

지난 수세기 동안 철학적 저서들을 사로잡아 온 잘못된 관념은 '독립된 존재'가 있다는 믿음이었다. 그러나 이런 존재 양태는 없다. 모든 실재는 우주의 나머지 것들과 함께 짜여진다는 관점에서만 이해될 수 있는 것이다.

아미쉬(수쿠아미쉬族) 추장의 연설 역시 이런 점에 바탕을 둔다.

"땅이 인간에게 속하는 것이 아니라 인간이 땅에 속하는 것임을 우리는 알고 있다. 만물은 마치 한 가족을 맺어주는 피와도 같이 맺어져 있음을 우리는 알고 있다. 인간의 생명의 그물을 짜는 것이 아니라 다만 그 그물의 한 가닥에 불과하다. 그렇게 나와 남의 간격이 사라지면 언어가 사라져 버리고 감탄사 하나 혹은 침묵이 남으니 아난다(ananda)이다. 이름 붙여진 것들과 하나로 합일되는 신비주의적인 침묵이 온다."

이제는 인디언처럼 산에서 혼자 지내거나, 그 어느 곳에 고립되어 있어도 외롭다는 감정이 쉬이 일어나지 않는다. 나무, 풀, 길들, 바위, 짐승 등, 이 모든 존재들이 엮이고 짜여 있어 나에게 말을 걸며 동거하기 때문이다.

내가 외로움을 느낀다는 것은 '그들은 없다'며 그들의 존재를 부정하고 무시하는 행위다.

## ●⎯⎯ 야생화는 수행자다

아주 오래 전의 이야기다. 집안 어른은 꾸짖으셨다.

"바보 같은 놈! 그냥 곧장 이리로 와!"

그게 열다섯 살이었던가, 열여섯 살 적이었던가. 온갖 들꽃으로 만발한 길에서 밥솥을 들고 있는 나를 책망하셨다.

"이리로 그냥 오라니까!"

머뭇거리자 또 다른 어른이 책망하셨다.

"얼른!"

그러나 그 아름다움을 짓밟을 권리는 없었고 더불어 마음 깊은 곳에서 절대로 밟아서는 안 된다는 반발심이 있었다. 더구나 어른의 말을 한쪽 귀로 흘려 듣는 사춘기가 아니었던가. 밭길을 따라 길게 돌아갔다.

냇가 옆에 걸어 놓은 솥에는 무더운 복날 희생된 개 한 마리가 남자들의 왁자지껄한 목소리 속에 조각난 채 끓고 있던 날. 용기가 없고, 남자답지 못하며,

소심하다고 내내 책망하던 소주에 취한 어른들 앞에서 고개를 푹 떨구었다. 내가 밟지 않아 하늘을 마주하는 야생화 생각에 마음은 차라리 편안했다.

그때 나는 미래의 운명 지워진 나를 알았어야 했다. 그러했다면 철들고 출가(出家)하여 이런 산에서 혼자 묵묵히 살아왔으리.

"밟아서는 안 돼."

부정할 수 없고 무시해서도 안 되는 신비로운 꽃들에게 다가서면서 그 날의 발 밑을 기억하며 스스로 조심한다.

"그 어른들은 이곳에서도 무심히 꽃들을 밟을 수 있을까?"

"존재에 대한 심연이 찬연하게 드러나는 이 땅에서 이승에서의 존재놀이가 얼마 남지 않은 그들은 꽃들의 이야기를 들을 수 있을까."

"그들은 이런 곳에서 자신의 무더위를 피하기 위해 평소에 잘 따르던 개를 타살할 수 있을까?"

꽃들에게 인사말을 던진다.

"나마스떼."

그리고 나마스떼를 풀어 내 모국어로 인사한다.

"내 안의 신이 당신 안의 신에게 인사를 드립니다."

경사가 곱다. 완만한 곡선이 이어진다. 불과 몇 시간 전에는 빙하 혹은 눈덩이였을 물줄기가 비틀거리듯이 휘어져 흘러내려 온다. 유난히 비가 많았다는 지난 여름 탓에 다른 해에 비해 히말라야 시냇물이 맑고 투명하다. 물가까지 노란 꽃, 흰 꽃, 자줏빛 꽃들이 잔잔히 펼쳐져 있다.

높아질수록 머리 위로 하늘이 자주 보이더니 키 큰 나무는 사라지고 줄기가 거칠거나 날카로운 가시를 가진 낮은 키 식물들이 나타났다. 그러다 어느새 하늘은 탁 트여 시선 안에 넓게 들어오고, 이어 커다란 바위 사이로 야생화와 풀

들만이 자라는 한계선을 넘어 왔다.

울창한 활엽수, 대나무 숲, 덩굴식물, 덤불 숲, 사람의 키만큼 자라난 고사리, 쑥, 온갖 난초들이 무성한 습한 아열대 처녀림을 지나 들어온 건조한 요술 세계.

그러나 이곳의 고도는 식물이 자라기에 너무나 가혹한 환경이다. 가끔 구름 사이로 나타나는 햇살도 저 아래 우림처럼 부드럽고 따뜻하지는 않아 고대의 봉인된 한때처럼 따갑고 거칠다. 또한 그늘진 곳에 무엇이 있는지 식별하기 위해서는 시간이 필요할 정도로 어둠이 깊고 차다. 이런 열악한 고도에서 야생화는 스스로 일어나 하늘과 마주한다. 신에 대한 순종과 헌신. 거룩함에 대한 혜안을 품기 위해, 태고부터 자리잡은 하얀 능선을 배경으로 정적 위에 앉아 있다.

시선 높이를 내궁 위의 꽃에 맞추어 본다. 낮기도 하다. 스스로 낮이도 낮춘 야생화. 저잣거리에서 덧없이 변화하는 자신의 욕망을 떨구기 위해 산으로 떠나온 구도자들의 모습을 많이 닮았다. 굵은 줄기를 버리고, 커다란 잎새 역시 팽개치고, 마치 가사와 바리때만을 소유한 듯한 단출한 수행자 모습이니 자신을 자랑하지 않아도 스스로 빛난다. 얼마나 많은 우주의 비밀을 알고 있는지, 스스로 얼마나 높은 자리—고도에 앉아 있는지 자랑하지 않아도 존재의 비밀의 장막 저편에 도달해 있는 모습이다.

이 척박한 환경에서 그들은 다르마〔法〕의 아름다움을 끌어낸다. 멀지 않은 은빛의 백색 설산은 그들의 최종 목적지인 열반(涅槃)이고 저 아래 열대 우림은 버리고 떠나온 소란한 저잣거리이리라.

이들의 무고무뇌(無苦無惱)한 모습에서 파드마쌈바바의 신비도 단계를 읽어 내지 않을 수 있을까.

세상의 이목에 드러나거나 중요하게 되려고 애쓰지 않고, 겉으로는 보잘것없는 것 같으나 이면에는 자신의 마음을 세상의 모든 권력과 영광에서 벗어나도록 하라. 하여 높이 치솟도록 노력하고, 겸허하게 처신하여 낮은 상태에 남아 있으라.

모든 것에 무심해지라. 우연히 자신의 앞에 다가오는 것들을 선택하지 않으며, 얻고자 하거나 혹은 피하고자 노력하지 않는다. 그것이 부, 가난, 칭찬, 경멸, 미덕, 악덕이든 그 무엇이든 간에.

완벽한 평정과 초연함으로 상충하는 의견들과 존재의 활동이 여러 가지 형식으로 나타나는 것을 바라본다. 모든 것들의 본질과 작용방식이 그러하다는 사실을 이해하고 항상 고요하게 남아 있으라. 가장 높은 곳에 서 있는 사람이 그 아래 펼쳐진 계곡과 보다 낮은 산의 정상을 바라보듯이.


최근 7, 8년 동안 히말라야에서 야생화를 보지 못한 해는 단 한 번도 없었다. 그런데 해마다 꽃들은 더욱 아름답고 진지해지니 신기한 일이 아닌가.

이렇게 점차 아름다워지다가 몸을 벗어버리고 목적지인 니르바나에 들어가련가. 이곳에서 해발 4천m에 이르는 긴 동선(動線)은 야생화 수행자들로 눈부셔서 눈물이 찔끔거리는 풍경으로 이어진다. 시속 1km의 속도가 아니라 시속 100m의 걸음걸이도 과하니, 쉬엄쉬엄 가는 일은 잘하는 행동이다.

'옴 비스따레 비스따레 비스따레.'

길 가운데 자리잡은 바위에 걸터앉는다. 야생화들이 분주해진 바람에 흔들려 별처럼 반짝인다.


만다라는 그림으로 우주와 보디삿트바를 표시한 것이다. 낱낱의 살[輻]이 속바퀴 측에 모여 둥근 수레바퀴[圓輪]를 윤원구족(輪圓具足)으로 이루듯, 모

기우뚱하게 기운 출렁다리의 우측에 꽃이 놓여 있다.
이른 아침 마을주민이 뿌자한 것이다.
이 다리를 건너가는 사람들의 안녕과 건강을 비는 이 의례의 역사는 길다.
뿌자가 행해진 자리에서는 길을 멈추고 뒤따르는 사람의 무사안녕을 기원하고,
이미 피안(彼岸)으로 건너난 사람을 생각하는 일은 덕목이 된다.

든 법을 원만히 다 갖추어 모자람이 없다는 뜻을 가지기도 한다.

꽃잎은 형상으로 우주와 붓다를 표현하고, 만물의 진리를 내장하며, 우주의 인식을 몸 전체로 표현한다. 그리하여 극락정토의 세상을 온몸으로 보여주는 전령의 만다라이다. 바람이라도 불어오면 여러 가지 수인(手印)과 인명(印明)으로 설법하는 모습이 마치 도리천 도량에서 사바세계로 내려온 듯하다. 더불어 가만히 귀라도 대본다면, 놀랍게도 꽃잎은 '옴'이라는 우주 진언을, 때로는 다라니(陀羅尼)를 전언한다.

"이 봐 중생아, 날 보고 다르마의 환희심을 일구어 봐!"

하여 나막 가리다바—머리를 조아리옵고 만트라 한 줄을 외우지 않을 수 없다.

참으로 만다라는 곳곳에 펼쳐지며 화엄 대법회를 열고 있어 이곳에서 조용히 관하면 화엄의 종주(宗主)라도 될 법하다.

야생화 역시 히말라야의 뺄 수 없는 온(蘊)이다. 낙엽 하나 떨어짐으로 가을을 알 수 있듯이 야생화 한 송이로 불성을 느낄 수 있다. 꽃 하나의 모든 세상이 다 자리잡아 '한 티끌 안에 온 세계가 다 있다(一微塵中含十方)'는 의상조사의 『법성게(法性偈)』 말씀은 백 번 옳다. 가만히 들여다보면 '밝고 밝은 온갖 풀 끝에 밝고 밝은 조사의 뜻(明明百草頭 明明祖師意)'이 있다.


술 취한 어른에게 어깨를 빌려드리며 돌아가던 저녁. 혀가 돌아간 말씀을 들어야 했다.

"이 녀석아, 불알을 떼 버려! 사내자식은 그래서는 안 된다구!"

그러나 나는 또다시 야생화를 피해 밭길을 택했다. 술 취해 어디가 어딘지 모르는 어른은 내 팔과 어깨를 번갈아 잡아가며 좁은 밭길에서 비틀거리셨다. 초저녁 바람에 흔들거리는 꽃들과 무엇인가 심리적인 동조 혹은 공모의 감정을 느꼈다.

"야 이 녀석아, 나는 네 앞날이 걱정이다. 싸나이기 그대 가지고 뭘 하겠니… 응, 이 자슥아…….."

나를 잡초처럼 강하게 피워내고 싶었을까. 아니면 세상을 전쟁터로 보며 용맹하게 싸우는 전사(戰士)를 만들고 싶었을까.

내게 주어진 나의 길. 이제 나는 어른들의 뜻과는 달리 성인이 되어 이렇게 산다. 야생화를 수행자로 모시고 이런 계곡에서 머리를 낮춘다.

구름으로 지척의 준엄한 설산 모습은 가려졌다. 그것은 더 이상 문제되지 않는다. 대신 지상에서 이렇게 수행자들의 무차선회(無遮禪會)가 있지 않은가. 녹색 양탄자 위에 흰색, 보라색, 붉은색, 노란색 등등의 빛나는 점들이 점묘파 화가 화폭처럼 장식되어 서로의 향기와 색깔을 나누어 가지며 함께 승가(僧家)를 이루어 살고 있다.

이들은 모두 이렇게 화려하게 피어났다가, 한두 달 후면 일체 중생의 길이 그러하듯 갈색으로 고이 말라버린다. 그러나 내년 히말라야에 몬순이 다시 찾아오면 사람이 눈여겨보지 않아도 스스로 부활하여 계곡을 장식하니 만년설 주변에서 꾸준히 피고 지며 대열반(大涅槃)에 드는 날까지 생명으로 윤회한다.

나 역시 무심(無心)으로 그럴 수 있다면…….


스스로 피어나, 스스로 산다.

스스로 생겨나, 스스로 지내다

스스로 간다.

나 역시 그럴 수 있다면

히말라야 야생화.


시크의 창시자 구루 나나크의 임종이 가까워지자 그를 따르던 힌두교도와 무슬림 무리들은 큰 슬픔에 잠겼다. 그들은 사후 대책을 논의했다. 힌두들은 화장을 고집하고, 무슬림은 매장을 하자고 서로 다툴 수밖에.

결론을 내리지 못한 그들은 구루 나나크에 가서 직접 본인의 의견을 묻기로 했다.

"힌두교도는 내 오른쪽에, 무슬림은 내 왼쪽에 꽃을 가져다 놓도록 해라. 아침에 일어나 보아서 꽃이 싱싱한 쪽의 의견대로 해라."

이야기를 마친 구루 나나크는 누워서 샤프론을 머리 위까지 끌어 덮었다.

이야기를 들은 사람들은 서둘러 꽃을 구하기 위해 바깥으로 나갔다. 그리고는 싱싱한 온갖 꽃들을 준비해서 미동조차 없는 구루 나나크의 양쪽에 정성스럽게 가져다 놓았다.

다음날 아침, 움직임이 없어 샤프론을 들추어보자 "구루 나나크는 간 곳이 없고 양쪽의 꽃들은 모두 활짝 피어 있었다."

구루 나나크는 죽는 순간까지 힌두와 무슬림을 화해시켰다. 그들은 모두 손을 잡고 희열에 넘쳐 노래했다.

꽃은 통일이다.

구름이 서서히 얇아지며 설산이 문득 보이다가 재빨리 숨어 버린다. 능선이 드러난다. 기지개를 한 번 켜며 척추를 곤두세우니 몸의 이곳저곳에서 우둑거리는 소리가 들린다.

"미래의 운명 지워진 나를 미리 알았으면 이미 도착해 있었을까?"

"범부중생에서 빠져 나올 수 있었을까?"

그러나 이 삶 역시, 그런 세상으로 가기 위한 징검다리 역할을 하는 여러 사건, 다양한 인연과 더불은 풍경들이 준비되어 있음을 안다. 이들을 만나며 설산을 오르고 이렇게 앉아 들꽃들과 마주하고 있음은 훗날에 대한 예비이리라.

집에 돌아온 어르신은 술이 모자란다고

말씀하셨다. 주전자를 들고 언덕 아래 가게로 내려갔다. 깜박이는 등 아래에서 막걸리를 국자로 퍼 담았다. 뱀에 물린 이후 다리가 자꾸 아프다는 주인아줌마는 막걸리를 담아주는 법이 없었다. 가게 밖으로 나오자 함께 내려온 강아지가

어떠한 미적 관조를 통해 감동을 느끼는 순간에는 나는 완전히 다른 존재로 변한다.
일상생활의 고뇌는 사라지고 저잣거리의 홍진은 완벽하게 떨구어진다.
초월이 시작되는 것이다.
히말라야에는 이런 감동이 일상이 되니 바로 초탈의 도량이다.
하얗게 변한 야생화의 머리는 설산을 닮아 감동을 불러일으키니 그 순간 나는 없다.

꼬리를 흔들었다. 유달리 별이 총총한 밤, 이 세상 모든 것은 어쩐지 하나로 연결되어 있다는 생각을 처음으로 진지하게 해보았다.

"잘 살아야 한다, 잘 살아야 해!"

젓가락, 대접, 김치, 술 주전자를 내려놓는 내게 다짐하듯 말씀하셨다.

"예."

"나는 너를 믿지 못하겠어."

"예……."

참 오랜 전 일이 생생하다. 히말라야에서는 기억력이 놀랍도록 예민해진다. 업식과 업장을 따라 내가 지금 살아가는 방법은 그의 눈에는 실패리라. 꽃과 이야기하고 산에 앉아 눈을 감고…….

바람에 의해 야생화 벌판이 가르마처럼 길을 내준다. 술탄의 양탄자가 이러하랴, 제왕의 호화로운 정원이 이러하랴. 이곳은 인간의 능력을 벗어난 곳으로 어느 누구도 이런 지형에 형형색색의 꽃밭을 가꿀 능력은 없다.

이 빛나는 진유(眞有)의 세상에 이끌려 멀리서 왔다. 내부에서 무럭무럭 일어나던 영감의 근원은 히말라야 이곳이니, 내생이 있다면 죽여장으로 길을 열고 터를 닦아가며 이런 곳에서 산과 자성천진불(自性天眞佛)의 꽃들을 마주하면서 묵묵히 살고싶다. 아무 이유 없이 히말라야가 그리웠던 연유를 알겠다.

"저를 믿지 말고 스스로를 믿으셔야 했어요."

등짐을 다시 지고 산놀이를 떠난다.

꽃들에게 합장, 내가 올라가야 할 계곡을 향해 합장. 야생화로 더욱 아름다운 선지식처럼 자리한 부동의 설산에게도 합장.

"나마스떼―내 안의 신이 당신 안의 신에게 인사를 드립니다."

야생화라는 온(蘊)이 참으로 온(溫)하다

# 8

히말라야의 길

산행이라는 것은 구체적으로 알기 쉽게 설명할 수 없지만
산행을 한다는 것은 현실이다.
산행은 새벽의 밝은녘, 흠뻑 젖는 일, 정상에 쏟아지는 아침의 햇살,
신선한 샘물, 목마름, 낮과 밤, 피로감,
능선 위에 휘날리는 가랑눈의 결정, 칸테 뒤에서
또는 침니 속에서 나타나며 사라지는 친구의 모습, 습기찬 이끼의 내음,
그리고 갑자기 전신이 마비되는 절망감 등으로 이루어지고 있는 것이다.

— 라이홀트 메스너의 『모험으로의 출발』 중에서

# 히말라야의 길

●── 길은 인생이다

백운천리(白雲千里)가 이런 것일까. 먼 산에는 구름이 걸리고 깊은 계곡 중턱에는 가느다란 길이 얹혀져 있다. 협곡 바닥이 아니고 험난한 정상 부근 역시 아닌 중턱에 자리한 길은, 구름으로 가려진 북쪽을 향해 굽이치며 이어진다.

중도(中道)란 이런 것이리라. 한쪽 변에 치우치지 않아 물과 멀지 않고 또한 산정과도 적당히 거리를 둔 알맞은 고도.

사람의 감정도 이러해야 하지 않겠는가. 괴테의 『파우스트』를 보면 '하늘로 오를 듯한 환희와 죽고 싶을 정도의 절망'이라는 이야기가 나온다. 이런 감정은 버텨내기 얼마나 힘들까. 만일 이것이 산길이라면 숨이 턱턱 막히는 지옥의 널뛰기이리라. 지나친 가라앉음과 흥분 사이에서 적당히 조여진 비나 혹은 거문고의 현처럼 조율되어야 하리라.

붓다의 출가 초기 수행도 사실은 극단이었다. 인도 유가에서 전통적으로 시행하던 극단적인 고행으로 인간 능력의 끝까지 다가서며 의식이 극적으로 변하는 곳까지 호흡을 조절했다.

170

"나는 옷도 걸치지 않고 격조와 품위를 따지는 세속 생활을 조롱하면서, 손바닥을 핥으며…(중략)…하루에 한 끼, 또는 이틀에 한 끼, 또는 7일에 한 끼만 먹었다. 나는 머리칼과 수염을 잡아 뽑았으며, 꼿꼿이 선 채 눕지 않았다."

그러나 결과는 만족스럽지 않았다.

"과거와 현재와 미래의 고행자들과 브라흐마나 사제(司祭)들이 쓰라리고 불타오르는 듯한 느낌으로 고통받을 수 있는 것, 그 최고라는 것을 나는 체험했도다. 그러나 그 길은 끊어졌도다. 그런즉 깨달음을 향한 또 다른 길이 있음이 틀림이 없으리라."

그리하여 고행을 버리고 중도를 선택함으로써 깨달음으로 가는 위대한 길을 열었다.

지나치게 고(苦)가 많아 법을 듣지 못하는 장애가 있는가 하면 지나친 낙(樂)으로 법에 귀 기울이지 못하는 장애가 있으니, 그 중앙으로 오롯이 가는 길은 집착하지 않고 단멸하지도 않으며(莫執莫斷 不取不捨) 갈 수 있는 지름길이다. 그러나 '높은 지위와 많은 재물을 사양할 수도 있고, 흰 칼날을 맨발로 밟기는 쉬워도 중용(中庸)을 지키는 일'은 생각보다 어렵듯 중도 역시 녹록한 상대만은 아니리라.

올라오는 길이 내내 어려웠다. 산이 마치 극단적인 고행을 느껴보라는 듯이 가파르기 짝이 없었다. 히말라야에서의 어묵동정(語默動靜)은 관광이 아니기에 마음을 수없이 고쳐 먹으며 걸어야 했다.

『법구경』의 〈오백 비구 이야기〉는 붓다 당시의 이야기를 이렇게 전한다.

어느 때 붓다는 오백 명의 비구들과 함께 여러 마을을 여행한 뒤 제타와나 수도원에 돌아왔다. 비구들은 큰 법당에 모여서 자신들이 여행 중에 보았던 것들에 대해 이야기를 나누었는데, 맨발로 걸어다니기에 주로 도로 사정에 대한 것이 많았다. 어느 마을은 길이 잘 정리되어 반듯했다든가, 어떤 마을은 길이 높낮이가 심하고 거칠었다든가, 어떤 마을은 자갈을 깔아 놓아서 불편했다든가, 어떤 마을은 길이 잘 다듬어지고 손질이 잘되어 있어서 좋았다든가 하고 이야기를 나누었다.

그때 법당에 들어온 붓다가 무슨 이야기를 나누고 있었는지 묻자, 비구들은 이번 여행을 하면서 거쳐온 마을의 길에 대해 이야기를 나누었노라고 대답했다.

붓다는 그들을 경책했다.

"비구들이여, 마을의 길은 너희가 가야 하는 길과 관계가 없느니라. 비구가 길[道]에 관심을 가지려면 아리야 막가(Ariya Magga, 성스러운 길)에 관해서만 관심을 가지고 이에 대해 대화를 나누어야 하며, 이 길을 실천하여 모든 두카[苦]로부터 해탈해야 하느니라."

그리고는 네 편의 게송을 읊었다.


길로서는 팔정성도가 최상이요
진리로서는 사성제가 가장 성스럽고
욕망을 다스리는 담마가 으뜸이며
인간과 천상을 통틀어 두 발 가진 생명 가운데
붓다(깨달음에 이른 이)야말로 최고의 성자이다.


오직 이 길뿐이다.
그 어디에도 청정한 눈을 갖게 하는 다른 길은 없다.
너희는 마땅히 이 길을 따르라.
그러면 마라를 어리둥절하게 할 수 있으리니.

너희는 마땅히 이 길을 따르라.

그러면 모든 두카의 끝을 보리라.

나 또한 이 길로써 번뇌의 가시밭길을

벗어날 수 있었기에

너희에게 이 길을 보여주는 것이다.


너희 스스로 힘써 노력하라.

여래는 다만 길을 보여줄 뿐이다.

누구든지 마음 집중과 내적 관찰을 수행하면

마라의 묶임에서 풀려나리라.


이 가르침이 끝나자 오백 비구들은 모두 아라핫타 팔라를 성취했다고 한다.


설산에 앉아보니 길은 누구에게나 저렇게 열려 있다. 야생화를 촬영하기 위해 산길을 오르는 사람, 짐을 져 나르는 짐꾼, 산을 수행처로 삼아 암자로 돌아가는 수행자, 자신의 건강을 위해 산을 찾아온 사람, 어영부영 다른 사람의 뒤를 따라 나온 등산객, 산빛을 즐기기 위해 길을 오른 사람 등등, 다양한 목적을 가진 사람들을 길 위에서 만날 수 있었다.

삶도 그러했다. 길이란 삶의 적절한 은유와 비유라, 다양한 사람들이 인생이라는 길을 가면서 참으로 열심히 세속을 살아가는 부류가 있는가 하면, 진흙탕을 마다 않고 정열을 소진하고, 삶이 무엇인지 모르며 하루하루 이어가고, 반면에 삶을 수행처로 삼아 정진을 거듭하는 구도자 등등, 다양한 스펙트럼이 존재했다.

길을 보며, 내가 지나왔던 삶의 길을 생각하고,

이제 떠나가야 할 미래의 길들을 떠올리면,

내부에서 고요하고 심오한 정신적인 활동이 이루어진다.

길이 만들어지는 것이다.

길 끝에서 기다리다가 그들에게 '무엇을 보았냐?' 묻는다면 같은 길을 걸었으되 각자의 대답이 다른 것은 당연하니 인생은 물론 히말라야라고 해서 어찌 다 같을까. 무엇을 보고 무엇을 느끼고 왔는가에 따라 풀어놓는 지난 길의 이야기가 가지가지로 표현되니 바로 물 한 가지를 놓고 각기 다른 것으로 보는 일수사견(一水四見)이 나타난다. 그들의 히말라야는 관점만큼이나 다른 자리에 있다.

우리가 히말라야 '어디'를 다녀왔는가가 중요한 것이 아니라, 히말라야에서 '무엇'을 느끼고 돌아왔는지가 중요한 이유가 그것이리라.

● ── 되돌아가는 길은 새 길이다

중도의 길을 따라 한 시간을 걸으니 이제는 갈림길이다.

"어디로 가야 하나?"

풀어야 할 수수께끼처럼 길을 바라본다. 포터에게 길을 묻는 의미로 시선을 마주치지만 당혹해하는 표정이 역력하다. 많은 비로 인해 지형이 바뀌며 길이 달라진 것일까.

"어디로 가야지?"

다시 물어도 대답 대신 사방을 둘러본다.

길이 있다고 치자. A라는 지점이 있고 저 멀리 B라는 지점이 있어 이것을 연결한 선을 길이라 부른다고 치자.

"길의 끝에는 무엇이 있을까. A에서 B에 접근하여 도착하는 순간, 길은 끝나는 것일까?"

그렇지 않다. B에서 뒤돌아보면 A까지 이르는 한줄기 길이 또다시 떠오른다. 하여 A로 다시 돌아가면 또 B로 이르는 기나긴 길이 이어지니 길이란 끝이 있을 수 없다. 길은 순환한다. A—B 혹은 B—A 사이의 길이 같은 길이라 주장할 수도 있으되, 그것은 시간과 더불어 시간이 만들어낸 풍경을 무시하기 때문이다.

방향이 달라지면서 길가의 많은 것은 새롭게 옷을 갈아입으며 또 다른 세상을 보여준다. 사진을 찍을 경우 이것은 극명하다. 좋은 풍경을 보면서 내려오는 길에 촬영하겠다고 미루어 놓으면 그 풍경은 소멸해서 영원히 실종된다. 말하자면 길은 늘 새롭다. 길을 따라 흘러감에 있어, 체험이 이루어지고, 뒤따라 역사가 만들어지며, 의미가 부여된다.

강고뜨리에서 고무크에 이르는 길과 고무크에서 강고뜨리로 내려가는 길이 같다면 큰 오산이다. 인과(因果)의 개념처럼 삶에서 되돌아오는 길이란 없다. 되돌아가는 길이 같은 길이라 착각하는 이유는 공간 속에서 길을 잘못 들어가면 그 공간을 통해 되돌아올 수 있다는 생각 탓이다. 이것은 시간을 무시하는 행위로 시간을 되돌림으로 그 유한성을 부정하면서, 동시에 시간 끝에 있는 죽음을 두려워하는 무의식적인 일종의 방어적 사고이다.

돌아보면 설산에서 길을 많이 잃어버렸다. 국내 산은 고맙게도 색색끈이 나뭇가지에 매달려 있어 가야 할 길을 인도해주는 반면, 아무것도 없는 설산의 경우 이렇게 갈림길에서 고민해야 한다. 비 시즌의 네팔 히말라야는 하루에도 몇 번씩 고민의 연속이다. 고도가 높아질수록 물어볼 사람을 만나기가 하늘의 별 따기다.

길을 올바르게 찾은 횟수만큼 실패 역시 거듭하니 산으로 한 시간 정도 올라 탁 트인 지역에 서면, 지도에 표기된 길이 저만치 다른 능선을 따라가고 있어 되돌아왔던 일이 여러 번이다. 그렇다고 후회스러울까. 대답은 당연히 또다시 '아니다.' 길에서 미궁에 빠지는 법은 없다. 길에서 한숨 따위의 후회는 금물. 시간을 달리는 도정(道程)에 후회란 금기(禁忌). 시간의 속성이란 인과의 법칙처럼 뒤로 후퇴란 없는 법이다. 삶도 그러하리라.

갈림길이 A고 다시 돌아선 곳이 B라면 B—A의 길은 새롭다. A—B—C로 이동했으면 만날 수 없는 자연과의 인연이 즐비하게 만개하여, 길가의 야생화, 빛을 품은 하늘의 구름, 폭포에 걸쳐진 무지개, 구름 걷힌 설산 선경(仙境)을 가슴에 품을 수 있었다. 평소에는 만날 수 없는 사람을 만나 서투른 현지어로 이야기를 나누고, 오렌지 샤프론 한 장 걸쳐 입은 진인(眞人) 기풍의 청빈하고 온유한 힌두 수행자와 비스킷을 나눠 먹으며 즐겁게 히말라야를 논한 경험도 있다.

그들 중 하나는 이렇게 이야기해 나를 즐겁게 만들었다.

"우리가 지금 이 자리에서 만났다. 현재 과자를 나누어 먹는다. 이 일은 이미 3천년 전부터 결정되어 있었다."

이 이야기는 너무 흔하다. 인도에서 만나는 수행자의 열 명 중 하나는 과거의 인연으로 아디야아뜨라, '오늘 이 자리'에서 만났다고 이야기하며, 더불어 그 사이 기간이 얼마라고 구체적으로 이야기까지 한다. 마치 현장법사가 인도

히말라야를 통해서 구하고자 하는 것은 히말라야 자체로 도달할 수 있는 것은 아니다.

히말라야라는 길을 통해, 히말라야라는 수양 수단을 통해 얻어지는 것이다.

그것이 바로 길이다.

나란다 대학의 승원장인 실라바드라(戒賢)를 만났을 때처럼 '그대가 오기를 기다렸다'라고까지 이야기한다. 히말라야 문화권에서 자주 듣는 통속적인 이야기지만 실재로 귀로 들어오면 얼마나 즐거운가. 3천년이라니!

차를 몰고 강화도 고인돌을 찾아간 적이 있었다. 지도는 물론 길가에 세워진 친절한 안내판의 안내를 받으며 부드럽게 잘 닦여진 강화도 왕복 2차선을 지나, 구릉을 넘어 비포장으로 들어섰다. 그러다가 요철이 심해 차체 바닥으로 요란스럽게 돌이 튀는 험한 길로 접어들었으니 뭔가 잘못 되었음을 알았다.

차를 세우고 밭일을 하시는 노인 분에게 이렇게 물어보면 되었다.

"고인돌 있는 곳이 어디인지요?"

그러나 묻지 않았다. 경험은 인식에 접어 들어가 또 다른 경험을 만들고, 이것은 훗날 길을 제대로 가는데 큰 원동력이 되기 때문이다. 모든 길이 나를 지나 내부에서 길을 만들어 내니, 지름길은 교만을 만들어내고 배울 점은 별로 없다. 현재 길의 —실패라고 말할 수 없는— 실패는 미래를 위한 당연한 보약이 아니던가.

　자동차는 결국 점점 좁아지는 험한 길에서 우측으로 꺾어지는 순간, 지은 지 얼마 되지 않는 양옥집 앞마당으로 쑥 들어섰다. 그곳은 길의 막다른 끝이었다. 아니 또 다른 길의 시작이었다.

　이런 일이 자주 있었는지 대추나무 아래에서 순하게 생긴 잡종개를 쓰다듬던 할머니가 고인돌 있는 곳을 친절하게 알려주셨다.

　돌아나오며 표지판을 찾으려 시선을 허둥대다가 풍경에서 놓쳐 버린 아름다운 보리밭 물결을 보았다. B—A로 가는 도란도란 새로운 세상에서는 하늘을 배경 삼아 대지 위로 가득한 햇살이 평화로운 세상을 보여주었다. 실패한 길을 더듬어 나올 때면 늘 그랬듯이 새로운 세상이 보였다.

　이 경험은 소중했다. 히말라야에서 길을 찾을 때면, '그래, 길을 잃어도 좋아', 곧바로 강화도의 그 날을 떠올린다.

## ●── 붓다의 길은 여기도 있다

"어느 길로 가야지?"

　다시 물어본다. 같은 질문이 벌써 세 번이다.

　길을 함께 떠나온 포터는 심각한 고민에 빠졌다. 그들은 마치 이 지형을 잘 아는 전문가인 듯이 이야기하거나 이 마을 사람처럼 행동해서 자신이 적격이라고 주장하지만, 일단 고용되어 산 속으로 들어오면서부터 이리저리 길을 찾는 일이 자주 생긴다.

　물어보면 몇 년 전에 한 번 왔다든가, 고향은 저 멀리 있는데 돈을 벌러 왔다든가, 그제서야 궁색한 변명을 늘어놓는다. 더구나 유명 트레킹 코스가 아닌 남들이 잘 가지 않는 오지거나 외딴 사잇길에서 더욱 심하다.

"이 길, 혹시 저 길?"

포터는 시선을 피하며 고개를 이리저리 빼보는 행동이 잘 모른다는 뜻이리라.

"알어? 몰라?"

역시 언덕을 바라만 본다. 갈림길은 대부분 같은 폭으로 산으로 혹은 시냇가로 뻗어져 있고, 산양이나 야크들이 흘리고 간 분비물들로 어지럽혀져 있거나 사람들이 불을 피우며 쉬어 간 흔적이 남아 있다. 이 모두 명확한 단서나 안내가 아니다. 특히 마을을 떠나는 아침이면 소를 먹이러 가는 길인지, 감자밭으로 나가는 길인지, 여러 방향의 길로 혼란스럽고, 더구나 구름 안에 있으면 가늠할 수가 없다.

페르테에서 팡포체로 향하는 아침이 그러했다. 옥수수 밭으로 가는 길인지 이웃마을로 가는 길인지, 혹은 시냇가 빨래터로 가는 길인지……. 안개까지 자욱하니 더욱 미궁이었다.

뿐인가, 히말라야 지도 역시 친절하지 않다. 새롭게 생긴 갈림길과 지름길은 물론 몇 해 전 내린 엄청난 비로 개울이 통째로 바뀐 지형까지는 표기되어 있지 않다. 수많은 오르막, 내리막, 좌측, 우측으로 꺾이고 휘어진 길들이 단순히 1~2cm의 직선으로 표기되어 있다. 몬순 중의 고사인꾼드 트레킹에서는 길이 반대로 잘못 표시된 지도로 목숨이 위태롭기까지 했다.

이것은 교과서와 같다. 학교에서 배우는 교과서에는 길이 있음을 말하며 큰 방향을 지시하지만, 실제로 사회에 나와서는 모든 것은 체험을 통해 스스로 길라잡이로 결정해야 한다.

또 물어본다. 머뭇거릴 시간이 없다.

"어느 길이야? 오른쪽? 똑바로? 몰라?"

우리 모두가 길을 가며, 길에서 구하며, 길에서 죽는다.

약간 높은 곳에서 풍경을 바라보다가

마침 시선 안에 혼자 길을 걸어가는 사람을 보게 되면, 구도자라는 말이 떠오른다.

저 사람은 어디서 와서 어디로 가고 있는가? 나는 어디서 와서 어디로 갈 것인가?

포터는 눈을 끔뻑거릴 뿐, 역시 답을 주지 않는다.

갈림길에 서서 온몸의 감각과 지각을 곤두세운다. 과거에 살아온 경험들에 의존하는 방법 이외에 다른 길이란 없다. 길이란 이미 지나간 사람들의 사고이며 생각이자 흔적이다. 그들의 존재를 느끼는 것이 길이다. 그러나 이제 미래란, 내 과거에 의존하게 된다. 과거의 경험에 의해 길을 선택할 것이고 이것으로 인해 미래의 길이 결정된다.

이때가 참 행복한 순간이다. 내가 길에 대한 타당한 사고와 더불어 바른 추리를 해서 정확한 방향을 결정해야 하기 때문이다.

힌두교의 니야야 학파에 따르면 '인식이란 아트만(Atman, 自我)의 비본질적 속성'이며, '인식은 자아(自我)와 비아(非我) 사이의 접촉'이라 한다.

길을 골라낼 때면 나라는 존재가 과거 기억에 따른 인식을 재생하고 재현하며, 동시에 시각·후각·청각·미각·촉각 등등의 감각기관을 이용하여 외적 지각, 비아(非我)를 추론하고 평가 탐색해야 하니 즐거운 학습이 아닐 수 없다.

인생의 과정들도 그렇지 않은가. 수많은 선택의 기로에서 골라내야 하는 하나의 길. 하여 히말라야 갈림길에서 삶 역시 배울 수 있는 자리다.


하늘이 열린 이래 무량의 시간동안 셀 수 없는 많은 사람들이 길을 찾기 위해 고행을 시작했다. 저것 너머의 그것, 피안(彼岸)이라는 세계를 돌아가야 할 고향으로 삼아 세속적인 이기주의, 게으름, 두려움, 저잣거리의 회의를 팽개치고 다양한 길로 올라섰다. 그렇다면 역사에 남아 있는 '길'의 제왕은 누구일까.

마야 왕비가 친정으로 가다가 길에서 태어난 싯다르타가 그 위치이리라.

구도자의 아버지인 그는 궁궐을 버리고 길을 나섰으며, 우주의 진리를 알기 위해 길을 다녔으며, 그리하여 올바른 삶을 움켜쥐었으며, 깨달음을 얻은 이후

하늘이 열린 이래 무량의 시간동안 셀 수 없는 많은 사람들이
길을 찾기 위해 고행을 시작했다.
저것 너머의 그것, 피안이라는 세계를 돌아가야 할
고향으로 삼아 다양한 길로 올라섰다.

길에서 포교하고, 여든이 넘은 나이에 고향으로 돌아가는 길에서 열반에 들었다.

그의 일생을 반추해 보면 길이 아닌 것은 아무것도 없으니, 붓다에서 길[道]을 빼면 마삼근(麻三斤)만큼 가볍고, 개[犬]처럼 불성(佛性)조차 없으며, 죽은 고양이 대가리쯤 값어치가 없어 보인다. 그가 길 위에서 설파한 다르마는 바퀴, 법륜(法輪)이 되어 쉬지 않고 시간의 길을 굴러가고 있다. 오늘도 수많은 눈푸른 납자들이 목숨을 담보로 뒤따르니, 붓다가 생을 거듭하며 수행했던 히말라야에 서 있는 자체만으로도 기운이 덩달아 고양된다.

그는 얼마나 길을 헤매었을까. 그는 얼마나 많은 오르막과 내리막을 지나쳤을까. 중도를 찾기까지 그의 마음에서 걸어나간 행로는……

사실 아트만—자아, 마음, 감각기관, 대상 사이의 교류와 접촉에는 지각이 필요하다. 여러 지각을 바탕으로 과거, 현재, 미래의 모든 내외적 존재에 대해 직관적이고 직접적인 인지를 가지게 되면 바로 그 자리가 싯다(Siddha)다. 붓다가 길에서, 길 위에서, 길을 통해서, 길과 함께 더불어 길 자체가 싯다였음은 당연하다.

히말라야 산길에서 헤매다가 때때로 돌아나오는 행위들은, 자아의 존재와 본성에 대해 올바르게 배우고, 경험과 이성을 통해 만들어진 분석력으로 다르마를 검토하고, 궁극적으로 지적인 이해를 실제로 수행함으로 해탈에 이르고자 함이다. 해탈이란 자신의 체험을 통해 확인된 지식의 결과다. 해탈은 길에 대해 확연히 통찰하는 순간에 오며 더 이상 길을 논할 필요가 없는 상태다. 길을 헤매는 일들은 해탈을 향한 하나의 상징적 행위다.

길은 이렇다. 크게 보면 크게 보는 대로, 작게 보면 걷는 행보대로 한 걸음조차 무한한 가치를 가진다. 돌아보면 삶의 전부가 길이고 길은 나의 스승이니 원효의 이야기를 잘 새겨볼 필요가 있다.

> 길이라 할 것도 없는 그런 길이지만
> 그렇다고 해서 그것이 길이 아닌 것도 아니고
> 모든 행동이 결국 거기에 귀착되는 지극한 도리이며……

발은 늘 길 위에 있고, 떠도는 모든 곳에 길이 있나니. 길에서 도를 구하는 일이 구도(求道)라던가.

헤매도 좋다.

"싯다 쟈누스(똑바로 가자)."

우측의 길보다 비록 기복이 많아 보이지만 똑바로 오르는 길이 끌린다. 이곳 현지어에서 '싯다'라는 말은 '똑바로(straight)'를 의미한다.

길을 몰라 기가 죽어 있는 포터에게 곧장 가자고 말하니 이제 이 길에 대한 모든 책임은 내게 귀속된다. 책임이라는 짐을 내려놓은 그가 앞서 길을 올라간다.

낯선 길에서 돌탑이라도 만난다면 제대로 길을 들어선 것이다.
그러나 늘 이렇게 확연한 것은 아니다.

수많은 갈림길에서 혹은 길조차 사라진 행로에서
자신의 길을 스스로 선택하는 경우가 많다. 그것이 삶과 무엇이 다르랴..

구름은 사라지고 하늘빛은 사파이어 감청(紺靑)을 지나 검은빛이 돌기 시작했다. 높아진 고도만큼 우주가 가까워졌기 때문이다. 하늘 위에 독수리 한 마리가 상승기류를 교묘하게 이용해서 부동자세로 떠 있다. 이제 식물은 대부분 사라지기 시작하여 세계는 오로지 토사와 바위로만 형성된다. 이 세상과 저 세상을 가르는 경계선에 올라선다.

긴장감이 팽팽하다는 것이 이런 것이다. 섬세하고 상냥하던 햇살은 송곳 혹은 칼날로 변해 피부를 내리찍는다. 하늘의 뜨거운 열기와 멀지 않은 빙하의 차가운 기운이 부딪혀 열냉(熱冷)의 기운을 번갈아 뿜어낸다. 강철같은 늠름한 기개의 산은 곳곳에 위험과 죽음의 모습을 숨기지 않고 비정한 기운으로 사람을 맞기 시작한다.

풍경이 현실 같지 않았다. 황폐한 퇴석들이 공룡의 뼈를 내던진 듯 험하게 자리잡았다. 부드러워 보이던 봉우리들도 허리에 안개를 두르고 침봉군으로 변모했다.

불모지. 더 이상 사람이 살 수 있는 곳이 아니다. 신의 영역이다.

도리어 해방감이 든다.

"이제서야 혼자구나."

"어디엔가 아주 먼 곳에 왔구나."

아름다웠다. 이토록 혹독한 시련의 대지 위로 펼쳐진 황량함이 미적인 표현을 하다니. 한 줌의 풀은커녕 녹색의 생명의 흔적을 찾아볼 수 없는 이 고독한 불모 지역은 어떤 언어의 아름다움의 찬양으로도 부족하다. 너덜지역, 바위, 빙하, 눈 그리고 하늘. 태고의 자태 그대로다. 단 세 가지의 색, 하늘의 푸른색, 눈과 얼음의 흰색, 먼 옛날 바다였다가 솟아오른 탓에 노출된 퇴적층이 만들어낸 모래, 돌, 바위의 황색 이외에 다른 색깔은 허용하지 않고 있다. 황무지다.

『황무지』의 엘리엇이 한 마디 한다.

> 이곳은 물도 없고 바위만 있다.
> 물 없는 바위와 모래투성이의 길

그러나 거친 산등성이의 고도가 높아지면서 가슴이 찢어지는 통증이 오며 시선은 초점을 잃는다. 해방의 기쁨이 겸손함으로 조금씩 치환한다.

히말라야가 알프스군과 다른 점은 빌리 메르클의 이야기처럼 '순발력을 요구하는 것이 아니라 끊임없는 인내력을 요구' 하는 점이다. 몽블랑, 샤모니를 오르듯이 주변 마을에서 단숨에 오를 수 있는 곳이 아니라, 비록 처음에는 쉬운 길을 지나지만, 곧바로 협곡을 건너고, 이렇게 급한 산길을 올라가며 며칠이고 산에 동화되어야 한다.

바위가 많아 이리저리 밟아 오르기가 여간 힘들지 않다. 똑바로 오르는 길을 선택한 지 겨우 한 시간에 리듬이 깨지니 헐떡이는 몸을 끌어올리는 격이다. 그냥 앉고 싶고, 눕고 싶을 따름이다. 발이 촉수처럼 바닥을 더듬으며 위험한 바위 사이에서 안전한 곳을 찾는다.

인간을 위로 올리려는 시도의 가장 큰 장애는 중력(重力)이다. 인간은 이 중력으로부터, 그리고 그 외 모든 물리적인 법칙으로부터 자유로울 수는 없다.

우리의 벗어날 수 없는 까르마는 모두 물리 법칙 안에 숨겨져 있다. 우리가 물리를 공부해야 하는 가장 큰 이유 중에 하나는 바로 그것이리라.

중력을 뿌리치며 상승하기 어려운 자신에게 묻는다.

"채찍으로 소를 때리는가, 수레를 때리는가?"

그러나 고통에 뒤따르는 기진맥진으로 인해 주정뱅이처럼 비틀거려도 좋다. 오르는 고통은 이승은 물론 전생에 언제쯤인가 만들어 낸 업장(業障)을 녹이는 고행이 되고, 무의식으로 내려가는 진동은 마치 빗물이 단단한 바위를 꿰뚫어 버리듯 머리에 얹혀진 속진(俗塵)을 깨 버려 육체에 갇혀진 아트만이 브라흐만으로 갈 수 있도록 배려한다. 먼지를 털어내어 본지풍광을 보도록 만든다.

고통이라는 형벌 속에 해탈의 씨앗이 있다.

발가락, 손가락 끝으로
온몸을 지탱하여
가파른 바위산을 기어오르며
나는 시지푸스의 형벌을 생각했다.

이 아름다운 세상의 흙 한 줌,
풀 한 포기 진정으로 사랑하지 못한
죄(罪), 세상 밖으로 떨어져도 또다시
올라야 하리.

불모지역에서는 멀리 왔다는 느낌이 든다.

세상과의 인연이 끊어지고, 모든 관계가 떨어져 나간 이곳에서는

아름다움이 들어오고 이어 해방감이 가득 찬 자유스러움이 뒤따른다.

그러나 오름짓을 반복하는 육체적 고통은 만만치 않다.

인간의 이런 오름은 중력의 법칙을 고스란히 지배받는다.

모든 물리적 법칙은 인간은 물론 우주의 존재에게 카르마의 가장 밑그림이며 기본적인 구성 요소다.

비바람에 긁히고 상처 난 속살

훤히 드러나 보여도,

세상을 향해

보란듯이 우뚝 선 저 산이

웃는다.

— 전양경의 〈시지푸스의 형벌은 아직 끝나지 않았다〉 중에서


오늘도 어김없이 길을 한번 잘못 들지 모른다. 구름이 발 밑으로 유유히 흘러가는 언덕 중앙에 서서 히말라야 능선 저편으로 사라지는 길을 본다. 배는 항해하기 위해, 자동차는 움직이기 위해, 비행기는 날기 위해 존재하듯이 길은 가기 위해 존재한다. 아침에서 저녁으로, 저녁에서 아침으로, 삶에서 죽음으로, 죽음에서 삶으로, 스스로 이어져 가는 이 묵묵한 길은 헤매도 좋으니 그것은 길이기 때문이다. 마음이 길을 만들고, 마음이 나를 앞서 길을 만들게 된다면, 어느 날 나는 자연스럽게 길이 될 터이니 목적지는 이미 중요하지 않다.

뙤약볕에 달구어질 대로 달구어진 바위들이 앞길을 막아서서 보기만 해도 숨이 차다. 한 줌의 산소라도 더 요구하는 몸이 헐떡거리기에 여념이 없다. 육신의 고통과 풍경의 아름다움이 내외에서 반복적으로 심어진다.

"고통을 겪지 않고 중도의 길로 접어들 수는 없는가?"

"중도로 진입하는 입구에는 고행이 자리잡고 있지는 않는가?"

"우회로는 없지 않은가?"

"고행을 통하지 않고 깨달음에 들어간 스승은 과거에 단 한 사람도 없지 않은가?"

기복이 심한 바윗길이 오직 향상(向上) 일로(一路)다. 고도가 높은 데다가 배

낭 끈이 가슴을 압박해 오를수록 숨이 몹시 차다. 이곳에서는 힘든 나를 위로할 사람은 아무도 없고, 나를 끌어가고 나를 위로할 사람이라고는 나뿐이다. 어느 누구도 내 대신 목적지를 가줄 수 없으며 가쁜 숨을 몰아쉬는 나를 도와줄 수는 없으니 내가 내 자신에 의지해야 하고 등불이 되어야 한다(自燈明 法燈明).

유아독존(唯我獨尊).

이제 슬며시 나라는 존재에 대해 길이 보이는 것 같다.

"그래, 너는 누구냐?"

어디선가 스승의 목소리가 환청처럼 들린다.

"고요하게 진일된 마음으로 밝혀 보라. 너는 어디로부터 왔는가? 어느 길로 왔는가?"

길을 다시 천천히 오른다. 히말라야 텃새인 까마귀 한 마리가 인간의 존재에는 아랑곳없다는 듯이 총총걸음으로 길을 내려온다. 하늘을 비행하는 날개를 가지고 있음에도 내게 길이라는 히말라야 온(蘊)의 의미를 보여주려는 심산인가.

## ● 히말라야의 생성 ●

히말라야는 젊다. 지금도 서서히 융기하고 있는 중이다. 판 구조론에 의하면 인디언 플레이트가 매년 2cm씩 북상하면서 북쪽에 위치한 유라시안(티베탄) 플레이트 밑으로 파고든다. 이것은 마치 거대한 씨름선수가 또 다른 씨름선수의 밑으로 파고들며 들어 올리는 것과 같아, 히말라야는 1년에 5mm 정도 키가 자란다. 더불어 이 들어올림의 에너지로 인해 이 지역은 지형적 불안으로 지진이 자주 발생하고 있다. 아직 키가 자라는 성장을 거듭하고 힘이 넘쳐나고 있으니 히말라야를 '젊다'고 이야기할 수 있는 셈이다.

히말라야를 여행하다 보면 퇴적암층을 볼 수 있다. 히말라야의 최고봉 초모랑마 역시 그렇다. 이것은 과거 바다였던 지층이 차차 상승해서 거대한 산군을 이루었음을 말하고 있다. 또한 히말라야에서 채집한 암모나이트 같은 화석을 파는 상인들을 심심치 않게 만난다. 암모나이트는 힌두신 중에 하나인 비슈누의 상징(그의 손에는 조개로 만들어진 퉁소가 들려 있다)으로 인도와 네팔의 산 마을에는 집 안에 수호신으로 몇 개씩 장식하고 있음을 볼 수 있다. 암모나이트는 과거 이곳이 바다였다는 증거로 티베트 지역에 암염과 함께 과거의 바다가 오늘날 산으로 우뚝 솟았다는 확실한 증거를 제시한다.

히말라야는 그 존재 자체로 태양 아래 영원함이란 없다는, 즉 제행무상이라는 설법을 전하는 하나의 법문이다. 히말라야의 생성과정을 아는 일은 끊임없이 변화하는 세상에 대한 통찰로, 변화하는 가운데 그 변화를 타고 흘러가는 스스로의 마음을 들여다보는 거울이 된다. 히말라야를 여행하면서 가끔 그 지형이나 토질 등등을 눈여겨보면 히말라야의 역사가 눈에 들어온다. 모든 조건 지워진 것들은 변화하고 나이를 먹어가니, 무상하다는 진리를 대명제로 히말라야를 만나는 일은 히말라야 길 걷기를 단순한 울력꾼에서 순례자로 재탄생시키는 비약이다.

히말라야의 하늘

9

방랑이란 인간 본능의 일종이 아니던가?
그것은 미지(未知)에의 동경에서 나온 기지(旣知)에의
권태에 의한 발작이 아닌가?
그러므로 방랑이란 곧 탐구의 대명사일 것이다.
인간의 방랑벽! 인생의 모든 창조적 동기의 원천이 아닌가.
좋은 의미에서 석가도 방랑자였고, 예수도 방랑자였다.
모든 죄악의 부정에서 진선(眞善)의 긍정으로
돛을 달고 신발을 졸라맨 위대한 방랑자들이여!

— 김달진의 『산거일기』 중에서

# 히말라야의 하늘

●── 하늘을 보며 내뱉는 탄식

하늘이 충일한 물빛이다. 그러나 쪽빛 진남색이며 남빛이라 뭐라고 표현하기 어려운 상서로운 색이다. 구김살 하나 없이 반질거리는 모습은 마치 누군가 정성을 다해 닦아놓은 듯 윤기가 돈다. 잡티 없는 이런 하늘은 히말라야에서 반드시 응시해야 하는 풍경이다.

홍진이 난무하는 세상에서 순수한 하늘을 보기 어려우니, 무릇 대처란 온갖 번뇌를 뒤집어 써 청정한 본래면목을 알지 못하는 범부 신세와 같지 않으랴. 부모 태생 이전에 왔던 순수함을 되돌아볼 수 있는 히말라야에서는 산뿐 아니라 배경인 하늘을 반드시 관(觀)해야 한다.

중천을 가만히 바라보자 푸른막 저편에서 큰 얼굴을 가진 누군가 나를 응시하며 빙그레 웃는 듯하다. 그래서 '만리 푸른 하늘이 입 벌려 웃고, 세 칸 텅 빈 집이 주먹을 세운다(萬里靑天開笑口 三間白屋豎拳頭)'라는 시가 만들어졌을지 모른다.

배낭을 내려놓고 바위에 걸터앉는다. 계곡보다는 고도가 높은 능선의 윗부분에서 하늘을 바라보아야 제격이다. 그래야 시선은 별다른 간섭 없이 하늘의 정수인 순야타, 공(空)의 세계를 만난다. 『금강경』은 단 한곳에서도 공을 논하지 않았고, 하늘 역시 스스로 공의 세계를 말하지 않음에도 보라, 시선은 하늘 어느 자리에 머물겠는가. 응무소주(應無所住), 머무는 바 없는 시선은 법을 따른다.

단하(丹霞)의 선방 입구에는 아래와 같은 글귀가 있었다고 한다.

> 여기는 붓다를 뽑는 시험장.
> 마음이 공에 이르면 급제해서 돌아가리.
> (此是選佛場 心空及第歸)

혜림사 법당의 목불을 쪼개 장작 삼은 등주(鄧州)의 단하천연(丹霞天然) 선사는 선문의 광사(狂師)로 불릴 정도의 기인이다.

출가 과정은 『경덕전등록』 권14에 이렇게 기록되어 있다.

> 처음에는 유학을 익혔다. 과거를 보려고 장안으로 가는 길에 어느 날 객사에 묵었는데, 문득 흰빛이 방에 가득한 꿈을 꾸었다. 점치는 사람이 '공(空)'을 풀어내는 상서로운 꿈'이라 했다. 우연히 선객 하나가 그에게 물었다.
>
> "선비는 어디를 가시오?"
>
> "과거 보러 갑니다."
>
> 선객이 말했다.
>
> "과거를 보는 것이 어찌 부처를 뽑는 선불(選佛)만 같겠소?"
>
> "부처를 뽑는 곳은 어디로 가야 합니까?"

우리는 이같이 쉽다 어렵다,
있다 없다 하는 상대적인 세계에 살고 있지만,
저 텅 빈 것을 잘 보라.
아무것도 없는 텅 빈 방안에
눈부신 햇살이 비쳐 저렇게 환히 밝지 않느냐?
행복과 같은 좋은 일도
이 호젓하고 텅 빈 곳(마음)에 모이는 것이다. (장자)

"지금 강서에 마조대사가 있는데, 그곳이 부처를 뽑는 도량이니, 선비는 가보시게."

이에 곧장 강서로 갔다.


유학자 단하가 불자로 변하는 순간이었다. 그는 후에 마조와 석두희천의 제자가 되고 험하기 짝이 없다는 남양 단하산에 들어가 암자를 세웠다.

산이 높게 솟아올라 심지어는 발 아래조차 하늘에 해당되는 이곳은 '공(空)을 풀어내는' 단하산의 선불장에 다름 아니다. 하늘이 이렇게 넓게 보이는 이런 고도 이외 그 어느 자리에서 쉽게 공을 알아차릴까. 설산의 하얀 법신과 함께 이 청천의 푸른 법신에 감응된다. 하늘에서 권력이, 재물이, 그리고 명예가 나온다는 소식을 들어보았는가. 과거에 급제해서 얻어내는 관직, 재물, 보화, 그리고 명성의 흔적이라고는 찾을 도리가 없는 이 자리는 '천금을 초개로 여겨 돌아보지 않고 만승(萬乘)을 헌신짝인 듯 벗어'버리는 자리다.


"안녕히 다녀오세요."

아이들의 배웅을 받고 아파트 계단을 내려오던 날, 창문에 스며들어오는 푸른 하늘빛이 대단했다. 밖으로 나오자 건물 사이에는 물감보다 푸른 하늘이 빈틈 없이 채워져 있었다. 푸른빛은 이상스럽게 지상에서부터 하늘로, 혹은 먼 곳으로 끌어당기는 힘이 있었다.

버스 타고 출근하는 동안 얼른 시외버스를 갈아타고 동쪽이나 남쪽 산으로 달려가고 싶은 충동이 일렁였다. 그러나 무엇보다 저 멀리 히말라야로 향하는 등짐을 꾸리고 싶다는 생각이 우선이었다. 결단을 촉구하는 목소리가 커지기 시작했으나 아무런 행동을 취하지 못했다.

"내가 버스에서 내리지 못하는 이유는 무엇일까?"

버스는 청계산 사이 공동묘지가 있는 하오고개를 비스듬히 올라서며 히말라야에 접어든 버스처럼 하늘을 넓게 펼쳐 주었다. 도시 주변 하늘이 어찌 저 먼 땅의 하늘을 흉내낼 수 있으련만, 그날따라 히말라야 너머 라다크 혹은 창탕의 무스탕 왕국의 하늘과 동색동질(同色同質)로 바늘구멍 하나 보이지 않는 맑푸름을 내보였다.

곰곰이 생각하니 버스에서 내리지 못함은 관계와 인연 탓이었다. 내가 벌어온 돈으로 우리 가족은 먹고, 입고, 공부를 하고, 아파트 관리비를 내고, 의료보험료, 국민연금, 온갖 세금 등등을 지불했다. 내가 사라지거나 주어진 임무를 폐기한다면 남은 가족에게는 시련이 닥치는 터였다.

이것이 있으면 저것이 있고, 저것이 일어나면 이것이 생겨나는 연기(緣起)의 법칙.

무명(無明)이 있었으니 행이 생겼고, 행(行)을 따라서 식이 일어났고, 식(識)이 일어나니 명색이 생겼고, 명색(名色)이 생겼으니 육입이 갖추어지고, 육입(六入)이 갖추어지니 촉(觸)을 느끼고, 촉을 느끼니 수(受)가 뒤따르고, 수가 뒤따르니 사랑[愛]에 붙잡히고, 사랑에 붙잡히니 취[取]하고자 하고, 취하고자 하니 가지게(有) 되고, 가지게 되니 태어나고, 태어나니 늙고 죽어가며 근심 고뇌가 있게 되는, 종속적인 열두 마디 원인들의 사슬. 어쩔 수 없는 노사우비고뇌(老死憂悲苦惱).

결혼을 했으니 아내가 생겼고, 아내가 생겼으니 아이들이 인연을 따라 세상의 빛을 보게 되었고, 아이들이 커가니 생활은 커지면서 여러 가지 부양의 의무가 발생하고……

내가 푸른 하늘에 이끌려 모든 것을 방기하고 떠난다면 고통은 그들에게 돌

아무것도 없는 한없이 드넓은 벌판이며
속세 바깥에서 여여한 저 고원인 하늘.
그곳이 바로 자유로이 해방된 선불수행자들이
한가롭게 쉬고 유유하게 잠드는 공활한 정신적 거처다.


아가지 않으랴. 남의 고통을 짊어지고 가도 모자라는 세상에서 고통 전이란 생
각할 수가 없다. 일체 중생을 구제하고 자신의 선근공덕을 남을 위해 쓰겠다는,
저 세상 피안으로 일체 중생을 실어 나르겠다는 뱃사공인 보디삿트바까지 있음
에야. 중생이 아프기에 앓아 누운 비마라키르티〔유마(維摩)〕 거사가 있음에야.
자리이타(自利利他)로도 모자라는 세상에 나 하나의 자유는 방종이 아닌가.

하늘을 보며 탄식을 금할 수 없었다.

"세상을 떠나 사는 일이 세상 안에서 묻혀 사는 일보다 어렵다니……."

그러니 바랑을 메고 거리낌없이 멀리 떠나는 운수납자들의 삶이란 얼마나 축복인가. 걸린 인연이 없으니 청명함에 끌려 거처를 나와, 대지를 담요 삼고 하늘을 이불 삼아 천지를 유랑한다 해도 무엇이 두려우랴. 버스에서 내리지 못할 이유가 없는 그들. 머리카락을 깎고, 수염을 밀어내고, 장삼을 걸쳐 입고 저 넓은 광야로, 저 험준한 산맥으로 발을 손쉽게 들여놓을 수 있는 축복 받은 수행자들.

이것이 사라지니 저것이 없어지고, 저것이 없어지니 또 다른 것이 소멸되는 자명한 원리를 몸으로 보여주는 구도자들.

사실 도시에 사는 일은 감금되어 있는 것과 동일했다. 바짓가랑이를 잡는 인연은 둘째치고 어디로 떠나고 싶어도 무수하게 포위된 자동차에 의해 한 발자국 앞으로 나가기가 힘겹다. 무엇을 구하려면 긴 줄을 늘어선 수많은 사람들에 의해 쉽게 다가서지 못한다. 그 외 여러 관계가 서로의 호흡을 느낄 정도로 지나치게 밀접하며 촘촘하고 끈끈하여 거미줄 같다.

버스가 안양 공동묘지 부근까지 허덕이며 올라가는 동안, 이 몸에 갈마로 얽혀 있는 연기법에 대한 숙고를 통해 내생에는 '큰소리에 놀라지 않는 사자처

자연의 절대적인 경지에 들어가는 것은 바로
고요한 하늘과 하나가 되는 경지와 동일하다.
**히말라야 하늘은 그 정신의 체험이다.**
흰색에서 눈을 떼어 우주를 응시하는 것도
히말라야에서 빼놓지 않고 해야 할 과정이다.

럼, 또한 그물에 걸리지 않는 바람같이, 물을 더럽히지 않는 연꽃같이' 살겠다는 서원을 다시 상기해야 했다.

오늘 히말라야 이 선불장의 하늘 아래에서는 내려야 할 버스는 없다.

이렇게 설산에 자리하는 일은 짧은 출가다. 사실 방랑자는 직업이 아니라 하나의 상태이다. 스님, 구도자, 산야신, 유가 수행자는 직업이 아닌 하나의 상태일 뿐이니, 나라는 존재는 히말라야에서 가족은 물론 직업을 버리고 하나의 원 존재 상태로 돌아간다. 이 자리에서 하늘을 바라보는 가슴은 한여름 털모자를 벗어 던진 듯, 마음의 지붕이 날아가 버린 듯 후련하다 못해 통쾌하다.

내려놓음의 안락함.

가슴 밑둥까지, 아니 발꿈치까지 시원하다.

## ● ── 집을 나와 산 속을 거주하며

힌두교에는 수많은 경전이 있다. 학자들은 편찬 시기로 분류하여 1기(기원전 6세기~2세기), 2기(기원전 2세기부터 기원후 5~6세기), 3기(7~8세기부터 만들어지기 시작한 주석서), 4기(12세기 이후)로 나눈다. 2기의 문헌들을 통틀어 스므르티라고 부르며 이 중에서 가장 권위 있는 것이 『마누법전』이다.

태고의 선인인 리시들이 우주의 창조자인 브라흐마의 자손인 마누를 찾아가, 세상에 존재하는 신분과 살아가는 법을 물어보고 그 대답을 받았기에 『마누법전』이라는 이름이 붙었다. 이 법전은 다양한 신분의 사람들이 살아가는 방법에 대한 이야기로, 핵심은 다르마[法], 즉 인간의 이상적인 행동규범을 설하고 있다.

『우파니샤드』는 물론 이 『마누법전』에 의하면 힌두의 인생은 브라마차리(학습기), 그리하스티(가주기), 바나프라스티스(임서기), 산야신(유행기, 혹은 기세기), 이렇게 4주기로 나뉜다.

부모 밑에서 부모와 스승의 도움으로 공부하고 금욕을 지키며(學習期), 주어진 가장의 임무를 다하기 위해 남을 해치거나 남을 속이지 않으며 정당한 방법으로 번영과 부를 형성하고(家住期), 숲으로 나가 신에 대해 명상하고 성스러운 시간을 가지며 사회와의 관계를 느슨하게 만들고(林捷期), 끝으로 모든 집착을 버리고 홀로 떠돌며 해탈을 추구하다가 남은 욕심 욕망을 모두 소진해서 해탈을 기다리며, 길에서 죽음을 맞이하는(遊行期) 과정이 그것이다.

경전에 의하면 가주기에 해당하는 힌두는 결혼해서 가정의 기쁨과 근심을 서로 적극적으로 깊이 나누며, 돈을 벌 것을 요구한다. '모든 생물체가 공기에 의존하듯이, 인생의 모든 주기에 있는 사람들은 가주기에 의지한다'고 말한다. 가주기는 돈을 많이 벌어 자식을 키우고 집안을 이끌며, 임주기로 들어가거나 유랑기에 있는 사람들에게 보시하는 등, 모두를 도와주는 시기다. 또한 사회 유기체 내의 신경조직이며 임주기의 디딤목으로 건전한 소유(所有)와 적절한 보시(布施)가 이 시기의 중요한 덕목이다.

'대나무로 절을 세웠기에 후생에 임금이 되었고, 떨어진 삿갓으로 비로부터 불상을 막았기에 후에 조사가 되었다'는 그림자 같은 응보의 의미보다는, 소유로부터 자유로워지고자 하는 노력과 일치하며, 훗날 마음에서의 소유조차 완전히 사라지게 만들어 브라흐만(梵)과의 원활한 교류의 초석을 만든다.

더불어 부자가 나쁜 것은 아니다. 이즘의 천박함에 물든 사회의 일부에서는 자신의 노력은 결여된 채, 스스로 정직한 노력을 통해 부자에 이른 사람을 증오한다. 『이샤 우파니샤드』에 의하면 재산을 모으는 카르마, 즉 가족을 위해 정당한 재산증식은 죄악이 아니라 도리어 권장되어진다. 사촌이 땅을 사면 배 아픈 우리는, 그 피지배적인 식민지적 사관을 팽개치고 남이 이루는 것을 담담히 바라(捨)보는 반면, 비윤리적인 재산증식에는 질타를 주는 일이 옳다.

내가 버스에서 내리지 않았던 이유는 이런 것들이다. 가족을 포함하여 사회에 대한 의무 탓이다. 사회적 단위로서 기능을 완전히 무시할 수는 없다.

가주기와 임주기의 경계는 '자신의 모습에서 주름과 백발이 나타나고, 손자를 보게 되는' 것이다. 이제는 자신을 바르게 제도하고, 감각을 제어하기 위해 숲으로 들어가기 위해 모든 소유를 버리고 처가 원하면 함께, 그렇지 않다면 홀로 숲에 의지하게 된다. 믿음이라는 씨앗을 가지고, 고행이라는 빗물을 통해, 맑은 정신을 고삐 삼아, 지혜라는 소로 힘을 더하며 자신을 경작하기 시작하는 것이다.

이 시기에 행하는 일은 이렇다.

1. 항상 자습에 몰두하고, 절제하며, 우호적이고 마음을 가라앉힌다.
2. 항상 베풀고 가능한 한 되돌려 받지 않으며, 모든 생물에 대해 동정심을 가진다.
3. 땅에서 난 것, 물에서 난 것, 채소, 꽃, 뿌리채소, 과일, 청정한 나무에서 난 것, 꽃에서 난 기름을 먹는다.
4. 여름에는 다섯 가지 열로 스스로 달구고, 우기에는 맨 하늘 아래 지내며, 겨울에는 젖은 옷을 입어 고행의 열기를 스스로 높여간다.
5. 쾌락을 얻고자 노력하지 않으며 성욕을 절제하고, 맨땅에서 자고, 쉴 곳을 소유하지 않으며, 나무 밑등을 거처로 삼는다.
6. 해탈을 목표로 하여 육신을 버리게 될 때까지 결연하게 똑바른 길을 간다.

자신의 모든 재산과 가족을 버리고 해탈을 구하기 위해 숲으로 들어가는 비장함.

나이가 들어 집을 떠나 수행자가 되는 일은

비록 현대사회에서는 불가능하지만 그 정신은 기억하고 있어야 한다.
이 시기에는 성(聖)과 속(俗)의 완충지대,
혹은 삶과 죽음의 중간지대에서 양쪽을 바라보며 새로운 길로 나가는 힘을 키워야 한다.
히말라야권의 사람들은 문화적 배경으로 손쉽게 세상의 인연을 털고
이런 산으로 들어와 둥지를 틀 수 있음은 크나큰 축복이다.


세월이 만든 저잣거리의 일들을 이제 모두 버리기 위해, 의식주 모두를 바꾸고, 더불어 고행을 통해 흩어졌던 마음을 몸에 고정시키고, 무상정각(無上正覺)과 유희자재삼매(遊戲自在三昧)의 세계를 향해 용맹정진 하는 시기.

이 시기는 신과 인간 사이의 일종의 완충지며 성(聖)과 속(俗)의 비무장지대다. 재산, 환희, 권리와 의무, 조상 및 신에 대한 관계를 모두 벗어나 있다. 이

길 끝에 성과 속이 어우러지고 아트만과 브라흐만이 합일되는 범아일여에 이르며 더불어 무한한 자비심의 획득과 분별심의 소실이 일어난다.

이렇게 되면 이제 마지막으로 신에게 다가서는, 죽음에 이르는 성스러운 길인 비구(bhiksu, 比丘)의 두타유행을 나선다. 그는 이제 구걸로 배를 채워야 하니 과거 가주기에 수행자의 베풂이 자신에게 되돌아온다.

남쪽으로는 성스러운 호수에서부터 북으로는 히말라야에 이르는 방랑의 순례를 반복한다.


사우브하리라는 위대한 요기가 있다. 그는 평생 베다를 공부하고 금욕으로 일관했다. 세상과 멀리 떨어진 호수에서 선정에 잠겨 있던 어느 날, 호수의 물고기가 첨벙이는 소리를 듣는다. 이 물고기는 수많은 자식과 손자들과 어울려 떼지어 다니며 행복하게 살고 있었다. 사우브하리는 이 모습을 보고 자신도 그렇게 살고 싶다는 세속적인 욕망이 생겨났다. 그리하여 호수를 떠나 만드하트리 왕에게 가서 그의 딸에게 구혼하게 된다. 신통력을 동원하는 등, 여러 사건 끝에 만드하트리의 딸 50명과 결혼하여 숲으로 돌아가 150명의 자식을 낳았다. 아이들의 재롱으로 사우브하리의 가족을 향한 애정은 날이 갈수록 커졌다.

"나의 아들들은 더듬거리는 말로 나를 매료시킨다. 그들은 청년이 될 것이고 성년으로 성장하리라. 나는 그들이 결혼하는 것을 보고, 그들의 아이를 보게 될 것이다."

그러나 세속의 정을 누리던 그는 어느 날 문득 자신의 욕망이 시간을 거듭하며 끝없이 진행하고 있다는 것을 알아차렸다.

"얼마나 어리석은 일인가! 나의 욕망은 끝이 없도다. 내가 바라는 일이 1만 년 혹은 10만 년 안에 이루어진다 해도, 또 다른 욕망이 마음속에서 용솟음치리라."

그는 외쳤다.

"나는 마침내 발견했다. 죽음으로 욕망이 소멸될 때까지 욕망은 끝이 없으며, 영원히 기대에 파묻혀 있는 마음은 최고의 정신이 아님을……"

그는 모든 영광, 즐거움, 궁전은 물론 한때 그렇게 소중하다고 생각했던 아이들까지 포기하고 숲으로 되돌아가 탁발승이 되었다.

그는 말했다.

"세계로부터의 분리야말로 최종적인 해방을 향한 성자의 유일한 길이다. 세계와의 교류는 무수한 오류를 발생시킨다. 이제 나는 나의 영혼을 구하기 위해 전념할 것이다."


이 힌두 신화의 골격은 역시 가정을 이룬 후에 스스로 탁발승이 되는 점에 있다. 『마누법전』, 『우파니샤드』에 기록된 한 가장의 과정을 신화는 대신한다.

비스듬히 미끄러지는 햇살 아래, 무량시간 동안 첩첩이 쌓인 적설로 인해 찬연하게 빛나는 설산이 꼿꼿하게 몸을 세우고 있다. 기품 있고 고결하기 짝이 없다. 과거세부터 많은 사람들이 낮은 마을에 집을 남기고 이 빛에 이끌려 드높은 히말라야로 들어왔다.

이 설산에는 인간이 내세운 철학과 종교만큼 깊은 무엇이 있다. 그것을 찾기 위해 자신의 거처를 떠나 이 무주공산 무주공처로 이끌듯 순례를 떠나온 고행자가 또 얼마더냐. 아직도 이어지는 선불장의 그 큰 흐름.

## ●──지리산에 발을 딛은 힌두교

지리산에 칠불사가 있다. 위치는 경상남도 하동군 화개면 범왕리로 자연 경관이 수려한 토끼봉 아래에 자리한다.

김수로왕(金首露王)은 48년(유리왕 25)에 야유타국의 공주 허황옥을 아내로

대개 은자는 지조와 절개가 세속에서 빼어난 풍모와 소쇄히 티끌을 벗어난 생각으로써
흰구름을 건너 한결 깨끗하고 푸른 구름을 찔러 꼿꼿이 오르나니, 내 떳떳이 이것을 아는 바이다.
그러니 물(物) 밖에 우뚝 서고 놀 밖에 깨끗이 뛰어나,

천금을 초개로 여겨 돌보지 않고 만승을 헌신짝인 듯 벗어버려,
저 주나라 영왕의 태자 진과 같이 봉황의 울음소리를 낙포에서 듣고,
진나라의 손등처럼 나무꾼의 노래를 연뢰에서 만난다면 이것도 진실로 있음직한 일이다.
— 공치규(孔稚珪)의 〈북산이문(北山移文)〉

맞았다. 허황옥은 수로왕의 왕비가 된 뒤 왕자 열 명과 공주 둘을 낳았는데 태자 거등(居登)은 왕위를 계승하고, 둘째 석(錫) 왕자, 셋째 명(明) 왕자는 어머니 허왕후의 성을 이어 김해 허씨의 시조로 봉해졌다. 남은 일곱 왕자는 허왕후의 오빠인 보옥선사(장유화상)를 따라 승려가 되었다.

일곱 왕자는 보옥선사를 따라 합천 가야산에서 3년 수도 후 산음(지금의 산청) 휴식재를 넘어 의령 수도산, 자굴산, 사천 와룡산과 구룡산에서 수도생활을 하다가 서기 101년 지리산으로 들어와 반야봉 동남의 주능선인 토끼봉 아래에서 운상원을 짓고 수행을 계속한 끝에 깨달음을 얻었으니 광불, 당불, 상불, 행불, 향불, 성불, 공불 등 일곱 부처가 탄생하게 되었다.

일곱 왕자가 성불했다는 소식이 김수로왕과 허황옥에게 전해지자, 부부는 기쁜 마음으로 지리산 운상원을 찾아갔다. 그러나 왕자들의 스승이자 외삼촌인 보옥선사는 엄한 계율에 따라 가족을 대면시키지 않았다. 대신 경내에 있는 연못을 지켜 보라 했다. 연못 속에는 성불한 일곱 왕자의 금빛 찬란한 모습이 비쳐졌다.

이것은 『삼국유사(三國遺事)』 권2의 〈가락국기(駕洛國記)〉와 칠불사의 탄생 설화로 수로왕 62년, 신라의 파사왕 24년, 서기 103년 8월 보름의 일이다. 일곱 왕자의 모습이 비쳐진 연못은 영지, 일곱 왕자가 수행하던 운상원은 지금의 칠불사, 당시 수로왕이 머물던 곳을 범왕사, 허황옥이 머물던 절을 대비사, 3정승이 기다리던 곳은 삼정이라 하였고 지금은 모두 지명으로 굳어졌다.

비록 이설이 분분하지만 여러 가지 역사적 정황으로 허황후가 인도에서 왔다는 사실은 긍정적으로 받아들여지고 있다. 그러나 인도를 떠나올 때 허황옥의 종교가 무엇이었는가? 하는 의문이 생긴다.

『삼국유사』를 그대로 받아들이면 이 땅에서 불교의 전래는 고구려가 아닌 가야로 몇백 년 거슬러 올라가야 한다. 반면에 일연이 스님의 위치였기에 그들의 종교를 불교로 기록되었다면 다시 올바르게 이해할 필요가 있다.


허황후가 가야로 오게 되는 기원후 40년경은 북인도 쿠샨족의 지도자 카드피스 1세에 의해 쿠샨 왕국이 건립될 무렵이다. 후에 제3대 왕인 카니시카 왕대의 비문에 아요드야에 지사를 파견했다는 기록이 있는 것으로 보면 아요드야는 이미 카니시카 왕 이전에 쿠샨 왕조의 지배에 들어갔음을 짐작할 수 있다.

이 시점이 허황옥이 가야에 도착한 시기이므로, 허황옥의 일파가 이민족인 쿠샨족의 공격을 피하여 나라를 빠져나온 난민일 가능성이 다분히 존재한다.

카불, 카쉬미르, 간다라, 남 아프가니스탄 등 불교가 융성하던 지역을 기반으로 하던 쿠샨 왕조의 카드피스 1세는 불교를 신봉했고, 지금의 인도 땅으로 진출하여 편잡을 장악하고 마투라에 이르게 된 카드피스 2세는 힌두교도였다.

이러한 사실은 아요드야에는 불교가 아닌 힌두교가 번성했을 가능성을 시사한다. 또한 파트나를 수도로 하던 마우리야 왕국이 브라흐만에 의해 멸망했다는 사실도 아요드야에는 불교가 아닌 힌두교가 번성했을 가능성을 나타내며,

동시에 허황옥 일행이 힌두교도였을 가능성을 배제할 수 없다. (자문 : 한국외국 어대학교 인도어학과 임근동 교수)

『삼국유사』에 의하면 공주가 타고 온 배를 돌려보낸다. 이때 뱃사공 15명이 돌아간다. 그러나 함께 온 사람들은 가야에 남게 된다. 이들이 역사적 배경의 추정으로 힌두교도였을 경우, 일곱 왕자의 출가는 불교 수행이 아닌 힌두 수행 이 된다. 변변한 종교나 수행의 체계가 없는 가야 왕국에 힌두 수행법을 파종 했을 가능성이 높다. 비록 북쪽에 히말라야는 없으나 지리산이라는 깊고 그윽 한 동선을 가진 산이 있었으니 수행처로서는 적합했으리라. 그들은 일곱 왕자 에게 자신 나라의 가르침을 지도했고 때에 이르러 산으로 들어가 슈라마나〔沙 門〕가 되어 위에 나열한 수행법으로 모크샤와 니르바나에 도달했으리라.

말하자면 우리나라에 최초로 들어온 종교는 불교가 아닌 힌두교일 가능성이 있고 민족의 영산인 지리산은 힌두교 수행처로 그 첫발을 내딛었을 가능성을 갖는다.

이상의 내용은 다시 하나하나 역사적인 자료와 고고학적인 증거 등을 통하 여 그 확연한 사실성이 증명되어야 할 내용들이니 연구를 기다려야 한다. 다른 분들의 붓을 기다린다.

## ●── 조건을 버린다면

구름이 한 점 지나간다. 언제 어디서 생긴 구름일까. 생각〔念〕은 마음〔心〕의 하늘에서 일어난 구름이며, 현상세계는 이 생각으로 일어나는 환이리라. 저 푸 른 하늘은 생각이 멈춘 자리, 즉 공무변처(空無邊處) 식무변처(識無邊處) 본래 마음이다. 하여 티베트인들은 '자신의 마음은 공성(空性)의 투명한 빛이고 법신이며 특성이 없고 구름 없는 하늘과 같다'고 이야기했다.

우리의 존재는 하늘의 구름처럼 덧없다. 존재의 삶과 죽음은 마치 뇌운의 춤 동작을 보는 듯하다. 삶은 하늘에서 번쩍이는 번갯불처럼 순식간이며 깎아 내린 산에서 흘러내리는 급류처럼 빠르기 그지없다.

히말라야의 백색과 그 위에 펼쳐진 한곳으로 치우치거나 쏠림이 없는 무량한 청색은 세상에서 견줄 수 있는 것이 없다. 물이 맑으면 달은 저절로 나타나며 청풍과 명월의 고향(淸風明月本同天)인 푸른 하늘에서 객진번뇌는 사라진다.

현상은 조건들에 의존한다. 의존적인 존재이기에 현상은 실체적 실체가 없다. 그러므로 현상은 공(śūnyatā)하다.

열반(nirvāṇa)은 생각의 모든 범주를 넘어선 것으로 공, 그 자체다.

번뇌(saṃsara, 윤회)와 열반, 모든 조건 지워진 것, 비조건적인 것은 모두 사고의 구조일 뿐이며, 그러기에 실체가 없다.

궁극적 실체(본질)는 모든 경험적 한계와 사고구조를 넘어선다는 의미에서 공(śūnyatā)이라고 부를 수 있다.

반야(prajñā)의 초월적 직관은 사고구조에 몰두하는 것을 그치는 것으로 이루어진다. 그렇기에 반야는 공과 동일어가 된다.

— 테오도르 체르바스키의 『열반의 개념』

이 이야기가 이런 날처럼 명쾌하게 어울리는 날은 없으리라. 하늘을 보니 조건 지워졌다는 관계가 과연 조건이 있었는지? 물 안에 들어간 소금처럼 사라진다. '색상(色相) 속에 살면서 색상이 없는 도리'가 은근히 가깝게 느껴진다.

샹카라가 이해하고 있는, 힌두교의 전통적인 불교 분류법은 크게 부파불교 · 중관불교 · 유식불교, 이렇게 세 가지다.

이중 중관불교는 공(空, sunyata) 사상이 핵심으로 오늘 같은 날, 하늘에는 중관불교의 용수(龍樹) · 제바(提婆) · 라후라발타라(羅후跋陀羅) · 월칭(月稱) · 관서(觀誓)가 나오고, 또한 이어서 적천(寂天) 같은 수많은 중관의 보디삿트바들이 앞다투어 서둘러 나와 법회를 연다.

그러다가 시간이 흐르면 오로지 붓다 혼자 푸른 허공에 홀로 서고(如來獨立靑空裡) 그나마도 텅 비어 버린다.


재가자이며, 그 많은 주변관계로 인해 가주기(家住期)를 버리지 못하는 나는, 오늘 이 산에서 일주기 혹은 유행기에 접어든 바라문 흉내를 내고 있다. 모든 관계를 끊어내고 집을 나와 방랑과 모색을 선택한 바라문의 생각을 추적하고 있다. 온갖 매스미디어에 포위된 번잡한 도시공간에서 그들의 느낌을 얻어내기에 아직 힘이 많이 모자라 이렇게 히말라야에서 겨우 냄새를 맡는다.

힌두들은 하얀 머리카락이 보이고 손자를 보면 집을 나온다지만, 우리에게는 이에 더하여 신문의 작은 글씨가 보이지 않고 아내가 부탁한 바늘귀에 실을 꿰기 어려울 무렵에 집을 나오는 것은 어떨까. 이제 소소로운 작은 것들이 보이지 않는다는 의미는 보다 넓은 자연, 그리고 저런 하늘에 의존하라는 신호인지 모른다.

다시 하늘을 바라본다. 조금 전의 구름은 어디로 갔을까. 너무나 맑아 내 마음이 산산조각 나니 마음이 남아 있지 않다. 하늘만이 빛나며 내 자신은 허공처럼 비어간다. 몸과 마음이 조금씩 녹아가며 삼계 모두 하늘로 스며드는 듯하다.

하늘이 사라지고 히말라야가 사라지며, 하늘색이 아닌, 설산색도 아닌 무엇인가 밝은 빛이 잠시 터져 나온다. 『장자』의 이야기처럼 사실 '하늘빛은 바로

하늘이 띠고 있는 빛깔일까?(天之蒼蒼, 其正色邪)'

오늘 하늘은 꿰맨 자국이 없다는 천의무봉(天衣無縫)의 의미가 선연하다.


혜충은 자신이 지상을 떠날 날이 다가오자 황제에게 사별을 이야기했다.

"국사께서 돌아가신 후에 무엇을 해드릴까요."

"무봉탑(無縫塔)을 하나 만들어 주시오."

"그렇다면 국사께서 생각하시는 무봉탑을 하나 그려 주시렵니까?"

혜충국사는 한참 침묵하다가 말했다.

"아셨는지요?"

"모르겠습니다."

"그러면 제자인 탐원응진이라는 스님이 있는데 그가 제 마음을 잘 읽으니 그를 불러 물어보십시오."

황제는 탐원을 불러 무봉탑이 무엇이냐 물었다.

"상강(湘江)의 물은 남으로 흐르고, 담강(潭江)의 물은 북으로 흐릅니다."


천하 모두가 무봉탑이라는 이야기를 황제는 알아들었을까. 천의무봉과 무봉탑 사이에는 구별이 있을 수 없으니 부도 안에 가두어 둘 수도, 탑 안에 잡아 둘 수도 없는 이들이야말로 가주기를 거치지 않고 직접 유행기로 들어간 진정한 방랑자이다.

열망의 표현인 공이라는 선불장 하늘 위에 진흙소를 올라탄 방랑자가 지나간다. 물속을 헤엄치는 물고기처럼 지나간 발자취를 남기지 않는 새 한 마리가 뒤를 따라 남쪽으로 날아간다.

하늘, 참으로 드넓은 히말라야 온(蘊)이다.

히말라야의 추위

10

만일 뜻의 업〔意業〕이 범행이라면

범행은 곧 추위이며, 더위이며, 주림이며, 목마름이며,

괴로움이며, 즐거움이며, 근심이며, 기쁨이라고 관찰해야 합니다.

— 『화엄경』「범행품(梵行品)」 중에서

# 히말라야의 추위

● —— 추위 때문에 차라리 벗어보며

밤중에 추위와 고산증으로 깨어났다. 코가 시리고 입술 주변이 뻣뻣하다. 콧등에 일회용 반창고 세 장을 촘촘하게 붙이고, 털모자를 귀밑까지 내려오도록 뒤집어 쓴 채, 얼굴에 수건을 덮어도 한기를 피할 수 없다. 더구나 머리는 지끈거리고 한쪽 눈이 빠져나올 듯이 아프다. 옆에 쓰러져 자는 포터는 담요 한 장을 완전히 뒤집어쓰고 있어 바위덩어리처럼 보인다. 추위와 무관하다는 고른 숨소리가 듣기 좋으니 역시 고산족은 다르다.

그러나 도미뜨리의 이곳저곳에서 누워 있는 트래커들은 한낮 고소에서의 등반이라는 육체적 노동에도 별 효과가 없다는 듯이 잠을 깊이 이루지 못하고 기침을 콩콩 내뱉으며 계속 이리저리 뒤척인다.

3천, 4천m 고도의 인도 히말라야에서 비박할 때는, 무식하면 용감하다던가, 그냥 바위 틈 편편한 곳에서 슬리핑 백 하나로 잠을 잤다. 다시 마을까지 되돌아 내려가기에는 시간이 촉박했고, 다음 마을이 어디에 있는지 알 도리가 없었다. 네팔 히말라야는 지도가 잘 만들어져 있는 반면 인도 히말라야는 몇 곳을 제외하고는 중국 혹은 파키스탄과의 국경 문제 탓으로 친절한 지도를 구하기 어려웠다. 어두워지기 전에 일찌감치 안전한 자리에 둥지를 잡아야 했다.

히말라야로 떠날 때 남대문 등산용품 가게에서 구입한 프라이 한 장을 배낭 안에 넣고 다녔다. 사실 프라이를 가지고 가겠다는 단초를 제공한 사람은 설산 구도자와 거지들이었다. 그들은 해발 3천m 이상의 히말라야 성지 담벽에 다 찢어진 비닐로 프라이를 쳐놓고 비바람과 밤이슬을 피했다. 살을 에는 추위 속에 인고를 겪으며 꽃을 피우기를 기다리는 모습이었다.

추위마저 견디어 내는 설향빙염(雪香氷艶)의 소식. 아름다운 종자를 거두려는 모습에 감동이 뒤따라 쉽게 발을 떼지 못한 경험이 있었다. 돌아오자마자 프라이를 구입했다.

약간 경사진 자리를 찾아 프라이의 한쪽은 높게 반대편은 땅에 돌로 고정시켜 삼각형의 공간을 만들면 그 내부는 그야말로 별 다섯 개의 히말라야 호텔로 변했다. 프라이 덕분에 자다가 슬쩍 밤하늘을 볼 수 있는 행복감이 박탈당해도 갑자기 내리는 비와 엄청나게 떨어지는 새벽 이슬을 걸러주기에 아침이 달랐다. 그렇다고 침낭에 하얗게 내리는 서리까지 피할 수 있는 것은 아니었다. 그러나 습기 일부를 차단해 준다는 사실이 얼마나 사람을 편안하게 만들어 주는지 몰랐다.

사실 비박의 경우, 자다가 일어나 바위 위에 앉는 재미는 아무도 모른다. 눈에 보이는 사방팔방에 살아 움직이는 존재는 하나도 없는 가운데 추위로 덜덜 떨리는 몸으로 바위에 앉으면 뭔가 색다르다. 이때는 내부의 에너지를 모아 길게 한 소리 만든다. 저 속에 있는 불순물들을 모두 뱉어내듯이 단전에서부터 폐에 이르기까지 라마승처럼 히말라야 장탄식을 만든다.

"오-옴."

딸그락거리는 치아 사이로 소리 하나는 피리의 리드처럼 떤다. 그리고 다시 침낭으로 들어가 길게 누우면 잠시나마 추위는 줄어든다.

따라서 히말라야 마을에서 비닐 거적을 쳐놓은 거지들을 보면 덕분에 많이 배웠다고 박시시를 하게 된다. 그들을 눈여겨보지 않았으면 산에서 잠자리 때문에 운신의 폭이 많이 줄어들었으리라. 더불어 이런 맛에 게스트하우스에 묵지 않고 산에서 비박한 날이 제법 된다. 꽃이 찬연하게 피어 있는 계곡이나 산속의 호숫가에서는 나도 모르게 배낭을 풀고 프라이를 만지락거려 왔으니 무의식 속의 그가 추위를 무릅쓰고 묵어 가시겠다는 신호다. 그런 자리에서는 건축학자들이 좋아할 이야기인 '지성은 오직 공간에서만 편안한 마음으로 전개되며, 오직 비유기체 안에서만 마음의 안락을 느낀다'는 의식에는 고개를 내젓는다. 앙리 베르그송은 비박은 꿈도 꾸어보지 못한 채, 평생 직선과 각으로 이루어진 건물이라는 비유기체 안에서만 살아본 것은 아닐까?

그렇다고 늘 기분 좋은 행복을 약속하는 잠자리만은 아니다. 불편함도 많다. 물 흐르는 방향을 잘못 예측해서 빗물 때문에 날밤을 세운 일은 물론, 토끼도 아니고 쥐도 아닌 이상한 짐승이 술 취한 친구처럼 한밤중에 찾아오더니 슬리핑백을 물어뜯어 실랑이를 하느라 잠을 설친 날이 있었다. 네팔 히말라야에서의 비박은 인도 히말라야에서와는 달리 맹수가 출몰해서 위험하다.

1997년 여름, 히말라야 곱테라는 사람 하나 없는 텅 빈 마을에서 잠든 날이 있었는데 커다란 짐승이 지붕 위에서 먼지를 떨구며 오가더니, 안으로 들어오기 위해 밑으로 내려와 문을 박박 긁었다. 아침에 일어나 보니 나무 문짝에 발톱 자리가 선연했다. 맹수였다. 바깥에서 비박했다면 큰 변을 당할 뻔했다.

해발 4천m 이상의 로지는 안팎의 기온 차이가 거의 없다. 돌을 엉기성기 쌓아올리고 나무로 지붕을 엮은 후에 큰돌을 얹어놓은 수준이라 습기와 바람이

추위는 히말라야에서 피할 수 없는 요소다.

이 추운 산 속에 얇은 옷으로 걸식으로 살아가는 수행자를 보면 경이롭다.
또한 아무리 적응이 있다지만
추위 속에서의 현지인들 일상을 보면 슬며시 놀라게 된다.
그들에게서 매화 향기를 맡은 것은 얼마 되지 않았다.

차단될 뿐이다. 바깥 계곡에 강풍이라도 불어오면 엉기성기 이어 만든 돌과 판자 사이로 가혹한 바람이 휘익휘익 스며들기 마련이다. 이런 면을 보면 텐트가 더 장점이 있으나 무게 탓에 들고 다니는 것이 점차 꺼려진다.

오늘 추위는 다른 날과 다르다. 히말라야에 맑은 날이 며칠 이어지면 밤중에 기온이 심하게 떨어진다.

일단 반가부좌로 앉아 척추를 곧게 세우고 합장한 후 양손을 무릎 위에 가볍게 얹는다. 추위로 덜덜 떨린다.

가만히 내버려두자 추운 놈은 사라지고 추위와 떨림만 남는다. 추운 것은 몸뚱이지 내가 추운 것이 아니며, 몸이 춥다는 사실만을 알아차려야 한다는 것을 배웠다. 라마승들은 한겨울에 물에 젖은 천으로 알몸을 감싸는 방법으로 배꼽 안쪽의 차크라를 열어 눈 속에서도 지내는 뚜모를 수행하고, 힌두 수행자들은 '겨울에는 꽁꽁 얼어붙은 물 가운데에서 손을 들고 몸을 굽힌 채 곡기를 끊는' 수행을 거듭한다. 이런 수행의 끝자락에는 불구덩이의 지옥 혹은 한랭한 지옥이라 일컫는 것들이 실상은 지옥이 아닌 깨달음을 얻기 위한 수행처로 자리바꿈을 하니, 지옥의 노탄(爐炭)의 불길, 지옥의 빙옥(氷獄) 얼음구덩이도 수행처가 되어 연꽃을 피워낸다.

벗어보기로 한다. 일어서서 하나씩 벗겨낸다. 고산에서 자다 일어나 몸을 움직이는 일이 쉽지 않아 몸이 땅으로 빨려드는 것처럼 느껴진다. 털이 곤두서고 한랭한 전기가 에너지의 매듭인 경혈, 경락을 자극한다. 양말을 옆에 놓고 마지막으로 털모자는 쑥 잡아당긴다.

낮에 일(日)광욕만 하는가. 한밤중에도 밤의 기운을 받는 달(月)광욕 혹은 별(星)광욕도 필요하다. 어쩐지 몸 안에 절대온도의 한랭한 우주가 들어 있고 황도의 12궁이 떠억하니 자리잡은 기분이 든다.

갠지스가 시작하는 고무크는 커다란 빙하였다. 이곳 아래에서 엄청난 물이 안개 속에서 얼음 덩어리를 품고 뿜어져 나왔다. 어머니 강의 근원이니 많은 수행자들이 몰려드는 성소가 되어 힌두들은 그 물에 태연하게 몸을 담그는 제례를 거듭했다.

"이리 들어와 봐."

"어서, 이리 들어오라고."

치르바싸에서부터 같이 걸어 올라온 힌두 수행자가 자꾸 권했다.

얼음이 둥둥 떠가는 물속으로 발가벗고 들어가는 순간, 온몸이 감전되는 듯 전기가 흘렀다. 눈앞이 번쩍했다.

그때에 비하면 이것은 양반이다. 추위가 침술처럼 몸의 구석구석을 자극해서 몸의 약한 곳이 보해지고 흩어진 기가 둥글고 단단하게 뭉쳐짐이 느껴진다. 추위로 인한 수축이 내부를 결속시켜 강화시키며 단결하도록 만든다.

'한 번 찬 기운이 뼈에 사무치지 아니하면 어찌 코를 찌르는 매화의 향기를 얻을 수 있으리요(不是一番寒徹骨 爭得梅花撲鼻香)'라던 황벽선사의 말씀.

이 의미를 음미하기 전에 추위 속에 향기가 그득하다. 손으로 손을 비비고, 팔을, 몸통을, 다리를 비벼, 오른쪽과 왼쪽이 하나임을 확인한다. 몸 동작이 희박한 산소에 잠겨진 육신을 어질어질하게 만든다. 그 몇 가지 안 되는 단조로운 동작 속에 가쁜 숨이 가슴운동을 상하로 바쁘게 이어주니 숨쉬는 일이 노동이다. 몸은 그 자그마한 동작 몇 가지에 숨을 조금이라도 더 쉬기 위해 헐떡거린다.

추위 탓인지 도미뜨리의 어느 누구도 내가 부스럭거리는 소음에 뒤척일 뿐 차가운 대기 안으로 고개를 내밀지 않는다.

히말라야의 주름이 깊어지고 뚜렷해지는
모습은 이제 추위가 몰려온다는 전조다.
다음날 아침 태양이 떠오를 때까지 태아처럼
잔뜩 웅크린 채로 고통이 무엇인가 공부하는 시간이 주어진다.
그 고통과 싸우지 않고 그대로 바라보고 전적으로 받아들임으로써,
내가 바로 고통이 되어 함께 가는 방법을 찾는 시간이다.

추위, 더위, 고산증은 히말라야에서 심신에 대한 큰 공부다. 아래위의 치아가 덜그럭이고 온몸이 의지와는 상관없이 수축과 경련을 반복할 때, 나는 없고 추위만 있도록 노력해 본다.

진주 보화화상은 묘지를 거처로 삼고 하북성 일대를 돌아다니며 풍광을 펼쳤다. 그는 날이 밝으면 석장을 들고 나와 구걸을 했는데 보시하는 사람이거나, 그렇지 않은 사람이거나 모두 귀에 방울을 흔들었다. 보화(普化)라는 이름도 '이처럼 귀천을 가리지 않고 널리 화주(貨主)를 구했다는 뜻으로 자기 자신이 직접 붙인 이름'이라고 한다.

보화의 선시를 입에 넣으면 산에서의 경험이 절절하다.

> 밝음으로 오면 밝음으로 치고
> 어둠으로 오면 어둠으로 치고
> 사방 팔면에서 오면
> 회오리바람 되어 치고
> 허공에서 오면 도리깨로 친다.

다시 입는다. 마지막으로 양말을 신고 털모자를 쓰니 추위는 사라졌다. 슬리핑 백에 들어가자 훈훈한 것이 여간 좋지가 않다.

받아들이면 편안하고 거부하면 대가를 치러야 한다. 고통을 쫓으려면 고통 안으로 들어가고, 괴로움을 잊으려면 괴로움으로 들어가니, 그 무엇을 제거하려면 그것을 도구로 이용한다. 추위와 싸우지 말고 근원인 추위로 간다면, 추위가 나이고 내가 추위이니 다툴 이유가 없다는 이야기다. 이열치열(以熱治熱)

안에 깊은 뜻이 있음을 헤아린다.

도미뜨리 안의 기침소리가 끊겨지지 않는다. 고산증으로 힘겨워 하던 중년 하나의 쿨럭거림은 심상치 않다. 잠이 쉽게 찾아올 것 같지 않아 인자한 할아버지 붓다의 무릎에 머리를 베고 잠드는 상상을 한다. 오른쪽 옆으로 누워야 길상스러운 잠〔吉祥睡〕이라 했다. 히말라야에서 불면이 오면 붓다 무릎에 오른쪽 머리를 놓고 편안히 잠드는 상상을 해왔다. 14대 달라이 라마의 사다나에 따른 것으로 무슨 일을 행하든 항상 붓다와 보디삿트바의 영상을 품으라는 권유에서 기인했다.

달라이 라마 말씀은 이러했다.

"잠을 잘 때면 당신의 머리를 붓다의 무릎에 평화롭게 누이고 있다고 생각합니다."

그래서일까, 따뜻하고 부드러운 무릎을 내 준 붓다가 말하는 듯했다.

"내일 아침에는 날씨가 좋아질 거야. 이제 두통은 사라질 거야."

선잠이 설핏 들었다가 누군가 심하게 기침을 뱉어내는 바람에 깨어났다. 폐 속에 그렁그렁한 소리가 기침에 섞이는 것으로 보아 고산증으로 인한 가벼운 폐부종이다. 다시 오리털로 만들어진 침낭을 지나 양말을 뚫고 한기가 들어오

춥다고 불평해서는 안 된다. 피하려고 애써서도 안된다.

텐트 안에 하얗게 서리가 내리거나 돌로 이어 만든 게스트하우스 기온이 바깥과 같더라도,
추위라는 감각이 내 몸에 어떤 변화를 일으키나 관찰하는 일이 중요하다.

며 척추가 얼음으로 변하는 듯하니 추위가 무엇인지 알고도 남는다. 지구의 어느 오두막 산장에선가 산악인들이 모닥불을 피워놓고 와인을 나누어 마시며 손풍금을 켜는 환상이 어른거린다.

산밑이라면 따스함을 구할 목적으로 이리저리 움직이겠지만 이곳은 어떠한 노력도 허사로 끝나기 마련이다. 나뿐 아니라 모든 사람들이 동일한 환경에 놓여 있다. 어느 누구도 나를 돕지 못한다.

포기를 통한 체념과, 체념에서 얻어지는 결과가 후에 저잣거리에서 어려운 일들을 이겨나가는 힘이 된다.

"나는 말이야, 영하 20도에서 밖에서 자 보았어."

"낮 기온이 무려 50도일 때, 배낭을 메고 델리 시내에서 버스 타려고 이리저리 다녔어."

생활에 복귀해서 이런 지역에서의 경험은 큰 힘이었다. 한겨울 영하 십 몇 도의 한파가 엄습했을 때 히말라야에서의 비박 경험은 쉽게 새벽 얼음길을 나서게 만들고, 열대야로 허덕이는 밤에도 선풍기 없이 쉽게 잠드는 일 역시 이런 극한에서의 경험 탓이다. 고생은 모두 훗날 재산이다.

설산에서의 밤은 밤대로 이런 감각에 대한 생각과, 감각을 넘어서기 위한 초월에 대한 골몰함과, 감각의 주인을 찾는 작업과, 이 모든 것을 넘어서는 그 무엇에 대한 열망을 열심히 공부시켜 준다.

인간의 괴로움―4고8고(四苦八苦).

즉 생로병사(生老病死)의 4고와 더해지는 또 다른 4고.

즉, 함께 사랑하는 사람과 헤어지지 않을 수 없는 괴로움(愛別離苦), 미워하는 사람을 만나지 않을 수 없는 괴로움(怨憎會苦), 구하여도 얻어지지 않으며 마음대로 되지 않는 괴로움(求不得苦), 그리고 육신과 의식 자체로 고통을 받는 오온성고(五蘊盛苦).

추위는 고를 나열하다가 이 중에서 구불득고와 오온성고의 진의를 알려준다. 추위의 시달림을 피할 수는 없다. 히말라야에서의 행각은 극한적인 상황으로 추우면 따뜻한 곳을 찾아 들고 더우면 시원한 곳을 찾아가며, 요리조리 힘든 상황을 피해 갈 수는 없다. 피난처를 구할래야 구할 길이 없으니 철위산(鐵圍山) 아래 한랭지옥이 어떤 것인지 어렴풋이 인지할 수 있다.

사실 시달림이란 말은 '고통 받는다'는 의미로 어원은 산스크리트의 시타바나(sitavana)이다. 추위를 이야기하는 시타와 숲을 뜻하는 바나가 합쳐진 것으로 한림(寒林)을 일컫는다. 본래 중부 인도의 마갈타의 왕사성 북쪽에 있는 숲으로 죽은 사람을 내다버리거나 죄인을 추방한 곳이었다. 또한 죽음을 과감하게 맞닥뜨리고자 하는 백골관 구도자의 두타 수행처이기도 했으니 시다림에 거주하는 일이 바로 시달림이었다.


나도 평소에 병중공부(病中功夫)에 대하여 말할 적에는, 필능가바차(畢陵伽婆蹉)의 소위 '진실로 깨달으면 몸을 잊어버린다' 한 것도 알고 있었고, 마조대사의 소위 '병들지 않는 자가 있다' 한 것도 알고 있었으며, 영가대사가 말한 '비록 칼에 맞더라도 항상 평안하며, 설사 독약을 마시더라도 또한 한가롭다' 한 것도 알고 있었으며, 조공(肇公)의 '사대(四大)가 본래 공하고 오온(五蘊)이 있는 것도 아니다' 한 것도 모르지 않았다.

그러나 발을 헛디뎌 뜨거운 물속에 빠지는 액난을 당한 후, 처음부터 자세히 살펴보았다.

이처럼 온몸이 쓰리고 아프기만 하니, 몸을 잊어버린다는 것은 무슨 말이며, 칼과 독약으로 살갗을 도려내듯 하거늘, 평안하고 한가롭다는 말은 무슨 뜻이며, 사대

찬 기운은 얼음같이 맑고 옥처럼 윤택함을 포함한다.

그러나 추위에 시달리면 오로지 고통이다.

　　감각 중에 막강한 기운을 품은 추위는 히말라야에서 고통이 무엇인지 면면히 살피게 만든다.

　　이겨내면 맑고 윤택해지지만, 패하면 오로지 한랭지옥이다.

와 오온이 실체의 나의 몸이거늘, 본래 공하여 있지 않다는 것은 또 무슨 말인가.

이렇게 하여 평소의 간혜(乾慧)로는 도무지 일을 이룰 수 없으며, 만약 정력(定力)이 없다면 죽음의 길에 복종할 수밖에 없어서, 저 구두삼매(口頭三昧)로는 스스로를 속일 뿐임을 알 수 있었다.

아! 힘쓰지 않을 수 있으랴.

— 운서주굉의 『죽창수필(竹窓隨筆)』 중에서

그러나 이제 단전마저 식어간다. 옷을 벗음으로 얻어낸 따스함은 이제 더 이상 남아 있지 않다. 추위는 감각 중에서 가장 상대하기가 쉽지 않은 녀석이다. 운서주굉이 그럴진대……

사실 오온을 잘 깨달았다고 오온이 없어지는 것은 아니다. 히말라야를 잘 알아차렸다고 그 구성성분이 사라지는 것이 아니듯이.

깨달음 후에 없어진 것은 성내고, 탐내고, 어리석음에 빠진 마음이다. 열반의 순간에 이르러서야 오온이 파괴되니 죽음의 순간까지 오온 없이는 살 수 없음이다. 다만 사마디에서는 오온이 잠시 정지하는 것이니 이때 바로 추위를 느끼는 자 없이 추위만 남는 무한서처(無寒署處)의 경지이리라.

『벽암록』에 '심두멸각(心頭滅却)하면 불도 시원하다'지만 무(無)자 화두 요란하게 깨지는 소리나는 그 자리는 아직 갈 수 없는 곳이라 '싸늘한 추위 뼈에 사무쳐 잠 못 이룬다(淸寒入骨不成眠)'.

춥고 더우며, 건조하거나 습한 등등, 여러 가지 기후들은 인간으로 살아가면서 피할 수 없다. 특히 히말라야에서는 기후의 한 얼굴인 추위를 만날 수밖에 없다. 추위는 비를 눈으로 만들고 물을 얼음으로 만들어 하얗게 빛나는 모습을 꾸려나가니, 히말라야에 높게 접근하면 할수록 이 추위라는 요소를 진하게 만난다.

　피해간다고 피할 수 없는 이런 상황에서 추위와 고소가 이 육신과 정신을 마구 흔들어도, 그래, 둘이 되지 말고 한번 같이 살아보자, 열심히 파고들어 본다. 감각기관으로부터 초탈을 얻어내야 하되, 이렇게 감각기관으로부터의 정보를 피할 수 없거나 이겨낼 수 없는 막강한 경우에는 깨어 노려보는 수밖에 없다.

　신촉신식(身觸身識)과 추위와의 거리를 전혀 없애 그저 추위는 추위일 뿐임을 알도록 해보면서, 어렵겠지만, 나[我]를 없애 주관이나 객관이 없도록 하는 유식무경(唯識無境)의 근처에 가보도록 노력한다.

　해뜨는 동쪽을 향해 누워 아침햇살을 기다리는 나팔꽃처럼 감각을 모두 웅크린다. 뇌가 얼어가는 듯 눈앞이 반짝인다. 이겨내지 못한다면 이곳이 한랭지옥이다. 새우처럼 웅크리고 태아처럼 몸을 굽혀 이 히말라야의 구성성분 중에 하나인 추위를 노려본다. 내 몸을 이루는 성분들이 히말라야의 기후를 이루는 냉기에 수렴되고 편입되며 빙화한다.


　　추위를 당해도 춥지 않게 지내고
　　더위를 당해도 덥지 않게 지내며
　　착한 일을 하고도 상서롭지 못하고
　　착하지 않은 짓을 하고도 재앙이 없기를 바라는 일은
　　바름을 얻지 못한 것이다.

　　　　　　　　　　　── 현변선사

## ●저체온증 ●

추운 환경, 차가운 물에 빠졌거나, 적절한 체열유지용 의류의 보호 없이 장시간 낮은 기온에 노출되었을 때 일어난다. 급변하는 날씨를 가진 고소에서는 저체온증에 주의해야 한다. 영상 6도～영하 6도 사이에서 체열의 상실로 발생한다. 고산에서는 호흡, 땀, 발열, 바람으로 정상적인 상태에서도 체열이 뺏긴다. 또한 젖은 옷과 바람은 몸에서 만드는 열보다 더 많은 열을 앗아가게 된다. 물은 공기보다 27배 온도 전달이 빠르므로 산에서는 비를 피하기 위한 우천 장비가 중요하다. 물에 빠지거나, 땀을 많이 흘린 경우에 적절한 대책이 필요하다.

증상으로는, 피곤하여 움직일 수 없으며, 말이 잘 나오지 않고, 졸리게 된다. 체온이 30도 이하로 떨어지면 뇌혈류의 현저한 기능저하와 산소 필요량이 감소하고, 심장기능이 떨어지며 혈압이 내려간다. 저체온증은 어린이와 노약자의 경우 발생 가능성이 높다. 가지고 있는 침낭, 판초, 기타 주머니 등을 이용하여 체열 손실을 막도록 한다.
의식이 있으면 따뜻한 물을 준다. 커피 또는 차는 안 되며 술을 주어서는 절대로 안 된다.

# 11 히말라야 여행객

천하의 사람들이 다 아름다운 것을 아름답다고 알지만
그것은 추악한 것이 있기 때문이다.
다 착한 것을 착하다고 알지만 그것은 불선(不善)이 있기 때문이다.
그런 까닭에 있는 것과 없는 것은 서로가 낳는 것이고,
어려운 것과 쉬운 것은 서로가 성립시키는 것이다.
긴 것과 짧은 것은 서로가 형태를 드러내기 때문이며,
높은 것과 낮은 것은 서로가 고하가 가지런하지 않기 때문이다.
음(音)과 성(聲)은 서로가 있어야 조화를 이루고,
앞과 뒤는 앞이 있어야 뒤가 따르는 것이다.

— 노자의 『도덕경』 중에서

# 히말라야 여행객

● —— 과거로부터의 기별

결코 서두르지 않는 태양으로 인해 설산이 활활 타오른다. 불꽃이 사라져도 화염이 남아 있듯이, 햇살이 여위어도 설산은 한동안 연기 없는 불꽃 같은 황금연꽃 모습을 잃지 않는다. 저무는 것이 아름답다니……

황혼의 엄청난 경관을 보면 늘 붓다의 위대한 입적(반열반, parinirvana)을 연상하게 된다.

『장아함경』은 그 날을 노래한다.

성자는 남은 수명을 버렸네.
무한하거나 작은 목숨의 원인을.
마음의 기쁨과 평화를 그는 부숴 버렸네.
갑옷 같은 생의 원인을.

오늘은 뒤좀 린포체가 소갈 린포체에게 했다는 말도 떠오른다.

"너도 알 거야, 그렇지 않니? 지금 우리 주변에 있는 이 모든 것이 사라지는 것을. 이제 막 사라지는구나……."

사실 시작과 끝은 관찰자의 시선에만 존재한다. 흘러가는 시냇물에서 내가 볼 수 있는 구간은 전체에 비하면 아무것도 아니다.

보이지 않은 상류에는 과거가 자리하고 하류에는 미래가 있다. 우리는 누구나 자신만의 흐름인 하나의 과거를 가지고 있고, 이 과거는 도저히 바꿀 수 없이 현재 주어진 그 무엇이다. 또한 미래란 변경할 수 없는 과거들이 진행된 저편, 흘러가야 할 저 자리다. 과거를 바꿀 수 없듯이 미래 역시 과거처럼 하나의 결과로 존재한다. 결과란 사실 눈에 보이지 않으나 잠재적으로 이미 원인 내부에 존재한다.

우리의 모든 것은 과거로부터 왔다. 모든 것은 과거에서 빌려 온 셈이다. 마치 물의 흐름처럼.

태초부터 진화의 도정을 타고 흘러온 이 몸 안에는 지나온 시간의 역사가 고스란히 담겨 있고, 식(識) 역시 아뢰야식이라는 흐름을 가지고 우리가 현재 이렇게 살아야만 하는 카르마를 낱낱이 포함하고 있다.

지금의 테크놀로지는 모두 과거에 기반을 두고 있으며, 학문 역시 쌓아 올려진 돌탑처럼 고대의 것들로부터 기초와 토대를 바탕으로 해서 발전을 거듭해왔다. 살아가는 규범도 현재의 것이 아니라 과거에 만들어진 것이고, 『장자』의 이야기처럼 독서는 옛사람이 남긴 찌꺼기이며, 성현의 말씀은 물론 태양 아래 모든 것은 '과거로부터 기별'이다.

그뿐인가. 깨달음이라는 자성청정도 미래에 어떤 것이 아니라, 부모가 태어나기 이전, 태초부터 그곳에 있던 옛것이다. 우리의 수행은 옛(본래면목)에 바탕을 둔, 옛(본래풍광)으로 돌아가자는 환동본각(還同本覺)의 시도인 셈이다.

과거가 미래의 거울이기에 역사를 돌아본다면 이즘(ism)이 우리를 구원한 적은 없었다. 권력이 우리를 안락으로 초대한 일은 단 한 번도 기록되어 있지 않다. 돈으로 자신을 해탈로 끌어낸 사람은 과거에 아무도 없었다.

정치와 경제가 우리에게 준 것들은 과거로부터 기별이 잘 들려줌에도 불구하고 현세에서도, 물을 거슬러 오르고, 과거를 부정하며, 세 가지 독약〔貪瞋癡〕을 탐닉하는 것을 보면 신기하다.

시간을 품어 멈출 수 없는 석양은 시선 앞에서 진행되고, 사라져 가는 빛 앞에서 인간이 할 수 있는 일은 없다. 저런 현상을 멈출 수 있는 재주는 없다.

숭고한 일몰, 석별의 시간에 손 흔드는 이외 애석하게도 할 수 있는 일은 없다. 붓다를 보낼 때, 그 어느 누구도 이 시계를 멈추지는 못했다. 그것이 바로 흐름이다.

## ●── 죽음에 대한 공부는 삶에 대한 공부

'잘 먹고 못 먹음이 무슨 소용인가. 이 몸의 크고 작음이 허공인 것을(飽暖飢寒何足道 此身長短是虛空)'이라는 백거이(白居易)의 시처럼 잘 먹지 않고 산에서 지냈던 탓일까. 급기야 입술이 터졌다. 석양을 바라보며 따뜻한 차 한 잔 마시자 찌르는 듯한 통증으로 아랫입술이 갈라진 사실을 알게 된다. 아래위 입술을 지그시 누르니 터져 갈라진 거끌거끌한 촉감 위로 마치 날카롭게 일어선 바늘이 쿡쿡 찌르는 듯하다.

덕분에 '아파 보지 않고는 건강의 중요성을 이해하지 못한다'고 말하며, 세계를 대립쌍(對立雙)으로 규정한 헤라클레이토스를 생각하지 않을 수 없다. 그동안 어디에서 무엇을 하고 있었는지 몰랐던 아랫입술이 헤라클레이토스적(的)으로 대립쌍의 구조를 통해 '나는 여기서 존재하고 있다'고 외친다. 무릎

석양은 밝고 고요한 가운데 한낮의 푸르름을
서서히 버리고 고봉에 불붙이는 시간이다.
봉우리들은 순수한 보석처럼 혹은 황금빛 꽃처럼 우주를 향해 피어난다.
날카로운 예봉을 버리고 온화함으로 바뀌어 가는 노스승의 얼굴을 뵙는 듯하다.
첨예함은 없어도 부드럽게 빛나는 모습은 사라짐을 준비하는
노년의 모습이 얼마나 자연스럽고 당당한 것인지 아낌없이 나타낸다.

이 아프기 전까지 무릎에 대해 잊고 있었고, 입술이 예리하게 찌르듯이 아프기 전까지는 건강했던 그 존재를 잊고 있지 않았던가.

덕분에 입술에게 안부를 묻는다.

"그래, 그래. 잘 있었니, 입술아."

세상은 그런 식. 지하철이 파업하니 지하철의 고마움을 알 수 있었고, 이번 여행에서도 낮에는 산길을 너무 헤매고 밤이면 날씨가 지나치게 추워, 준비하지 못한 정밀지도와 두툼한 방한복이 주는 대립쌍을 절실히 느껴왔다.

직업상 만나는 환자들은 가끔 이렇게 말했다.

"아파 보니, 건강이 얼마나 중요한지 알겠더군요."

암 환자들은 한 발 더 나갔다. 죽음과 어깨동무를 하고 있으니 삶의 가치가 보였다.

"이제 산다는 게 무엇인지 알겠어요."

더불어 말년의 식도암으로 투병했던 시대의 문장가 윤오영 선생님은 〈와병수감(臥病隨感)〉에서 인생을 아름다움에 비유하기도 했다. 암과 투쟁하기 전의 글에서는 나타나지 않았던 세상이었다.

뜨거운 차가 닿을 때마다 감전되는 듯한 통증으로 입술을 악물어야 하니 헤라클레이토스가 등장하며 근엄하게 자신의 철학을 핵심적으로 강의했다.

"건강하지 못할 때 건강을 생각한다. 건강할 때 건강을 생각하면 길 끝에 이르렀다."

『법구경』 〈길의 장〉에는 이런 이야기가 있다.


바라나시의 상인 마하다나는 수레 500대를 끌고 다니는 대상이었다. 사왓티 축제에서 재미를 본 후, 서둘러 바라나시에 돌아와 짐을 꾸려서는 다시 사왓티로 향했다.

그러나 때마침 몬순과 더불어 불어난 강물로 인해 머뭇거리다가 축제가 파할 무렵에 서야 사왓티에 도착했다. 마하다나는 내년 다음 축제 때까지 기다리기로 했다.

마침 그곳에 있던 붓다가 그의 심정을 읽고 아난다에게 말했다.

"아난다야, 너는 저 상인을 보고 있느냐? 그는 내년 축제 때까지 기다렸다가 가지고 온 물건을 팔겠다고 생각하고 있구나. 그러나 자신이 일주일 안에 죽는다는 사실을 까마득히 모르고 있다. 그는 해야 할 일이 있으면 망설이지 말고 지금 하는 것이 옳으리라. 중생은 죽음과 '나는 어느 날 죽겠습니다'라고 약속한 바가 없다. 그러므로 마땅히 마음을 집중시키기 위해 밤낮으로 열심히 노력해야 하느니, 무릇 자신의 몸과 마음에서 일어나고 사라지는 모든 현상을 면밀하게 관찰해야 한다."

아난다는 상인을 찾아가 붓다의 이야기를 전했다. 소스라치게 놀란 그는 일주일 동안 붓다의 설법을 듣고, 마음집중 수행을 거듭했다.

붓다는 마하다나에게 게송을 읊었다.

"나는 이곳에서 비 오는 계절과 더운 계절과 추운 계절을 보내리라."

어리석은 자는 이와 같이 생각하며 자신의 죽음이 임박했음을 모른다.

상인은 붓다가 공양을 마치고 돌아가는 것을 전송하고, 자신이 머무는 곳으로 돌아가 심한 두통 끝에 죽었다. 그리고 즉시 뚜시따 천에 태어났다.


잔을 주방에 놓고 이층으로 올라오자 실내에는 이미 진한 어둠이 골고루 퍼져 있다. 뒤따라 온 주인 아저씨가 손가락 굵기의 가느다란 양초를 탁자 위에 놓고 불을 붙여 주었다. 슬리핑 백을 꺼내 촛불이 꺼지지 않도록 조심스럽게 나무 침대 위에 펼쳤다.

내가 살아온 문명 세상은 날이 갈수록 하루가 빨라지기 시작했다. 속도를 따라잡고 적응하며 살아가기 위해 정신을 차릴 수가 없었다.

"삶을 돌아보고 죽음에 대해 생각할 시간이나 어디 있었던가. 내일을 모르는 상태에서 은근히 아직 죽음까지는 시간이 남아 있다고 스스로 마하다나와 같은 착각을 하고 있었던 것은 아닌가?"

이상스럽게 오늘 하루는 다른 날보다 더 빠른 것 같아 잠자리를 만들면서 슬며시 묻게 된다.

상인 마하다나에게는 1주일이라는 시간이 주어졌다. 그에게 삶의 반대편인 죽음이 짧은 시간을 통해 현실적으로 선명하게 성큼 다가선 것이다. 이때부터 그의 통찰은 시작되었다. 만일 평소부터 그에게 이런 깨어 있는 시선이 있었다면?

그리하여 한 번 진지하게 물어보게 된다.

"만일 내가 이 잠자리에 들어 내일 아침 깨어나지 않는다면? 지금부터 해야 할 일은?"

죽음은 언제 어떻게 올지 알 수가 없다. 티베트의 명상 수행자의 죽음관을 보면 몇몇은 '밤에 잠자러 갈 때, 잔을 비우고 침대 곁에 뒤집은 채 내버려둔다. 그들이 아침에 일어나서 잔을 필요로 할지 결코 알 수 없기 때문이다. 심지어 그들은 타다 남은 불꽃이 다음날 아침까지 계속 켜져 있는지 걱정하지 않기 위해 밤에 불을 끈다. 순간 순간마다 그들은 죽음이 임박할 가능성과 더불어 사는 것이다.'

죽음에 대한 공부는 내일 하면 이미 늦다.


평범한 인간 존재는 굶어보지 않으면 배부름을 알 수 없고, 전쟁을 치르지 않으면 평화가 주는 행복을 알 수 없으니, 헤라클레이토스는 '선(善)뿐만 아니라 악(惡) 역시 전체를 이루는 총체성 속에 필수적으로 자신의 자리를 차지한다'고 했다. 결국 그는 '신(神)이란 낮과 밤이요, 겨울과 여름이며 전쟁과 평화, 배부름과 굶주림'이라며 대립적인 통일과 일원적 전체성을 보여 주는 불교 선사와 같은 아름다운 가르침을 남겼다.

슬픔과 기쁨, 덕과 악덕, 낮과 밤, 성자와 죄인, 고귀한 신분과 비천한 신분, 악마와 신들, 귀한 자와 천한 자, 개별자와 절대자, 부와 가난, 왕과 거지, 브라흐만과 백정, 천당과 지옥, 애착과 무집착.

이런 경계를 없애고 하나가 되어야 한다고 가르쳤다.

악은 선을 위해 존재하고, 선 또한 악을 위해 자신을 보완한다. 따라서 세상의 모든 것은 보석처럼 귀중하다. 그것은 반대편에 무엇인가가 있기 때문이며 서로의 존재를 확연하게 밝혀주기 때문이다. 모두가 존재의 의미를 가지며 모든 것이 가치 있다. 세상의 어떤 존재나 현상도 버려서는 안 되니 삶과 죽음의 관계도 그렇다는 이야기다.

인간의 변별력은 특이하다. 좌뇌, 우뇌의 역할 분담은 물론 판단에서도 대립의 개념을 사용한다. 우리가 붉은색을 알기 위해서는 주황색, 오렌지색, 자주색 등 붉은색을 열심히 공부하는 것보다 반대편 쪽인 녹색 계열과 청색 계열에 대한 공부가 붉은색을 더욱 빨리 알아차리게 만든다.〔그런 의미에서 눈(雪) 하나를 수십 가지로 분류하는 인디언의 변별력은 가장 상위에 속한다.〕

히말라야의 거친 삶은 도시생활의 반대이기에 일상성의 삶에 도움이 된다. 편안함과 반대되는 것들, 안락함이 포함되어 있지 않은 것들을 통해 스스로 내부를 다져나가기에 히말라야를 설산도량(雪山道場)이라고 부르는 것이다.

삶을 잘 영위하기 위해서는 잘 살던 사람의 위인전, 거부들의 자서전, 행복했던 왕비의 이야기보다는 험난한 삶의 기록을 보는 것이 빠르며, 한 발 더 나가 죽음에 대한 여러 가지 공부는 이 삶을 더욱 적극적으로 극대화 시켜준다.

『법구경』〈길의 장〉의 상인 마하다나의 경우는 좋은 예다.

이런 이유로 힌두교와 불교에서는 화장터 혹은 묘지 명상하기를 권유한다. 죽음과 삶의 이중구도 속에 생(生)의 길을 가고 있는 현재에서, 미래 언젠가 기어코 대립쌍인 사(死)의 바다를 헤쳐나가야 하니, 육신의 사후 붕괴라는 신관(身觀)을 통해 인간의 이항 대립에 따른 생사의 의미를 선연하게 규정하라는 것이다.

이것 역시 헤라클레이토스와 동일한 시선으로 죽음은 삶을 완성시킨다.

> 육신의 해체에 관한 명상. 어떻게 몸이 부풀어 오르며 보랏빛으로 바뀌는가. 피와 살의 약간만이 조용히 뼈에 매달려 있을 때까지 어떻게 벌레에 먹히는가. 그것이 천천히 닳아버리고 먼지로 바뀌며 흰 뼈만 남겨진 그 지점까지 명상하라. 그대 자신의 육신이 같은 과정을 밟아가리라는 것을 알면서 그같이 명상하라. 그대가 평정되고 평온에 이를 때까지, 그대의 마음과 심장이 빛과 정적에 이르기까지, 그리고 미소가 그대 얼굴에 피어오를 때까지 죽음에 대해 명상하라. 그리하여 걱정과 공포를 이겨내면 삶은 무한히 소중한 것으로 보이며, 생명의 순간 순간이 가치 있는 삶으로 보일 것이다.

그동안 화합했던 인연이 흩어지면서 분해되는 몸의 모습을 통해 육체에 대한 집착을 끊고, 생명이 무생물로 전환하는 과정을 면면이 본다. 한 발 더 나가, 인연이 모아짐과 흩어짐을 반복하면서 생명이 이루어지고 사라지는 현상에 관한 통찰력을 얻어낸다. 그리고 죽음과 삶이란 밤과 낮처럼 방식은 다르지만 순환하는 하나였음을 알아차린다.

사실 이런 공부를 반복하면 '윤회에 대해 왜 알아차리지 못하는가?' 묻지 않게 된다. 이제는 '어떻게 하면 그 체험을 정확히 인식할 수 있는가?'를 묻는다.

불교와 힌두교의 공부는 이렇게 스스로 익혀 해탈이라는 열린 삶으로 가는 방법이다. 이곳의 스승은 '나는 길이다'라 이야기하지 않고 '나라는 길을 통해 그곳으로 가라'고 말한다. '나는 진리요, 생명'이라고 말하지 않고 '나라는 배, 나라는 사다리를 타고 진리와 생명의 피안으로 스스로 가라'고 가르친다. 나에게 구하지 말고, 나를 믿지 말고, 나를 넘어서라고 한다.

물 위에 쓴 숫자보다도
더 덧없는 환상은
부처에게 구하는
내세의 행복

이미 마음에는
구름 한 점 걸려 있지 않고
달이 숨을 산도 없다.

이 세상 생사의 길에는
동행이 없다.
다만 외로이
홀로 오고
홀로 죽는다.

큰물은 앞으로 흘러가지만
그대 스스로를 포기하면

물은 그대를 실어 나르리라.


아무것도 보지 않고
말하지 않고
듣지 않는 자
간단히 부처를 넘어서리라.

　　　　　　—이뀨(一休)선사


## ●—— 남은 삶 동안 나는 어디까지 갈 수 있을까

하루를 마감하기 위해 세면도구를 가지고 나온다. 어둑하니 사방의 풍경들이 사위어 간다. 밝지도 않고 어둡지도 않은 비명비암(非明非暗)은 어느 한쪽에도 기울지 않으니 어둠도 밝음도 없는 하나의 미묘한 상태다.

화장실 근처에 냇물을 끌어온 곳이 있다. 세수는 물론 빨래하기에도 적절한 씩씩한 수량이다. 손을 집어넣으니 저릿저릿 저릴 정도로 시리다.

헤라클레이토스를 뒤따라 나온 엠페도클래스는 자연에 두 가지 힘을 말했다. 하나는 결합의 '사랑의 힘'이고 또 다른 하나는 미움의 '분리의 힘'이라 했다. 그는 우주를 구성하고 있는 것은 물·불·흙·공기라고 말하면서 우리가 흙을 볼 수 있는 것은 우리 몸에 흙 성분이 있어서고, 불을 볼 수 있는 것은 불 성분에 의해서라는 철학적인 이야기를 설파했다. 엠페도클래스식으로 말하면 내 안에 죽음이 있으므로 죽음을 바라볼 수 있는 셈이다.

그의 이야기를 따르자면 선악을 나누는 일은 미움이며 분리의 힘이다. 반면 사랑의 힘은 악도 보듬고 애정을 품어 결합으로 가는 힘이다. 악인을 사후 영원(永遠)히 불구덩이에 처넣는다는 분리—격리의 시선은 한 단계 아래에 위치한다.

히말라야는 도(道)를 위해 존재하는 것은 아니다.
도에 대한 생각을 일으키게 만든다.
이 도감(道感)이 일어나는 순간을 놓치면 안 된다.
확대재생산을 통해 그 길로 올라서야 한다.
그것이 히말라야를 체력 단련소로 생각하지 않는 여행객이 당연히 해야 할 도리다.


헤라클레이토스 영향을 받은 엠페도클래스도 이런 저녁에 갈라진 입술 덕분에 함께 빛난다.

칫솔질을 하기 전에 다시 아랫입술에 침을 발라 아픈 곳을 더듬어 주었다. 얼굴 골이 깊게 패이고 가는 귀가 멀어 말귀를 알아듣지 못하는 할머니가 찬물에도 아랑곳 않고 맨손으로 그릇을 열심히 닦고 있다.

추운 곳에서 따뜻함을 그리워하듯 슬픔을 모르면 기쁨을 모르고, 이별을 모르면 해후의 깊은 뜻을 헤아릴 수 없으며, 죽음을 모르면 삶의 진정한 의미를 모른다. 죽기 전에 죽는 법이란 죽음의 명상 밖에 무엇이 있겠는가.

"물이 너무 차지 않아요?"

아무런 답이 없다.

그릇을 씻어내는 일이 즐겁다는 듯이 몰두하고 있다. 모래로 그릇 내부를 비비고, 나무줄기로 만든 수세미로 닦아내니 그릇은 금세 환해진다.

평인들은 고통을 직접 받았을 때야 고통에 관한 질문을 던지고, 삶의 절벽에 매달려서야 삶의 본질을 묻는다.

인간과 동물의 불살생, 불상해를 명하고, 부모 어른에 대한 순종, 친구·친지에 대한 존경과 올바른 대우를 요구했던 야쇼카 대왕의 자비는 유명하다. 그러나 그의 선정은 칼링카 진투에서 10만 명을 죽이고, 15만 명을 포로로 만들어 인도 각지로 보내고, 그 몇 배의 사람들을 전화의 피해로 몰았던 경험에 바탕을 두고 있다. 무척이나 값비싼 대가인 셈이다.

이런 대립을 느끼지 않고 질문을 던진 사람이 바로 붓다. 위대성은 이런 점에서도 부각된다. 모든 것이 풍부한 왕자의 신분으로 세상 밖 대립쌍으로 눈 돌리기는 쉬운 일이 아니다.

후에 이렇게 회상했다.

"비구들이여, 나는 실로 젊은 청년이었다. 머리칼은 검었으며 청춘의 즐거움이 가득하였으나, 인생의 봄에 부모가 원치 않았음에도 그리고 눈물을 흘림에도 머리카락과 수염을 깎고 가사를 입고는 집을 나와 출가수행자가 되었다."

젊은 왕자 고타마가 출가한 계기는 '자신에게는 아직 닥치지 않은' 늙고 병들고 죽어감 때문이었다. 선왕의 갖가지 차단 방법에도 불구하고 마부 찬다카와 백마 칸타카와 함께 동서남북의 각각의 성문 밖에서, 태양 아래 누구도 피할 수 없는 인간의 운명을 보게 된다.

부왕의 눈물을 딛고 카필라성을 등지고 나가며 숫사자처럼 외친 선언.

"나는 생사의 저편을 보기 전에는 결코 카필라성에 되돌아오지 않으리라. 나는 늙음과 죽음을 소멸시킨 이후에 돌아올 것이며 만일 실패한다면 나 자신을 없애리라."

사실 그가 본 것은 누구나 가야 할 길이었다.

"백발을 하고, 약한 손으로 지팡이를 짚고, 눈썹 밑은 푹 파여 있고, 팔다리는 구부러져 헐렁하게 달려 있는 저 사람은 누구인가. 그를 변화시키는 어떤 일이 일어난 것인가, 아니면 자연스러운 모습인가?"

"저것은 늙음입니다. 늙음은 아름다움의 강탈자, 정력의 파괴자, 슬픔의 원인, 즐거움의 파괴자, 기억력을 파괴시키는 독, 그리고 감각의 적입니다. 저 사람은 어린 시절에는 우유를 마셨고, 마루 기는 법을 배웠으며, 차차 활기 있는 젊은이가 되었습니다. 그와 같은 방식으로 한 발 한 발 나아가 이제는 늙은 것입니다."

"창백하고, 야위어 있으며, 배는 부어 있고, 거칠게 숨을 쉬고, 팔과 어깨는 헐렁하게 달려 있고, 몸 전체를 떨고, 저기에서 낯선 자를 포옹하며 '어머니!' 라고 애처롭게 말하는 저 사람, 그는 누구인가?"

"인자하신 주인님, 그것은 질병입니다."

"저기에 네 사람이 짊어지고 있고, 장식은 되어 있는데 더 이상 숨쉬고 있지 않으며, 그리고 슬퍼하는 자들이 따르고 있는 저것은 무엇인가?"

"인자하신 주인님, 이것은 모든 살아 있는 존재의 마지막입니다."

그는 벌판을 가로지르다가 일꾼들이 들판을 일굼으로 베어지고 흩어진 어린 풀, 죽어버린 곤충의 알과 새끼들을 보고는 말에서 내린다. 그리고는 나무 밑

여행객은 누구나 때가 되면 걸음을 멈추어야 한다.

그 멈춤이 오늘 저녁인지 내일인지 혹은 내년인지 아무도 모른다.

화장터에서 불길 속에 수풍지화로 흩어지며 소멸하는 힌두도 그것을 알지 못했다.

산에서 어둠이 오면 잠들기 전까지 이 공부를 하는 일이 여행의 가치를 높여준다

에 앉아 세계의 기원과 소멸에 대해 골똘히 생각하다가 한 수도승을 만난다.

고타마는 물었다.

"당신은 누구신지요?"

"생과 사에 대한 두려움 때문에 나는 해탈을 추구하는 금욕주의자가 되었다. 나는 가족도 희망도 없이 방황하면서 어떠한 음식이나 받는 거지이며, 오로지 최고선을 위해서만 산다."

이제 북쪽 히말라야로 향하는 고타마를 막을 자는 아무도 없었다.

고대 인도를 풍미했던 우주에 관한 사상들은 고타마라는 한 위대한 인간의 사문유관상(四門遊觀相)을 통한 출가로 인해, 이제는 시선이 인간 자신에 관한 통찰로 깊게 들어간다. 훗날 형이상학적인 사변들은 답변하지 않는 건전한 침묵을 통해, 외적인 관심이 내면 성찰로 바뀌었으니, 그 덕분에 후세의 많은 사람들이 자신을 스스로 구할 수 있었다. 나 역시 궤적을 따라 히말라야에 서 있다.

우리는 왜 살아가면서 죽음을 바라보지 않으려 할까? 누구에게나 찾아오는 늙고 병들어 죽어가는 현상을 병풍 뒤로 밀어 놓는 것일까?

삶과 죽음을 구별하되 품는다. 그리하여 결국 구별도 버린 일심(一心)에 이

붓다는 동서남북의 네 문에서의 사건, 즉 사문유관을 통해 집을 나섰다.
그의 출가는 훗날 깨달음으로 이어져 많은 수행자들의 시선을
우주적 형이상학에서 인간의 존재로 중심을 바꾸어 놓았다.
이것은 존재의 고통을 해방시키는 행보가 되었다.
진정한 여행객에게 필요한 시각은 바로 그 자신으로 향하는 것이다.
그리하여 붓다는 결국 황금빛으로 빛나는 얼굴로 여행을 마칠 수 있다.

른다. 그 경지는 '건강하지 못할 때 건강을 생각한다'에 이어 '건강할 때 건강
은 물론 건강하지 못함까지 함께 한다'로 이어진다. 진정한 일원론자의 위치가
그곳이다.

『반야심경』이 입안에서 맴돈다.

공( 空 ) 가운데에는 색도 없고 수상행식(受想行識)도 없으며

눈과 귀와 코와 혀와 몸과 뜻도 없으며

색과 소리와 냄새와 맛과 부딪침과 법도 없으며

눈 경계도 없고 내지 의식 경계도 없으며

무명도 없고 또한 무명이 다했다는 것도 없으며

내지 늙고 죽는 것도 없고

또한 늙고 죽는 것이 다했다는 것도 없으며

고집멸도도 없고 지혜도 없고

한 얻음도 없나니, 써 얻은 바가 없는 고로

보살이 이 반야바라밀다 공부에 의지한지라

마음에 걸림이 없고 걸림이 없는 고로

두려움이 없었으며

삼세 모든 부처님도 다 이 반야바라밀다 공부에 의지한지라

아뇩다라삼먁삼보리를 얻었느니라.

붉게 보이던 산은 이제는 푸르스름한 빛으로 채워지기 시작한다. 부드러운 주황색은 보라색으로 변하더니 더욱 검은빛을 추가하면서 낮 시간은 이제 임무를 마치고 저녁과 자리를 바꿔 앉는다. 입술에 계속 침을 발라가며 방안으로 돌아온다.

아프다는 것을 인정하고 받아들이면, 거부하려는 마음의 긴장은 사라진다. 세상의 고(苦) 역시 거부하지 않고 운명적으로 받아들이면 마음은 불행이라는

것이 조화의 일부임을 안다. 강물에 배를 띄우고 유속과 똑같이 흘러가는 것처럼 그 체념 안에서 카르마가 나와 화해를 하고, 이어서 니르바나가 싹트기 시작한다. 고통, 죽음, 불행, 형벌, 비극 모두를 아낌없이 받아들이는 것은 배가 강을 거슬러가지 않고 유속이라는 운명에 일치하려는 수동적 자발로 흘러가는 것이다.

어느 사이에 초가 이렇게 키를 낮추었을까. 이제 반도 되지 않으니 내 삶의 길이와 비슷하다. 양말을 갈아 신고 슬리핑 백 안으로 들어가는 동안 초가 더욱더 짧아지니 삶이란……!

초를 후욱 불어 끄고 슬리핑 백 안에 들어가 똑바로 눕는다. 이제 나는 본래 면목과 본지풍광을 향해 해체하며 미분하기 시작하며 마음으로 저승과 중음을 쓰다듬는다.

히말라야에서 해가 떨어지고 나면 넉넉한 시간이 주어진다. 이 시간부터 잠들 때까지 시선은 책, 신문, 텔레비전, 컴퓨터가 아니라 철저하게 내면으로 향한다. 그동안 분리되었던 내부를 철저하고 집요하게 탐색할 시간이 주어지는 것이다. 하루 중에 가장 경건해진다. 오늘 같은 경우, 갈라지고 터진 입술 덕분에 더욱 깊은 곳까지 갈 수 있을지 모른다.

어쩌면 하루의 시작은 해가 떠오르는 아침이 아니다. 이렇게 행위를 멈추고 내일, 남은 삶 혹은 다음 삶을 위해 명상을 통해 씨를 심는 이 밤 시간이 바로 오늘의 시작일지 모르겠다.

마음이라는 대지에 심어지는 씨앗들.

제법 서늘한 바람이 실내로 스며들어온다. 잠들기 전에 어디까지 갈 수 있을까. 10마일을 더 갈 것인가, 혹은 운좋게 공(空)이나 무(無)까지?

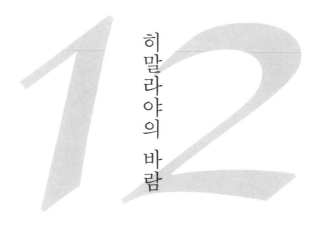

히말라야의 바람

내가 자네와 논쟁을 했다고 치자. 만약 자네가 나를 이기고 내가 졌다면,

과연 자네가 옳고 나는 그른가? 또 내가 자네를 이겼다면 과연 내가 옳고 자네가 그른가?

부분적으로 옳고 부분적으로 그른가? 또는 완전히 옳고 완전히 그른가?

나나 자네가 이것을 모른다면 남 또한 판단하기 어려울 것이네.

그러면 우리는 누구를 시켜 그것을 바로 잡을 것인가?

— 『장자(莊子)』의 〈제물론(齊物論)〉 중에서

# 히말라야의 바람

옆방에 투숙한 두 사람의 목소리가 높다. 며칠 전부터 산을 앞서거니 뒤서거니 올랐던 영국 아이들로 어젯밤에도 떠들었다. 오늘도 그 소란스러움에 눈을 뜨지 않을 수 없다. 목소리가 점점 커지는 것을 보니 토론이 쉽게 끝나지 않을 모양이다. 얇은 베니어 한 장으로 칸막이를 했을 뿐이라 히말라야 밤바람은 판자 사이를 수시로 제집 드나들 듯 오간다. 하물며 이런 소리 따위야 거의 무방비가 아니랴. 이음새가 끝나는 곳의 천장은 그냥 훤하게 서로가 연결되어 있으니 나무침대 위에 올라서면 옆방 모습을 그대로 들여다볼 수 있을 정도다.

해발 4천m가 넘어서면 밤에 자주 깨어난다. 고도를 높일수록 두통으로 묵직해지는 앞이마에 손을 얹다가, 급격하게 떨어지는 기온에 시린 코끝도 만지게 되며 이리저리 뒤척인다. 5천m를 지나가면 이 불면의 증세는 더욱 심해지기 마련이라 밖에서 푸르럭거리며 몸을 떠는 야크소리에조차 쉽게 눈을 뜨고는 쉬이 잠들지 못한다.

초저녁에 설핏 잠이 들었다가 이제 이렇게 소란하니 밤이 길게 느껴지리라. 더구나 두 사람의 태도는 어제처럼 서로가 한 발자국도 물러나지 않을 기세로 첨예하다. 슬쩍슬쩍 얼굴을 스쳐 지나가는 바람이 몹시 차다.

참다못해 어느 방에선가 '그만하고 자라'는 편잔이 돌멩이처럼 날아든다. 기다렸다는 듯이 다른 사람들도 여기저기서 '입 다물어' 거친 말로 거든다.

잠시 묵묵하다.

그 고요를 기다려 본다.

30초도 지나지 않았으리라. 그러면 그렇지, 튀어오르는 용수철 기세로 다시 다툰다. 구제불능이다.

어제에 이어 오늘의 다툼 역시 글로 기록된 일을 믿을 수 있는지, 믿을 수 없는지 하는 이야기인데, 영어권 아이들치고는 제법 진지한 주제인 셈이다.

지난 밤 딩포체에서는 대마초까지 피워대고 거칠게 싸우는 바람에 밤잠을 놓쳤다. 하긴 고산증 일부 증세는 두통, 식욕부진은 물론 저렇게 신경질적으로 예민하게 다투는 것도 있다. 베이스캠프에서 평소에는 전혀 문제가 되지 않는 사소한 일로 등반대원끼리 으르렁거리며 다투었다는 이야기를 왕왕 들었으니 희박한 산소가 만드는 다양한 얼굴이다.

이곳은 해발 4천930m. 5천m에서 조금 못 미치니 누구나 만만치 않은 고산 증세를 겪게 마련인 고도다.

글렀다.

차라리 어제처럼 별을 보기 위해서 슬리핑 백의 쟈크를 내리고 밖으로 나온다. 푹 잠들기는 물 건넜으니 하늘의 점자문을 해독하는 편이 낫다. 털모자를 깊숙하게 눌러 쓴다.

천구(天球)로부터 10년 전에 날아온, 혹은 10억 년 전에 날아온 광자들이 망막을 반짝반짝 때린다. 짧은 것은 며칠, 긴 것은 무량세월을 품은 빛들이 하늘을 가득 메우니 머리 위로는 우주의 탄생 이후 과거의 모든 시간들이 겹겹이

중첩되어 있다.

저렇게 우주 공간을 유영해 온 광자는 입자이며 파동이라든가.

파동에 관해 천문학자 에딩턴의 이야기를 생각하면 배후가 보인다.

"물질(matter)이 무엇이죠?"

"물질은 질량(mass)입니다."

"그렇다면 질량은 무엇이죠?"

"질량은 파동(pulse)입니다."

"그렇다면 파동은 어떻게 오죠?"

"물질(matter)의 기본 성질이 질량(mass)이기 때문입니다."

이 글을 읽고 고개를 끄덕일 사람은 많다. 생각하기를 거부하고 대충 긍정해 버리기 때문이리라. 더구나 상대는 에딩턴이 아닌가?

그러나 잘 보면 인과논증이 첫번째 개념을 다른 개념으로 설명하지 못하고, 처음 개념으로 다시 정의하는 피드백(되먹임)으로 한바퀴 돌아 제자리이다.

이런 현상을 쉽게 풀면 이렇다.

"1은 무엇이죠?"

"1은 0.5가 2개 모인 것이죠."

"0.5는요?"

위대한 음악이란 천지자연과 더불어 하나로 조화되어 어우러진다고 했다.
바람에 날리는 깃발 아래에서 귀를 기울이면
문명사회에서의 음악이란 얼마나 낮은 단계인지 알아차릴 수 있다.

"아, 예, 그것은 1을 반으로 나눈 거에요."

사실 1을 아는지 의심스럽고 더불어 에딩턴이 물질을 제대로 파악하고 있는지 의심이 가지 않는가.

에딩턴이 사람들을 속였거나, 물질(matter)이 천문학자 에딩턴을 속였다.

우주를 이끌어나가는 배후의 마야(maya, 幻)의 힘을 본다면 후자가 더 심증이 간다.

논증을 잘 들여다보아야 한다. 여기서 대강 알겠다는 듯이 고개를 끄덕이며 물러나면 본질을 알아차릴 수 없다.

그래서 불가에서 '무조건 믿으라'가 아니라 '크게 의심(疑心)하라'는 이야기가 나온다. 도대체 우리가 흔히 당하는 이런 인과론의 악성순환으로는 '덕산의 촛불', '운문의 똥막대기', '위산의 물통' 등의 공안을 어찌 해결할 수 있겠는가.

백척간두 진일보. 죽자고 한 걸음 더 나서야 한다. 기존의 패러다임을 부셔야 한다. 하여 절 입구에는 입차문내(入此門內) 막존지해(莫存知解)라는 경구—이 문안에 들어오면 알음알이를 내지 말라—로 세간 지식을 경고하고 있다.

별을 볼 때마다 내면의 소리는 속지 말라고 다짐을 받으며, 주변을 의심하라고 부추긴다.

히말라야 하늘에 흩뿌려진 별은 붙박이 같다. 대기 흐름이 왕성한 저지대처럼 반짝이지 않고 아카시아 꽃 낱알을 던져놓은 듯 굵다. 그래서인가. 심호흡하면 매콤한 천공의 향기마저 코끝을 지나 단전으로 밀려온다. 해수면보다 불과 몇천 m 우주에 가깝다는 사실이 감각을 초현실적으로 크게 변화시키니 1천m 아래의 팡보체의 별과 다르고, 또 그보다 1천m 아래의 몬조와의 별과도 기운이 사뭇 다르다. 그들이 떠드는 바람에 밖으로 나왔던 지난 밤보다 북두칠성

낱알이 더욱 굵다.

안쪽에서의 논쟁이 계속되는지 소란하다. 과연 저렇게 흥분할 일인지 판단이 서지 않지만, 0.5 · 1 · 2의 악성 순환, 즉 궁극적인 원인에 접근하지 못한 채, 원인조차 바로 그 원인으로 인해 발생한 결과를 가지고 다시 설명하는 '순환 논증 오류'로부터 부디 싸움으로 번지지 않기를 기대한다.

웅성거림으로 보아 참다 못한 다른 배낭족들의 성토가 이어지는 모양이다.

장자의 이야기 중에는 이런 명언도 있다.

"매미는 얼음을 이야기할 수 없고 우물 안의 개구리는 바다를 말할 수 없으며, 반편의 지식인은 진정한 길을 말할 수 없다. 매미는 시간에 잡혀 있고, 개구리는 공간에 잡혀 있으며, 반편의 지식인은 자신이 배운 바에 고착되어 있기 때문이다."


플라톤은 가치의 진화 과정 속에서 위를 향해 초월해 나가는 하나의 순서를 찾았다. 하나의 경지에 도착할 때마다, 그가 원래 절대적이라고 알았던 것이 사실은 절대적이 아니라는 것을 즉각 발견하게 된다고 했다. 말하자면 과거의 절대적인 것은 상대적인 것으로 자리를 바꾼다는 거다. 한때 스스로 진리라고 거품을 물고 남과 다투거나 남을 설득시키려 애썼는데 지나보니 또 다른 진리가 있었다는 이야기다.

플라톤은 역시 플라톤이다. 플라톤은 일곱 번째 서찰 속에서 '나는 더 이상 할 말이 없다'고 했다. 계속 오르다 보니 그 위에 무엇이 있는지 그 이상을 말할 수는 없었으리라.

우리는 겸손해야 한다. 우리의 사유라는 것은 기껏해야 상대적인 것들이지 결코 절대적인 것에 접근할 수는 없다. 같은 책을 볼 때마다 줄을 긋는 곳이 달

히말라야에서 머무는 시간이 많아지면서
세속의 가치관은 버려지기 시작했다.
과거의 절대가 자연스럽게 상대가 되며 왜소해지고
이제는 웅장한 자연이 대신 그 자리에 들어오며 의연하게 커가고 있다.

라지는 처지임에야…….

하늘에 별을 내려놓은 자에 대해 더 이상 말할 수 없음이다.

여기에 선가(禪家)의 침묵이 궤를 같이 하고 있다. 내가 알고 있는 기준이 자꾸 허물어지는데, 그 기준이 진리가 아닐진대, 안다고 입을 벙끗 열면 주장자로 삼십 방을 맞는다. 더불어 그것이 과연 말로 전할 수 있는 것인지, 말이 끊어진 자리의 진리를 유마가 어찌 만쥬리〔文殊菩薩〕에게 전할 수 있겠는가.

경험한 일을 다른 사람에게 전달하기 위해서는 경험의 통일성을 쪼개야 한다. 그리고는 그 경험을 가장 적절하게 표현 가능한 유사한 단어와 문장을 찾아내야 한다. 이런 일련의 작업은 벌써 언어가 경험을 표현하기 불가능함을 역설하고 있다.

세상은 이런 오류로 채워져 있기에 입을 열기 전에 크게 주의할 일이다. 실체는 우리가 알지 못하고 더불어 말할 수 없는 미지의 것이니, 불법 역시 처음에는 언어를 이용하여 접근이 가능하지만 어느 정도 설명이 진행된다면 불립문자(不立文字)로 접어들어 침묵으로 더 이상 말할 수 없음이다.

진리를 말하는 자는 그리하여 진리를 손상시키고, 진리를 증명하고자 하는 자 역시 왜곡의 길로 들어선다. 진리에 이름을 붙이고 학파를 형성하는 이는 진리를 심하게 부패시키는 행위이며, 그것을 믿으라고 주장하는 자는 이미 진리에서 멀어져 있음이다.

지금 다투는 두 사람. 진리는 이미 이 땅에서 하늘의 별까지의 거리만큼이나 멀다. '있다·없다, 믿을 수 있다·믿을 수 없다'를 다투면 다툴수록 10광년에서 10억 광년으로 거리가 벌어진다. 잘못을 가지고 잘못을 보탠다는 장착취착(將錯就錯)이 바로 그것이다.

아버지는 외삼촌과 자주 다투었다. 동란 중에 월남한 가난한 문학청년에게 시집간 자신의 동생을 이렇게 저렇게 고생시킨다는 이야기였다. 한 번도 아니고 그는 자주 찾아와 불만을 토로했다.

"아내와 자식을 먹여 살리려면 돈이 있어야지."

"자네는 돈을 벌어야 해."

"돈을 벌면 아내와 자식이 배불리 먹을 수 있어."

이런 내용이었다. 모든 것이 돈이었다. 외삼촌의 이야기는 돈이란 절대가치이며 삶에서 한 발자국 이상 멀리 떨어져서는 불행하다는 이야기였다.

그가 집 안을 한바탕 헤집고 돌아가면 아버지는 처남에게 당한 울분을 남은 가족들에게 토로했다.

니는 집에서 빠져나와 뒷편에 자리한 살구나무 위에 올라가 굵은 줄기를 타고 앉았다. 저 아랫동네의 불빛들이 보석처럼 반짝반짝 잘 보이는 자리였다.

"돈을 벌 거야, 엄청난 돈을 벌고야 말 거야."

한동안 내가 잡은 화두는 돈이었다. 돈만이 구원이라고 굳게 믿어 돈을 향해 용맹정진했다.

그러나 살다보니 인도를 만나고 이어 히말라야를 만나며, 돈보다 더 커다란 명제를 만나, 그 순치된 삶의 무미건조함을 지나 영원의 법에 이르는 희망을 만날 수 있었다.

돈은 플라톤의 이야기처럼 하나의 단계였으니, 돈에서 전전긍긍하던 그 하나를 넘어서니 돈—경제는 이제 절대에서 왜소한 상대로 전락했다. 그리하여 혼잡한 지하철에서 빠져나와 오늘 이렇게 히말라야에 앉아 있는 날까지 이르렀다.

도가의 『태평경(太平經)』은 말했다.

"재물이란 천 · 지 · 중화의 소유로서, 그것으로 사람을 함께 기르는 것이다.

무심의 고요함을 품고 적막함 안에 사물을
껴안고 있는 것이 자연의 본 모습이다.
히말라야에서 이런 본질은 쉽게 느껴진다.
이 근본을 따라 조용히 산을 바라보고 걷는 일이
산에서 행해야 할 일이다.
성내고 다투며 술마시며 소란하게 떠드는 일은 자신 스스로는 물론
다른 여행자를 위해서도 피해야 한다.

부유한 집은 단지 우연히 이를 모아둔 곳에 불과하다. 이는 마치 창고 안의 쥐가 늘 혼자 배불리 먹고 있지만, 이 큰 곡간의 곡식이 본래 그 쥐의 소유가 아닌 것과 같다."

시절인연에 따라 다가온 이런 경전들의 말씀은 과거의 절대를 상대로 바꾸어 나가면서 차차 적멸의 언덕을 오르는 힘이 되었다. 더구나 반복되는 히말라야의 여행은 삶에서 중요한 것은 돈 이외 다른 자리에 있음을 확인시켜 주었으니 이제는 외삼촌보다는 산길을 더 올라왔다. 그가 만일 내게 아직까지 '지상에서 제일 중요한 것은 돈'이라 이야기한다면 말없이 그냥 웃어 보일 수 있음이다.

그러나 아직 가치학의 통합에 이르는 길이 멀다는 사실을 안다. 하나하나 깨우치며 가는 과정에 있어 지금 이 자리와 최상승의 자리는 별자리만큼이나 벌어져 있다.

겨우 일주문이라니 언제쯤이면 계단을 지나 대웅전에 들어가 붓다 앞에 절을 할 수 있으며, 대청마루에 올라서 방안으로 들어가 그윽한 경지의 진인(眞人)을 뵈올꼬.

계단 위를 보니 '나는 아무것도 모른다는 것을 안다'는 소크라테스의 이야기가 가슴에서 울린다.

멈출 수 없다. 언덕에서 툭 떨어진 작은 눈덩이는 이제 날로 더해 가며 낮은 곳으로 굴러 내려가며 몸집을 키우는 일 이외 다른 방도는 없으니 때가 되면 박살나며 좌망의 상도(常道)를 파악치 않겠는가.


바람이 윙윙 강하다. 멀리 남쪽의 인도평야를 지나 어두컴컴한 계곡을 넘어서며 히말라야로 달려드는 바람이 고요함에 흠집을 낸다. 초르텐에 걸린 폭 좁은 타르쵸와 기둥에 묶여진 넓직한 룽다들의 펄럭거림, 더불어 게스트하우스 주인이 만들어 놓은 신성한 만트라가 새겨진 회전 기도기(마니차)를 때리는 바람이 주변에서 공명을 일으킨다. 튼튼하지 못한 문틀의 삐걱임도 한 목소리를 내고 있다. 부드러운 관(管)소리는 물론 현(絃)소리가 어우러진다.

『장자』에 거론된 사람의 울림〔人籟〕, 땅의 울림〔地籟〕은 물론 하늘의 울림〔天籟〕까지 귀엣말을 통해 느낄 수 있을 듯하다.

힌두교에서 바람의 신 바유(Vayu)는 푸루샤(순수정신)의 호흡에서 태어나 하늘과 땅 사이를 지배한다. 대자연의 바람과 개체의 호흡은 여기서 연관을 가진다. 바람은 호흡의 형태로 육신의 내부로 스며든다. '부는 바람은 어디에나 침투하며, 우주의 숨결이며 그것은 우주의 활력인 브라흐만을 상징한다'고 한다. 우리는 호흡을 통해 우주와 기운을 상통한다.

힌두교의 다섯 신위인 번개, 비, 달, 해, 불의 운명보다 바람은 강하다. 번개는 잇달아 빗속으로 스며들며, 빗물은 모든 것을 담는 그릇인 달〔月〕로 들어가고, 달은 월식을 통해 해 안으로 감추어지며, 해가 기울면서 대지 위의 집집마다 불을 피운다. 그리고 나서 이 불들은 바람 속으로 들어가게 된다.

바람은 우주에서 가장 성스러운 힘, 즉 공기이며 브라흐만이며 세상의 생명력이다. 힌두들은 바람 속에 불이 감추어져 있다고 한다. 바람 하나조차 순환이며 여러 가지 요소가 관여하는 힘이라는 은유다.

바람이 거칠어진다. 먼지들이 땅바닥에서 달려나가는지 바지에 부딪혀오는 소리가 재미있다. 빈 물통의 주둥이를 지나가는 바람 역시 유쾌한 목청으로 소리를 만든다.

바유는 평소에는 한 쌍의 말을 타고 다닌다. 때로는 1천 마리의 말을 타고 공간을 누빌 때가 있으니 바로 폭풍이 일어나는 시기다. 인간은 그의 모습은

별들이 반짝이던 하늘에 구름이 지나가고
바람이 소란했던 그 자리에 깃발이 펄럭인다.
무엇이 가르침인가? 반짝이고, 흘러가고, 펄럭인다.
그것이 전부(全部)다.

볼 수 없고 오로지 소리로만 그의 존재를 알아차릴 수 있다. 지금 이 순간 바유는 100여 마리의 말을 끌고 산악을 달리는 듯하다.

다투는 소리가 바람결에 묻어 있다.

저런 논쟁이 어찌 바람과 겨루랴.

선기 충천한 선객의 오도송을 어찌 다툼의 소음과 견주랴.

이곳에서 바라보는 별은 생명을 가진 것처럼 보인다. 일정한 패턴을 가진 거룩한 하늘의 눈들. 그들은 다투지 않고 완벽한 조화를 이루며 삼천대천세계의 우주를 수려하고 현란하게 수놓아 하늘을 바라보는 히말라야 여행객에게 기쁨과 행복감을 선물한다.

유식학(唯識學)에서는 우주 전체를 제8식의 장으로, 생명의 장으로 보고 있다. 이것은 인간과 우주로 나누고 분류하는 일이 잘못되었음을 말하며, 이런 행위가 앎을 흐려지게 만드는 무명(無明), 혹은 혹(惑)임을 설파한다.

나누지 않는 것, 나눠지지 않는 몇몇 별들이 이제 스카이라인에 걸려 산 뒤로 깜박깜박 사라지기 전이다. 산의 신비와 하늘의 깊이는 밤이면 두드러진다.

낮에는 고작 광속 8분 거리의 태양이지만 밤의 하늘의 깊이는 수십 억 광년을 넘나들며 내 식(識)을 우주 끝까지 확장시킨다.

아직 소란한 그들 방문 앞에서 합장한다.

다툼으로 나는 만발한 별빛 아래 앉아 과거·현재 의식의 재조합을 통해서 플라톤 할아버지를 만나고, 장자를 꺼내가며 짧은 공부를 할 수 있었다. 불면으로 슬리핑 백 안에서 뒤척이는 것보다 얼마나 귀중한 일이냐. 살아가면서 필요한 것은 논쟁이 아니라, 다툼을 듣고 선악을 나누고 미추를 구별하는 일들을 바라보면서, 다시 초월하여 또 다른 절대를 향하는 해탈정신이다.

설산만이 가르침을 주는 것이 아니라 설산 주민과 여행객들도 조밀하게 내 카르마에 영향을 주며 배움의 길을 열어주니 고마울 따름이다.

슬리핑 백에 들어가 쟈크를 길게 올린다.

밤이면 모든 대립이 화해하는 마당에 그들은 벌써 이틀째 밤마다 믿을 수 있다, 없다를 반복하며 흥분하니, 고산증에 의한 증세라면 하산 때까지 저렇게 다투지 않으랴. 지구 위에서 벌어지는 많은 분쟁들은 자신의 주장이 절대적으로 옳고 남의 의견이 그르다는 오류 때문에 생겨왔다. 그리하여 과격하게 되면 상대를 말살하기 위해 폭력을 사용한다.

우리는 하늘의 별들처럼 서로 일왕평등으로 여여한 도정을 함께 갈 수는 없는 것일까.

다른 배낭족들은 그들 다툼에 지쳤는지 이제는 말없이 침묵에 잠겼다.

뇨슐과 그의 스승 파툴 린포체가 족첸 사원 뒤에 있는 산의 높은 은둔지에 머물 무렵이었다. 검푸른 하늘은 맑게 개어 있었고 별은 눈부시게 빛나는 아름다운 밤이었다니 오늘 밤 같았으리라. 아래 사원에서 간간이 개 짖는 소리가 때때로 그들의 침묵을 깨뜨렸다. 파툴 린포체는 땅위에 누워 특별한 수행을 하고 있다가 뇨슐을 불러 이렇게 말했다.

"그대는 마음의 본성을 알지 못한다고 했지?"

뇨슐은 린포체의 목소리가 여느 때와는 다른 것을 알고 특별한 순간이 도래했음을 알아차리고 무언가 기대한다는 듯이 고개를 끄덕였다.

파툴 린포체는 뜻밖에도 이렇게 말했다.

"정말 아무것도 없다."

그리고 덧붙였다.

"아들아, 이리 와서 늙은 애비 곁에 누워라."

뇨슐은 그의 곁에 누웠다.

그러자 파툴 린포체는 그에게 물었다.

"하늘에서 별이 반짝이는 것이 보이느냐?"

"예."

"저 아래 족첸 사원에서 개 짖는 소리가 들리느냐?"

"예."

"내가 말하는 소리가 들리느냐?"

"예."

"그래, 족첸의 가르침이란 바로 그런 거야. 단지 그뿐이지."


잘못 보았을까, 머리를 눕히자 천장의 작은 틈을 통해 세상사와 무관한, 마치 막 깨끗이 씻고 나온 듯한 별 하나가 '족첸의 가르침'처럼 요천일처(寥天一處)에서 희끗 반짝했다.

그것뿐이다.

내 옆에 파툴 린포체가 누워 있는 것은 아닐까. 여러 가지로 환희심이 돋아 오르니 노발리스의 시구 하나를 기억 속에서 꺼내며 오늘을 마감한다.

살아 있는 자, 감성을 지닌 자로서 그를 에워싼 저 드넓은 우주의 온갖 신비로운 현상을 보고, 환희에 가득 찬 저 빛을 사랑하지 않을 자 그 누구랴? 갖가지 색채, 광선, 파장을 띤 채, 밝아오는 빛처럼 부드러운 모습으로 나타나는 저 빛을. 새의 가장 내적인 영혼과도 같이 쉼 없이 흐르는 별들의 거대한 세계는 그 빛을 호흡한다.

— 노발리스의 『밤의 찬가』 중에서

# 13

## 히말라야의 인연

업식이 치달아 끊임없이 이어지니

망망한 바다에 고개 돌릴 언덕이 없다.

모두 다 고해에 떠다니는 나그네이니

단지 무심(無心)으로 휴식하세나.

— 남회근(南懷瑾)

# 히말라야의 인연

사각거리는 소리가 다시 들렸다. 눈 내리는 소리가 틀림없었다. 하늘이 가까운 고지에서는 간간이 예민하게 일어나 도시에서 느끼지 못하는 여러 가지를 경험할 수 있다.

슬리핑 백에서 빠져나와 두터운 커튼을 젖히고 밖을 내다본다. 뿌옇게 성애가 내려앉은 유리창을 통해 눈이 촘촘히 내리는 것이 보인다. 하얀 눈을 뒤집어 쓴 야크 한 마리가 우뚝하니 처마 밑에 서서 온몸으로 눈을 맞고 있다. 입김으로 유리창 성애를 동그랗게 녹이다가 슬리핑 백을 정돈하고 바깥으로 나온다.

길은 모두 지워졌다. 아름다움이란 이렇듯 모든 것으로부터의 망각에서 시작하는 것일까. 무위로 떨어지는 눈으로 인해 천지 간이 백색으로 평등하게 아름답다.

선자(禪者) 방거사(龐居士)는 약산(藥山)선사를 만나 선문답을 주고받고 돌아가게 되었다.

거사가 약산과 하직하므로 약산이 10명의 선객(승려)를 시켜 산문까지 전송하도록 했다. 거사가 공중에서 내리는 눈을 가리키며 말했다.

"탐스러운 눈이다. 한 송이 한 송이마다 딴 곳으로 떨어지지 않는구나(好雪 片片 不落別處)."

전(全)이라는 승려가 말했다.

"어디에 떨어집니까?"

그러자 거사는 따귀를 한 대 먹였다. 전이 발끈했다.

"함부로 무슨 짓입니까?"

거사.

"그러고도 승려라고 낯짝을 들 수 있담? 염라대왕이 용서하지 못할 거여!"

"거사님은 어떻다는 말입니까?"

거사는 또 한번 따귀를 치고 나서 말했다.

"눈은 보여도 소경과 마찬가지, 입은 열려 있어도 벙어리와 마찬가지구먼!"


이 이야기는 『벽암록』 42칙에 있는 〈노방호설(老龐好雪)〉로 호설불락별처 (好雪不落別處)라는 공안이다.

처마 밑에 서서 풍경을 바라보니 천지에 눈이 그득하다. 솔직히 말하면 아직 이 천차만별의 가시덤불 같은 공안의 참뜻을 모른다. 그러나 눈이 어디에 떨어 지냐고 묻는다면 맞아도 싸다는 사실 정도는 안다. 더구나 방거사가 손가락으 로 펄펄 내리는 눈을 가리켰을 때, 달을 바라보지 않고 손가락을 바라보는 식 으로, 천지 간에 무차별로 일관하는 풍경을 보며 그곳이 어디냐 묻는다면 행여 따귀를 피한다 해도 어차피 미끄러져 넘어지게 되어 있다.

눈은 송이송이 딴 곳으로 떨어지지 않는 불락별처(不落別處)로 천지 간에 내 려앉고 있다. 더불어 '눈 속에 산이 묻혔는지 산 위에 눈이 덮였는지'의 경계조차 사라져, 불가에서 '내려놓으라'는 분별심의 방하착(放下着)은 완벽하게 실현되고 있다. 수많은 금기를 만들어가며 이리저리 신경을 곤두세우는 피곤한 삶의 여정이란 무별의 이 자리에서 아무리 찾아도 없다.

"나마스떼, 산차이 차?(안녕하세요, 괜찮아요)"

게스트하우스 주인 아주머니가 등뒤에서 잘 잤냐고 묻는다. 돌아보니 김이 모락거리는 더운물 주전자와 넓은 대야를 들고 있는 것으로 보아 세수하라는 뜻이다. 아주머니 얼굴을 알아본 야크가 반갑다는 듯이 콧김을 내뿜으며 고개를 흔드니 방울소리 쩔렁인다. 추위가 보통이 넘어 얼굴을 닦아내기보다는 우선 차 한 잔을 주문한다.

히말라야에서는 일어나자마자 밖으로 나와, 하늘의 구름 상태와 바람의 방향으로 그 날의 날씨를 예측한다. 남쪽에서 계곡을 타고 구름이 상승하는 경우 눈이나 비가 뿌릴 확률이 높다. 그러나 오늘은 눈발로 천지가 희뿌옇게 가려 있어 한치 앞의 예측도 불가능하다. 과거 미래가 끊겨 이 순간 이 자리만이 존재한다.

수만 수억의 눈꽃들이 공간 이곳저곳을 뛰어다니니 참으로 눈부시고 푸짐하다.


어제 해발 4천750m의 이 마을에 도착할 때도 눈포래가 내렸다. 전조(前兆) 없이 처음부터 아예 주먹만한 눈송이가 퍼붓더니 배낭을 풀고 나자 언제 그랬냐는 듯이 거짓말처럼 햇볕이 화사했다. 그러더니 장난스럽게 또다시 눈꽃이 흩날리다가 일순간에 뚝 그치기를 서너 차례 반복했다. 아래쪽 커다란 호수를 따라 마을로 올라오는 길은 순식간에 은백색으로 빛이 넘쳐나며 눈부시게 변해버렸다.

눈이 내리면 모든 길은 지워진다.

평당 100원 짜리 땅에도 금싸라기 땅에도 내리고,

남자 · 여자 · 야크 · 높은 땅 · 낮은 땅에 모두 구별 없이 내린다.

차별이 지워진 이 평등의 세계의 특징은 지극한 아름다움이다.

물결치는 히말라야 봉우리는 모두 히말라야고,

제 아무리 높이 튀어 오른 물방울이나 파도 역시 바다의 일부일 뿐이다.

본질의 평등성을 생각한다면 설산은 물론 모든 존재는 하나의 동일성으로 귀속된다.

눈이 내리면 이런 세상이 쉽게 보인다.

"고운 님이여, 눈길 밟으며 오소서."

흰빛 설산 샛길이 천국으로 이르는 길인 듯 신비로워, 풍경을 보다 잘 보기 위해 밖으로 나와 벽에 등을 기대었다.

그때 마을로 천천히 다가오는 작은 점 두 개가 보였다. 어느 집에서 그들을 먼저 보았을까. 문명사회의 근시안으로는 겨우 점으로 보이는 대상을 이미 누구인지 확실히 알았다는 듯이 마을 여자 네댓 명이 앞다투어 뛰어나갔다. 차를 끓이던 이 집 아주머니 역시 만사를 젖히고 뒤질세라 서둘러 달려나갔다. 아낙들의 웃음소리가 이곳까지 들렸다.

작은 소란 끝에 그 둘을 앞세우고 돌아오는 주인 아주머니 표정은 개선장군처럼 당당하고 만면에 함지박 같은 웃음을 숨기지 못했다.

잘 생긴 얼굴에 오뚝하니 솟아오른 코, 그리고 시원한 이마를 가진 남자와, 그보다 아름답고 귀족의 피가 흐르는 골상을 가진 여자였다. 기억을 더듬어 보아도 영화 장면 이외에는 이렇게 잘 생기고, 잘 어울리는 한 쌍을 본 일이 없었다.

남자는 어깨에 등짐으로 들쳐업은 재봉틀을 내리기 전에, 먼저 여자의 어깨에 둘러진 형형색색의 천을 받아 내렸다. 여자의 어깨에 남아 있는 눈발을 툭툭 털어내주기도 했다. 여자의 따스한 고운 매 눈빛이 남자의 얼굴에 닿더니 이어 남자의 서늘한 눈이 여자의 시선과 고즈넉이 얽혔다.

내 얼굴이 활랑활랑 화끈거렸다. 서로의 체취와 빛깔을 나눠 가지는 애틋한 몸짓과 눈길.

"아름다워라, 고운 임들아."

떠돌이 재봉사 겸 재단사였다. 변변한 재봉틀 하나 없는 히말라야 고산 오지 마을에서 낡은 옷을 수선하고, 때로는 여자가 가지고 온 인도산의 화려한 천으로 새옷을 만들어 주는 직업이었다. 마을 아주머니들은 그들의 일거수일투족에 무한한 애정과 더불어 관심을 기울였고, 그들을 바라보는 눈빛이 연민을 품어 따스하기 그지없었다. 내게 준 컵보다 두세 배 정도 커다란 사발에 따뜻한 차를 담아내었다.

어느새 내게는 사람으로부터 기운을 읽어내는 능력이 생겼을까. 평범한 삶을 꾸려나가는 부부관계는 아니었다. 고달프며, 예사롭지 않은 두 사람 사이의 인연이 쉽게 읽혀졌다. 두 사람 사이의 첫 만남, 두 번째 만남, 이어지는 인연 속에 가족을 포함한 모든 것을 버리고 먼길 떠나야 하는 유랑생활의 시작.

어디서 읽었을까.

"공주는 카스트가 금지하는 사랑으로 인해 신분을 상실하게 되었을 때, 스스럼없이 왕관을 내려놓고, 자신의 장신구를 벗어놓고, 몸종에게 자유를 주고 노래꾼이 되어 먼 곳으로 떠났다. 물론 그 남자가 그림자처럼 뒤따랐다."

마주친 여자의 눈이 아름답되 슬펐다, 그리고 깊었다.


지난 밤 추위는 잘 버티었을까. 그들 역시 일어나 내 옆에 섰다. 걸쳐 입은 옷이 형편없이 얇아 보였다. 양손을 반대편 겨드랑이에 끼우고 발을 구르며 추위를 몰아내지만 어림없어 보인다.

남자의 선한 눈매가 인사를 한다.

"나마스떼."

야크는 체온에 의해 등에 쌓인 눈이 녹아 얼음 덩어리와 고드름이 달렸다. 그 위에 또다시 눈이 내리니 털어주지 않을 수 없다. 사람의 손길을 피하지 않고 야크는 큰 눈으로 오래 전부터 나를 알고 있다는 듯이 내 눈을 주시했다. 털에 단단히 붙은 부분이 잘 떨어지지 않았다.

어제 두 사람은 곧바로 자리잡고 일을 시작했다. 순식간에 수북이 쌓여버린 수선할 옷들을 한쪽에 대충 몰아 놓고, 우선 주문 받은 새옷을 만들기 위해 아름답고 화려한 인도 천을 넓게 펼쳐 재단을 시작했다. 동네 아주머니들과 어느새 몰려든 꼬마들이 따뜻한 차를 들고 기웃거렸다.

문제는 곧바로 시작되었다. 놀랄 만큼 가슴 찡한 목소리로 남자가 노래를 시작한 것이다.

명창(名唱)이었다. 힌두에서도 득음(得音)이 있다면 이것이 득음의 경지가 아니고 무엇이랴.

다리에 힘이 스르르 풀렸다. 한이 담긴 긴 장탄식의 우리네 창과 닮은꼴의 노래가 히말라야 산골 마을에 퍼져나갔다. 그뿐인가, 여자의 노래가 곧바로 이어졌다. 남자의 선창에 따라 농익은 여자가 뒤따르고, 남자가 빠져나가면 여자가 빈자리를 파고들며 이어 나갔다. 비단실처럼 이어지는 목소리로 두 사람은 야물차게 노래를 불렀다.

슬프고 아름다운 라가.

내 귀에는 이렇게 들렸다.


어머니, 제가 고향을 떠난 이유를 아십니까.

아내여, 내가 지상에서 당신과의 인연을 버린 이유를 아는가.

크리슈나여, 당신의 뜻대로 산길을 헤매나니,

모든 사람이여,

다음 삶에는 우리 함께 살 수 있도록 축원하소서.


마을 여자들은 호주머니에서 지폐를 꺼내 마구 구겨서는 펼쳐 놓은 천 위에 던졌다. 1루삐, 2루삐짜리 지폐가 꽃잎처럼 혹은 나비인양 하나, 둘, 셋, 넷,

다섯 천천히 떨어졌다. 바쁘게 돌아가는 재봉틀 박자와 가위질 사이에 그런 긴 호흡이 어울릴 수 있다니……

두 사람 사이에는 무슨 사연이 있을까. 카스트 신분을 뛰어넘는 어떤 사랑일까, 피할 수 없는 인연의 운명일까. 오가는 인생 길에 애틋하게 피어난 애달픈 연분일까.

가끔 그들은 일을 멈추며 시선을 살풋하게 나누었다. 이들 사이는 보통 인연이 아니었다. 이루어질 수 없는 부적절한 인연을 이루고자 먼길 떠난 사람들이었는지, 나이 차이가 제법 나는 외모하며, 서로 주고받는 더운 눈짓, 몸짓에서 도피의 냄새가 풍성하게 스며 나왔다.

경전은 '애착은 여자 재봉사와 같다. 애착은 끝없는 윤회로 남자를 꿰매어 버리기 때문'이라고 했다.

바느질이란 두 세상을 하나로 묶는 일, 그들이 열심히 이어가는 재봉틀의 바늘코는 두 면의 천을 하나로 묶는 작업, 그것이 바로 서로 떨어져 있는 둘이 하나가 되는 인연이 아닌가. 면을 잇고 붙이는 작업은 바로 애착이며 인연 속성이리라. 사랑이라는 이름의 애착은 동기를 부여하여 업보에 무게를 늘려간다. 세상의 인연은 그렇게 제자리를 찾는가.

밤늦도록 얇은 나무로 이어진 옆방에서 꿈결같은 목소리를 들었다. 히말라야 산 마을에서의 아름다운 노랫소리와 함께 한 지난 오후와 밤이었다.


주인 아주머니는 작은 소반에 차를 담아 왔다. 야크의 등을 그만 털어내고 작은 잔을 잡았다. 남자는 다시 콧노래를 웅얼대며 차를 들이켰다. 여자는 푸석한 머리를 감추려는지 털모자를 쓰고 나왔다. 더운 김을 후욱후욱 불어가며, 가끔 눈길을 나누며 차를 마시는 이 사람들은 카르마에 얽혀 있으되 측은해 보

이즘 혹은 이념이 무(無)로 전환되는 자리가 바로
지극한 아름다움 혹은 종교의 진정한 뿌리가 시작되는 곳이다.
이즘과 이념에 매달리는 일은 이원론자로 만들어 편가르기에 열중하는 부류로 편입된다.
자연을 보고 탄성을 지르는 순간, 즉 일심이 되는 그 순간을 히말라야에서 배워야 한다.
그렇지 않아도 하얀 산에 흰 눈이 내리면 바로 그 자리로 발을 내딛는 것이다.

이지 않는 이유를 알 수 없었다.

차를 마신 두 사람은 아침식사도 거른 채 짐을 꾸리기 시작했다. 여자의 짐이 어제보다는 줄어 보였다. 그러다가 잠시 눈이 멈추자 서둘러 등짐을 메기 시작했다. 목적지가 어디일까. 서둘러 떠나지 않는다면 오늘 내에 들어가지 못하는 마을임이 틀림없었다.

그들의 어깨 위로 약간의 눈이 내렸다가 금세 그쳤다. 주인 아주머니는 문에 기대어 서서 한숨을 쉬었고 그들이 사라질 때까지 시선을 놓지 않았다.

"각자의 인연을 따라 세상 끝으로 흩어져 가는구나."

또 한 번 하얀 입김을 토해내는 아주머니의 긴 한숨. 나 역시 두 사람이 하얀 설산 라리와 촐라체 사이로 점이 되어 사라질 때까지 아주머니 옆에 서서 뒷배웅했다. 옛말에 소맷자락 한 번 슬며시 스쳐감도 먼 세월, 먼 인연으로 달려와 얽힌 정이라던데, 이들 사이의 삶이란 만겁 억겁의 전생 인연이리라.

"다음 생에는 둘이 아닌 하나의 무상보리로 태어나시기를……"

"꼭 필요한 하나의 인연을 위해서는, 욕망이 쉴새 없이 휘젓는 번뇌의 진흙탕에서 아픈 것들은 아픈 대로 사랑하시기를."

모든 업보(카르마)가 해소되어 깨끗해져야 대철대오를 얻는다고 했다. '업
장을 다하면 공이지만, 다하지 못하면 모름지기 빚을 갚아야 한다(了即業障本
來空 未了還須償宿債)'는 영가선사(永嘉禪師)의 말씀도 있다.

저들도 저들이지만 나의 부채는 얼마나 끔찍하게 많은지, 나의 업이 저 설산
처럼 무량으로 무거운 것은 아닌지……. 가족을 포함한 잊혀졌던 인연들이 서
둘러 마음 안에서 튀어나왔다.

그들이 점이 되기도 전에 다시 모진 눈이 퍼붓기 시작했다. 그야말로 무차별
이었다.


　　　팔만 사천 번뇌의 구름에 쌓여

　　　어둡기만 하였다.

　　　무명(無明)이로다.

　　　무명(無明)이로다.

　　　부딪혀 넘어지고

　　　터지고 부러지는

　　　아픔만이 가득하였다.


　　　아득한 인연의 뒤안

　　　어디쯤에서

　　　우리들 눈길이 처음 마주쳤을까?

　　　만남은 고통이라는데

　　　만나면 괴롭다는데

인연에 대한 공부는 설산에서 하는 것이 으뜸이다.

눈이 내리지 않아도 눈을 놓는 자리마다 열리는
무차별한 아름다운 경관이 인연을 바라보는 법을 깨우쳐준다. 인연이 무겁더냐?
가볍더냐? 차별이 있더냐? 주변 풍경은 끊임없이 물어보며 답을 요구한다.

헤어지면 다시 만날

꿈으로 즐겁기만 하니

이미 정해진 만남이었다.

— 김동률의 〈무명(無明), 그리고 만남〉


펑펑 내리는 눈으로 모든 길이 또다시 사라졌다. 그들이 남긴 발자국조차 새롭게 내린 눈에 완벽하게 감추어졌다.

사실 길이란 인연이 서로 만나는 시공간이니 우리는 길에서 만나, 길에서 사랑을 나누다가, 길을 구하며, 길에서 죽어 가는 존재다. 길에서 만남은 삶이며 이 만남 안에서 유식(唯識)이 열린다. 만나면 변화를 거듭하고 이것이 앎으로 이어진다. 앎으로 깨어날 수 있는 방향으로 향한다면, 무게는 줄어들리라.

저잣거리 세상의 인연을 피하기 위해 히말라야에 들어온 나는, 사실 무거운 인연을 내내 업고 다닌 것은 아닐까.

삶에서 인연을 과도하게 생각할 필요가 있는가?

인연의 무거움을 늘 생각하며 마음에 품고 살아야 할 것인가?

"네가 있어 내가 있고, 내가 있어 네가 존재하는 모진 인연의 매듭은 언제 풀어지고, 겁을 바꾸어가며 이어져 나가는 수레바퀴에서 묶이지 않는 세월은 또 언제더냐."

눈은 편편불락불처다. 평당 100만원짜리 땅에도 10원짜리 땅에도 내리고, 남자의 머리 위에 여자의 머리 위에도 날린다. 평지에도 떨어지고 경사면에도 공평하게 내린다. 자신의 업보에 따라 곳곳에 자리잡는 인연이란 무차별한 이 자리엔 없다.

법안(法眼, 885~958) 선사는 도반과 함께 만행을 나섰다가 폭설을 만나 지장원에 머무른다. 그곳에서 계침(桂琛) 선사를 만난다.

며칠 후 눈이 그쳐 떠나겠다고 하자 계침선사가 문앞까지 전송하며 말했다.

"삼계(三界)가 모두 마음 안에 있다고 말을 한다."

그리고 뜰 앞에 놓인 돌덩어리를 가리키며 말했다.

"그렇다면 저 돌은 마음 안에 있는지 마음 바깥에 있는지 말해 보라."

법안이 대답했다.

"마음 안에 있습니다."

그러자 계침선사가 되받았다.

"행각하는 사람이 무슨 이유로 마음속에 돌덩어리를 넣고 다니는가?"

법안은 행각을 포기하고 계침 문하에 들어가 수행을 거듭하여 계침의 법을 이어나가게 되었다.


내린 눈 덕분에 법안(法眼)은 법을 보는 눈[法眼]을 얻었다. 하착의 낙처의 경지는 바로 지금 이 자리이다. 아무런 분별심 없는 평등보편(平等普遍)으로, 그 어떤 주저함이 없이 떨어지려 했던 자리에 떨어지는 무위의 눈이다. 그들은 무심하게 제자리를 찾아 내 마음에 기쁨을 선사한다. 정신을 집중하고, 번뇌를 떨구어 내면 몸과 마음이 모두 점차 가벼워지는 경안(輕安)에 이르노니 선업이 없고 죄업도 없으니 무게가 있을 리 없다.

인연을 무겁게 볼 이유는 없다. 불구부정(不垢不淨)의 무게를 아는 사람 있는가.

"삶에서 인연을 보는 눈도 저러해야지."

오늘 눈[雪]이 마을로 가는 길을 숨겼으나 법안(法眼)으로 가는 길을 보여

준다.

깨달음에 대한 그리움이 아름다움만큼 그리워진다. 아무 생각 없이 제자리에 내려앉는 눈꽃을 보니 보현경계(普賢境界)의 절대평등이 목전이다. 히말라야 내리는 눈 덕분에 본래면목이라는 고향소식을 듣는다.

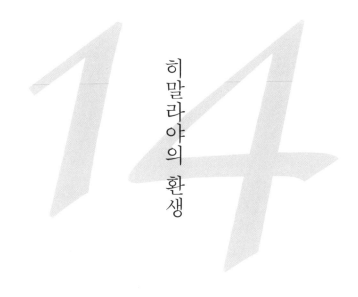

히말라야의 환생

14

어렸을 적에 어머니한테서 들은 이야기다.

개를 사랑해야 하는 까닭은 개가 다음 생에서 환생해서 사람으로 태어나기 때문이라고 한다.

모든 중생이 천상(天上), 인간(人間), 수라(修羅), 아귀(餓鬼), 축생(畜生), 지옥(地獄)의

여섯 가지 세상을 편력〔六途輪廻〕한다는 이 사상은 아직도 우리의 민속신앙에 깊이 뿌리박고 있다.

불교가 국교로서는 물러난 지 이미 오백 년이 지났으되,

어머니의 심정에서는 불식할 수 없는 굳은 신앙이요 영원히 살아 있는 진리인 것 같다.

— 고형곤의 『선의 세계』 〈서론〉 중에서

# 히말라야의 환생

뒤편에서 방울소리가 들리는가 했더니 곧바로 야크들이 나타났다. 빠른 시간 안에 길 안쪽으로 붙어야 한다. 길이 좁은데다가 한쪽이 절벽이라 바깥쪽에 서게 되면 야크에게 밀려 까마득한 절벽 아래로 떨어지게 된다. 더구나 짐을 많이 실은 야크는 짐의 부피 때문에 좁은 길에서는 더욱 위험하기 마련이다.

재빠르게 안쪽으로 비켜서며 휘파람을 휘리릭 불어 사람이 있음을 알린다.

무거운 짐을 걸머진 야크들의 씩씩거리는 모습이 여간 힘들어 보이지 않는다.

축복을 던져준다.

"다음에는 사람으로 태어나거라."

옆에 선 라우지가 말을 받는다.

"부잣집 아들로 태어나라."

히말라야 지역의 사람들은 동물의 환생을 믿는다. 하여 미물이라도 윤회전생을 통해 때에 이르면 해탈에 도착한다고 이야기한다. 알아들을 리 없는 야크는 큰눈으로 나를 쳐다보며 길을 멈추지 않고 진행한다.

야크 뒤를 따라 조금 올라서자 풍경이 좋다. 걸음을 멈추고 만 길의 얼음 덩어리가 바위와 함께 하늘로 불끈 솟구친 까마득한 설벽을 바라본다.

저렇게 높은 히말라야 위에 물의 성분인 눈얼음이 자리하고 있으니 보통 의미가 아니다. 부동(不動)을 나타내는 산(山)과 동적(動的) 대표주자인 물〔水〕이 하얀 덩어리를 만들어 한자리에서 어울려 있으니 음양정동의 구분이 끊어진 법신이다.

물을 좋아하면 덕자(德子)고 산을 좋아하면 지자(知者)라면 히말라야 봉우리는 지덕의 구분이 사라지니 설산의 의미는 결국 초월초탈인 셈이다.

정상 아래는 곧바로 수직으로 깎아지른 절벽이 장관이다. 백장, 천장의 높이로 하늘 턱 바로 아래까지 이어지니 그 모습이 선사로 치면 그야말로 가히 백장(百丈)이다.

하루 일하지 않으면 먹지 않는다(一日不作 一日不食)의 〈백장청규(百丈淸規)〉 주인공 백장은 마조 문하로 홍주(洪州)의 신오(新吳) 국경지대인 대웅산에 자리했다. 거처가 바위와 묏부리가 깎아지른 듯 높았던 탓에 산세의 형태를 따라 백장이라 부르게 되었다고 한다.

우뚝한 히말라야의 남벽을 바라보니 백장선사를 뵙는 듯하여 잠시 배낭을 내려놓고 삼배의 예를 올린다. 하늘 아래까지 턱을 들이민 얼음 절벽을 보며 선기 충천한 백장선사를 생각하지 않는다는 것은 도리어 이상한 일이리라.

라우지는 절하는 나를 보며 어리둥절한 표정을 짓는다. 아래쪽은 검은 입을 벌린 크레바스로 무장한 채 세속인의 접근을 막으며, 그 위로 산안개를 피워내 허리 부근을 둘러 장엄함을 보인다. 면벽 9년의 무문관 가시덤불 안에 들어앉은 스승의 처소인양 속인의 출입이 여의롭지 못하다.

햇살이 솟아오른다. 아름다운 태양과 더불은 훈풍은 이 고도에서는 때로는 위협을 동반한다. 동토의 흔적들, 눈 처마들, 위험스러이 겹쳐진 눈덩이들이

강대한 기백을 가진 산줄기에 내리쪼이는 강한 햇살은
거울처럼 모든 것을 맑고 환하게 투영한다.
지극한 음기란 고요하고 차며, 지극한 양기란 밝고 덥다.
고요하고 찬 음기는 땅에서 나오고 밝고 더운 양기는 하늘에서 생긴다.

장자에 의하면 이 두 가지의 기가 섞여 서로 통해 화합하면서 만물이 생겨난다고 한다.
히말라야에서는 이 기운이 피부로 느껴진다. 바로 본지풍광이다.

무너지고 허물어지면서 눈사태를 일으켜 저지대를 습격한다.

역시 우측 전방에서 눈사태가 일어나 구름이 봉우리들을 감추듯, 주변의 작은 봉우리를 포함해서 모든 것들을 차례차례 휩쓸어 버린다. 저지대가 포연처럼 자욱하더니 한참 후에 폭탄 소리처럼 으르렁거리며 눈폭풍이 하얀 구름으로 다가선다. 눈사태가 일어나고 그 순간에 떠오른 눈가루들이 계곡 반대편인 이 자리까지 밀려오는 것이다. 눈사태처럼 위험하지는 않지만 피하지 않으면 온통 눈가루를 뒤집어쓴다.

어떤 스님이 백장에게 물었다.

"무엇이 신통한 일입니까?"

"대웅산(大雄山)에 홀로 앉아 있는 것이다."

그 스님이 절을 하자, 스님께서는 그대로 후려쳤다.

눈바람이 마치 임제의 할! 혹은 덕산의 방처럼 후려치는 듯 몰려온다. 가슴속에 간직한 바가 없어 꺼낼래야 꺼낼 것이 없는 애송이 스님인양 허겁지겁 바위 뒤로 물러난다.

야크의 딸랑이는 방울소리가 쉽게 멀어지지 않는다. 모두 제자리에 살게 마련이라 그 엄청난 몸집과 체중으로는 이 정도의 눈가루 바람에는 무관하여 다행이다. 마치 경계가 깊다고나 할까.

산이 험하면 온갖 기이한 동물이 설친다던가. 대웅산에서 백장이 법문 할 때마다 노인 하나가 대중들과 설법을 들었다고 한다. 하루는 모두 물러간 후에도 노인 하나가 떠나지 않고 혼자 남아 있어 백장이 물었다.

『종용록』제8칙 〈백장야호(百丈野狐)〉의 이야기다.

"그대는 누구신가?"

"저는 사람이 아닙니다. 오래 전 가섭불 당시 이 산에 주석하였는데, 어떤 학인이 '수행을 많이 한 사람도 인과에 떨어지느냐'는 질문에 제가 '인과에 떨어지지 않는다'고 대답했습니다. 덕분에 5백 생 동안 여우의 몸을 받게 되었습니다. 이제 청컨대 스님께서 저를 대신하여 화두를 내려 주시어 여우의 몸을 벗게 해 주십시오."

"그대가 물어 보라."

"수행을 많이 한 사람도 인과에 떨어집니까(不落因果)?"

"인과에 어둡지 않다(不昧因果)."

노인은 이 말에 크게 깨닫고 절을 올리면서 말했다.

"저는 이제 여우의 몸을 벗었습니다. 산 뒤쪽에 머물고 있으니 바라건대 스님처럼 장례를 치러 주십시오."

히말라야는 환생의 땅이다. 테라이(평원) 곳곳에 넓게 퍼진 사원의 주인인 힌두가 그러하고, 히말라야 자락으로 올라서면서 줄지어 이어지는 초르텐과 마니석의 주인공인 불교 역시 환생의 종교다. 힌두교에서 구루들의 수많은 환생은 물론, 불교 역시 여러 린포체와 달라이 라마가 환생으로 다시 태어나 히말라야 자락에서 대중의 빛이 되고 있다.

이들은 삶 이후에 또 다른 삶이 기다리고 있으며, 이승에서의 행동에 따라 이어지는 다음 삶의 질이 결정된다고 믿는다. 즉 '뿌린 대로 거두어진다'는 매혹적인 교리를 신봉한다. 더불어 윤회전생을 반복하다가 궁극적으로는 끝내 존재, 즉 고(苦)로부터의 완벽한 해방을 원한다.

시선 저편에 몇몇 가구가 몰려 있는 마을이 보이고, 마을 앞으로는 큼직한 호수가 자리잡고 있다. 히말라야에서는 빤히 보이는 저곳까지 반나절 이상 걸어야 도착하는 경우가 대부분이다. 몬순에 따라 커지고 작아진다는 사파이어 빛 호수는 대부분 얼어붙어 서늘한 분위기를 만든다. 다시 눈을 돌려보면 좌측으로부터 낭파이, 고숨, 기아충캉이 어깨를 이어가며 장관을 만들어 무엇 하나 더하지 않고 무엇 하나 빼낼 필요가 없는 불탈부점(不脫不點)의 선화로 천봉만악(千峰萬岳)의 풍경을 이어나간다.

햇살이 서서히 강해지며 가스가 가라앉자 룽쌈빠와 고줌빠 빙하가 설침과 빙침으로 무장한 험한 모습을 낱낱이 보여 준다. 당당하다.

불교에서는 붓다 역시 수많은 전생을 겪었다고 이야기한다. 전생설화『자타카(Jataka)』에 의하면 고타마 싯달다로 태어나기 전, 아득한 과거의 세상에 이 히말라야에서 수행자(설산동자)로 살았던 시기가 있었다고 한다.


설산동자는 오로지 해탈의 도를 구하기 위해서 가족도 부귀영화도 모두 버리고 설산에서 고행을 하고 있었다. 이를 본 제석천(帝釋天)이 설산동자의 구도심을 시험해 보려고 아주 무서운 살인귀인 나찰의 모습으로 둔갑하여 하늘에서 설산으로 내려왔다. 그리고 설산동자에게 가까이 가서 지난날에 과거불이 설법한 게송(偈頌) 가운데 일부만 들려주었다.

야크라는 짐승은 지상에서 가장 믿음직스럽다.

히말라야를 넘나드는 상인들의 짐을 나르고 우유와 가죽은 물론 배설물까지 인간을 위해 보시한다.
그 듬직한 몸과 더불어 깊고 따스한 눈빛은 야크를 처음 보는 사람이라도
단숨에 자신의 친구로 만들어 버린다.

"제행무상(諸行無常)하니 시생멸법(是生滅法)이라."

이 게송을 들은 설산동자의 마음은 비길 데 없이 기쁘고 환희로웠으며 깨달음의 등불이 바로 눈앞에 다가오는 것만 같았다.

"지금 게송을 설한 분은 누구십니까?"

고행하던 설산동자는 자리에서 일어나 주위를 살펴봤다. 그러나 거기에는 무서운 나찰 이외에는 다른 사람이라고는 아무도 없었다.

설산동자는 나찰에게 물었다.

"지금 게송의 반을 읊은 자가 바로 그대인가?"

"그렇다."

"그대는 어디서 게문을 들었는가? 나에게 그 나머지 반도 마저 들려주기 바란다. 만일 나를 위해서 게송의 전부를 들려준다면 평생 그대의 제자가 되리다."

"그대, 수행자여! 그렇게 물어 봐도 아무 소용이 없단다. 나는 벌써 며칠이나 굶어 허기에 지쳐서 말할 기력조차 없기 때문이다."

"그렇다면 그대가 먹는 것은 무엇인가?"

"그것은 묻지 않는 것이 좋을 것이다. 단지 사람들을 무섭게 할 뿐이니까."

"여기에는 너와 나밖에 없으니 어서 말해 보아라."

"정 그렇다면 말하지. 내가 먹는 것은 오직 사람의 살이고, 마시는 것은 사람의 피다."

설산동자는 한참 동안 생각하였다.

그리고 조용히 입을 열었다.

"좋다. 그렇다면 그 뒤의 나머지 게송을 마저 들려다오. 그 반을 듣기만 한다면 나는 이 몸뚱이를 기꺼이 그대의 먹이로 바치리라."

"어리석도다. 그대는 겨우 여덟 글자의 게송을 위해서 목숨을 바치려 하는

가?"

"참말로 그대는 무지하구나! 옹기그릇을 깨고 금그릇을 얻는다면 누구라도 기꺼이 옹기그릇을 깰 것이다. 무상한 이 몸을 버리고 금강신(金剛身)을 얻으려는 것이니 게송의 나머지 반을 들어서 깨달음을 얻는다면 아무런 후회도 미련도 없다. 어서 나머지 게송이나 들려다오."

나찰은 지그시 눈을 감고, 목소리를 가다듬어 나머지 게문을 읊었다.

"생멸멸이(生滅滅已)면 적멸위락(寂滅爲樂)이니라."

나머지 게문을 읊은 나찰은 지체 없이 설산동자의 몸을 요구했다.

이미 죽음을 각오한 설산동자는 죽음이 두렵지 않았다. 그러나 그대로 죽으면 세상 사람들이 이 귀중한 진리를 알 수 없어서 전혀 도움이 되지 않으니 '제행무상(諸行無常) 시생멸법(是生滅法) 생멸멸이(生滅滅已) 적멸위락(寂滅爲樂)'이라는 게송을 세상 사람들에게 남기기로 결심을 했다. 바위나 돌, 나무, 길 등에 이 게송을 많이 써 두었다.

그 후 높은 바위 위로 올라가서 나찰이 있는 곳을 향해 허공으로 몸을 던졌다. 그러나 설산동자의 몸이 땅에 떨어지기 전에 나찰은 다시 제석천 본래의 모습으로 돌아와서 커다란 손으로 설산동자를 받아 땅 위에 고이 내려놓았다.

제석천을 비롯하여 모든 천상의 사람들은 설산동자 발 아래에 엎드려 목숨을 거는 구도심을 찬미하였다.


이 세상의 모든 것은 무엇이든 한결같음이 없도다.

이것이 바로 생멸하는 우주 만물 속에 내재해 있는 진정한 법칙이다.

그러므로 생하고 멸하는 것마저 이미 멸해 버린다면

고요하고 고요한 진정한 열반의 즐거움을 얻게 되리라.

（諸行無常 是生滅法 生滅滅已 寂滅爲樂）

—『대열반경(大涅槃經)』「성행품(聖行品)」


　백척간두에서 다시 한 발 나갈 수 있으면 시방세계가 통째로 드러난다고 했던가. 내가 서 있는 자리의 우하면은 절벽이다. 오른발을 슬쩍 내민다면 왼발에 의지한 몸은 반쯤 백척간두 허공에 떠 있게 된다.

　선문에서 '서 있는 자리를 확인하라'는 조고각하(照顧脚下)에 의하면 죽음이 발 한뼘에 달려 있다. 아래로는 나찰이 아닌 크레바스들이 한랭의 지옥처럼 요란하다. 그 위험함 속의 아름다움이라니……, 아름답고 강대한 것은 모두 크리슈나의 장려함의 한 단편에서 흘러나왔다는 탄식이 들려온다.

　그곳을 향해 이래로 몸을 휘리릭 던지는 설산동자의 옷자락이 보이는 듯하다.

　"나는 무엇에 목숨을 걸 것인가?"

　"해탈에 건다!"

　질문이 채 끝나기도 전에 전광석화처럼 답이 튀어나온다. 피안의 해탈로 가는 지름길은 출가 구도자로 살아야 함이 지름길이다. 그러나 이미 일가를 이루고 있는 이 삶에서는 쉬운 일이 아니다. 내가 오늘 이 자리에 있음은 내가 태어나기 전의 일련의 사건의 결과이다. 그러나 최후의 종자까지 태우기 위해서는 내일이면 늦으니, 우선 이번 삶을 충실히 살 일이고, 계를 지키고 마음공부를 쉬지 않아 영적인 공덕을 쌓아야 하니 '천천히 서둘러야' 한다.

　불가의 궁극적인 목표는 해탈이며 윤회를 끊는 것이기에, 윤회를 준비한다는 것은 바람직하지 않지만, 환생이 있다면 한 번쯤 생을 늦추고 나는 돌아온다. 내 아들의 손자로 환생해서 동진출가한다. 그러기 위해서는 우선 아이들을 뒷빠라아찌이(바라지)해서 반듯하게 키워야 한다.

바라지라는 말은 산스크리트가 어원이다. 즉 파라아치이에서 왔다. '멀리, 뒤에, 반대, 쪽으로, 피안' 등을 의미하는 접두어 파라아(paraa), 그리고 '가다, 숙이다, 구부리다, 예배하다, 존경하다, 장식하다, 요구하다, 중얼거리다' 등의 의미를 지닌 어근 안츠(anc)가 합하여 만들어진 형용사 또는 동사다.

카르만(karman)이란 낱말과 결합하여 파라아치이카르만(paraaciikarman)이란 복합어를 이루어 장례 의식 가운데의 한 절차를 의미하기도 한다. 사십구재의 마지막 정리를 하는 바라지 스님이란 말은 이러한 파라아치이 의식을 집행하는 스님을 지칭하는 말이다.

바라지라는 이야기는 본래 피안으로 보내는 대승적 보살 정신이 숨겨진 아름다운 단어다. 그 불교용어가 세상 바깥으로 나와 이제는 뒷바라지처럼 흔히 쓰는 일상용어가 되었다.


공작새는 집을 떠나온 수행자들의 거처와 일치한다. 우림에서부터 히말라야 저부까지 자리한다. 숲에서 명상을 거듭하던 고대 인도의 수행자들은 공작새의 화려한 모습에 감동했다. 그러나 무엇보다 공작새가 맹독의 코브라를 먹어치우는 모습에서 경이로움을 품은 듯하다.

"독이 가득한 독을 먹어도 독에 물들지 않고……"

산림 은자들은 공작이 머무는 주변에는 뱀이 없어 마음놓고 용맹정진 할 수 있었으니, 우주의 독을 마셔버린 시바신을 상기하며, 진흙탕에서 물들지 않고 청초히 피어오르는 연꽃과 함께 경전과 시를 통해 '흙탕물에 물들지 않고, 독에 물들지 않는' 연꽃과 공작새를 칭송했다. 더불어 현재 공작새는 인도의 국조로 대우받고 있다.

밀교에서는 어떤 비구가 나무를 하다가 뱀에게 엄지발가락을 물려 고통받고 있을 때, 붓다가 불모공작명왕대다라니(佛母孔雀明王大陀羅尼)를 설법했다고 하는데, 그 주문은 뱀의 독은 물론이고 모든 병을 낫게 하며, 재앙을 물리치고, 비를 오게 하는 등, 인간에게 이득을 준다고 한다. 불모대공작명왕(佛母大孔雀明王), 공작왕모보살(孔雀王母菩薩)이라는 명칭은 바로 공작새의 이런 '독에 물들지 않는' 모습에서 인도로부터 티베트 경전 안으로 스며들었다.

아이들을 공작으로 키워내는 일은 어렵다. 그러나 눈을 돌려보면 세상 외부의 많은 독성과 내부에서 스스로 끓어오르는 독을 제거하고 순화하기 위해서는 부모와 스승의 입장이 중요하다. 어린 새싹은 조금이라도 강렬한 햇살과 거센 빗물은 이겨낼 수 없기에 굵은 줄기를 가질 때까지 부모와 스승의 역할은 강조해도 지나침이 없다.

1991년부터 자신의 나라 일본을 떠나 인도에서 새로운 삶을 시작한 마키 가쥬미다시라는 바울이 있다. 바울은 음유시인으로 '그들의 전통을 좇아 악기가 든 주황색 바랑을 둘러메고 길을 떠돌며 살아간다. 신에 대한 헌신과 노래와 수행을 삶의 최고 덕목'으로 여기는 노래꾼 집단이다.

그녀는 인터뷰를 하던 작가 임헌갑 앞에서 이렇게 노래를 불렀다.


나는 형제보다 먼저 태어났네.
나는 아버지보다 먼저 이 세상에 왔지.
누가 이 말을 이해할 수 있는지
내게 말해다오.
　　　　　― 임헌갑의 『길 끝나는 곳에서 길을 묻는다』 중에서


나는 이 노래의 뜻을 안다. 환생이라는 통로를 따라 이 세상에 다시 왔을 때,

크레바스가 발 밑에서 펼쳐지는 자리에 서면 내가 서 있는 자리가 확연하다.

## 목숨이 걸려 있기 때문이다.

이런 위태로운 자리에서조차 실상을 깨고

한 발자국 더 나가는 백척간두 진일보가 필요하다고 한다.

저잣거리의 일상에서는 내가 어느 자리에 있는지조차 불분명하니 늘 깨어 있지 못함을 반성하게 된다.

나의 아버지, 할아버지보다 먼저 이 세상에 오지 않았던가. 미래는 이미 전개되었고 과거는 또다시 앞에 놓였다.

인도 바라나시 뒷골목의 미로나 히말라야의 맑은 아침에 문득 시간의 저편에서 왔음(드쟈브, Deja Vu)을 느끼며 과거의 기억을 되찾는 경우가 있다. 그럴 때면 『장자』의 〈천하〉 편에 나오는 사물의 본성을 두루 밝히는 열 가지 명제라는 역물십사(厤物十事)에 '오늘 월나라에 갔다가 어제 왔다(今日適越而昔來)'는 시제를 무시하는 이야기까지 긍정하게 한다.

조용하고 눈에 보이지 않지만 확실하게 움직이는 거대한 힘인 카르마. 삶의 오르막과 내리막 안에서 무엇인가 확실한 힘으로 그렇게 살았고 이렇게 살아야 되는 원동력이 되고 있음을 느낀다. 향을 태우면 그 향이 옷에 스며들어, 비록 향이 사라져도 향기가 남는 훈습(薰習)의 길을 따르는 축적의 구조.

지칠 줄 모르는 열정으로 삶을 거듭해야 마음 종자개량을 통해 해탈에 도달한다고 말한다. 진리를 자주 접하고 눈밝은 이야기를 많이 듣고 읽으면, 내부의 무의식 세계가 풍부하고 깊어져, 그런 삶 하나하나가 초석이 되어 언젠가는 33계단을 올라서 조사들과 어깨동무를 할 수 있다고 한다.

멀지 않은 설산에 '생사사대의 무상은 신속하다(生死事大 無常迅速). 각각 마땅히 성찰할지어다. 삼가 방일치 말라(各宜醒覺 愼勿放逸)'는 산사의 주련(柱聯)이 보이는 듯하다.

달라이 라마는 버지니아 대학에서 '티베트인의 죽음관'을 이야기하면서 전생기억에 대해 이렇게 말했다.

죽음의 순간에서 그 마음이 그 다음 생(生)으로의 연속성의 근인(根因)이므로 유용하게 죽음의 순간 가까이에서 그 마음을 이용하는 것이 중요합니다……. (죽음의)

소멸의 단계동안 감지하는 것이 중요합니다. 여러분이 감지하는 만큼 다 많이 환생 후에 전생을 기억해 낼 수 있는 능력을 갖게 됩니다. 이것은 밤에 잠자리에 들기 전에 우리가 강하게 명확한 인식을 갖고 아침에 몇 시에 일어나서 무엇을 하기를 원하기를 결정하면 비록 잠들어 있는 동안 우리가 기억하지는 못할지라도 사전의 의도 때문에 우리는 그 시간에 정확히 일어나 즉각 우리가 할 일을 기억합니다. 같은 방법으로, 이 런 죽어 가는 극면 동안 지각이 남아 있는 만큼 계속 세심하게 경계해야 합니다.

— 달라이 라마의 『빛을 향한 명상』 중에서

죽음과 맞부딪쳐 육신의 낡은 옷을 벗어놓고 중음으로 떠날 때, 각오를 새롭 게 하는 일이 내생에 중요하다는 이야기다. 죽음이 두려워 우왕좌왕하지 말고 다가오는 죽음을 응시하며 내생에서 해야 할 일을 소망하면서 강하게 행(行)을 심어야 한다는 말씀이다.

동양의 스승들은 그런 식으로 환생이라는 통로를 따라 육신을 바꿔 입어 왔 다. 사실 범부중생이 다시 돌아오는 것을 '환생'이라 하고, 붓다의 『자타카 (Jataka)』처럼 인간사로 되돌아오는 것은 '본생'이라 하니, 삶을 거듭하며 카 르마를 정화하고 선근을 쌓아가며 성불의 도를 추구하는 것은 '본생'에 이르는 길이다.

다짐한다.

"돌아온다."

또 다른 야크가 온다. 조금 뒤쳐진 녀석이다. 몇 m 뒤로는 몰이꾼이 휘파람 을 휘익휘익 불어대며 무거운 그림자를 끌며 뒤떨어진 야크의 길을 재촉한다. 회초리를 허공에 획획 휘둘러가며 빠른 걸음을 주문한다. 훌륭한 말은 채찍 그 림자만 봐도 달린다(如世良馬 見鞭影而行)든가, 야크는 회초리 소리에 속도를

히말라야를 배경으로 살고 있는
사람들의 생사관은 환생이다.

죽어 다시 이 세상에 오는 것으로
그 배경은 스스로 만든 업의 인과로 인한 역동적인 현상이다.
나의 스승, 가족은 물론 주변의 생명체들은 전생의 나의 업에 따른 결과이기에,
갚아야 할 빚이며 받아들여도 좋을 선물이다.

높인다.

길섶으로 물러서면서 이야기한다.

"다음 삶에 사람으로 태어나라. 이승에서 무거운 짐을 지고, 카르마는 모두 소진시켜 빚을 모두 갚은 뒤, 사람으로 환생해라."

라우지가 말한다.

"부잣집 아들로 태어나라."

그래, 그곳도 좋은 일이겠지. 그러나 그것은 후생(後生)의 금화란 세월 속에 아무런 가치가 없으니 내가 다시 말을 받는다.

"그리고 출가해서 사문 수행자가 되어라."

인간은 자신의 의지 속에 내생을 결정한다고 하지만 동물은 불가능하다. 스스로의 힘이 약할 경우 어린아이처럼 손을 잡아 일으켜 세워 주어야 하니 그것이 동물에게 던지는 발보리심의 축원이다.

설산이 눈부셔 똑바로 바라볼 수 없다. 임사 체험자들에 의하면 죽음의 문턱을 넘어서면 엄청난 빛을 본다고 했다. 그리고는 '그대는 당신의 일생동안 무슨 일을 했는가?'라는 취지의 질문을 만난다고 했다. 지금 설산은 안팎을 끊는 강렬한 은빛과 백열을 내뿜으며 지나온 삶을 투시한다. 야크의 삶, 라우지의 지나온 길 등의 과거가 선연하다. 나의 무지가 그 밝은 빛에 의해 낡고 헤져 떨어져 나가는 듯하다.

숨죽인 고요한 설산이 역동적이라면 이상한 이야기일까. 가파른 단애 같은 하얀 철벽이 내부에 엄청난 충일한 힘을 품고 있다.

산을 마주 본다.

백장의 주석이란 쉬운 일이 아니다. 흐트러지지 않고 부동으로 자리한 저 섬뜩한 절대(絶大)의 절대(絶對).

탈속의 모습인 하얀 백장(白裝), 수승한 형태의 아찔한 백장(百丈)의 남벽은 전문 등반가들에게도 어려운 코스리라.

백장은 대중들에게 '공양이 끝난 후에 열반승의 장례를 치른다'고 알리도록 하였다. 그러자 사람들은 '대중이 아무 일이 없고 열반당에 병든 스님이 없는데, 어인 일인지' 의아스럽게 생각했다. 백장은 대중을 이끌고 산 뒤쪽 바위 아래에 이르러 지팡이를 가지고 죽은 여우를 한 마리 꺼내 법에 따라 화장했다

인과에 떨어지지 않는다(不落因果).

인과에 어둡지 않다(不昧因果).

이 말 한 마디 차이가 오백 생을 여우로 살 정도로 그렇게 엄청나다는 것일까? 허공에 흩어지는 말의 위력이 그렇게 대단하다는 것인가?

그렇다면 의사소통 이외 말의 또 다른 면인 속성을 정확히 알아볼 필요가 있다. '언어는 현실을 묘사하기만 하는 것이 아니라 현실을 창조한다'는 훔볼트의 이야기에 귀를 기울여야 한다.

예를 들면 이렇다. 내가 어떤 이야기를 던지면 나는 그 이야기에 구속된다.

"육식을 하지 않겠습니다."

이 말은 나를 구속시켜 더 이상 고기를 먹지 않게 행동을 제한한다.

사실 세상을 지배하는 것은 설산동자가 죽음과도 바꾸겠다는 진리 중에 하나인 제행무상이다. 현재의 나는 쉴새 없이 변해가니 지금의 아(我)는 어제의 나도 아니고 내일 역시 아니다. 위대하다는 고대의 업적도 덧없이 스러지고 몰락하여, 승자는 결국 시간이로되 변하지 않는 것은 불성(브라흐만)이다. 또한 내가 뱉은 말, 선서 역시 내일까지 변치 않고 남아 있다.

"나는 히말라야에 갈 예정이야."

이 이야기는 나를 구속시켜 나로 하여금 다른 곳이 아닌 히말라야를 찾게 만든다.

기도, 기원의 의미도 이와 맥을 같이 한다. 계를 지키겠다는 서원은 말의 이러한 긍정적인 속성을 이용한다. 더구나 불법승 앞에 서원하는 경우 그 구속력과 추진력은 배가된다. '사람의 입에서 떨어진 말보다 더 초시간적인 불변성을 가진 것은 없다'고 하니 말의 카르마(업), 즉 구업을 무겁게 여기고 경계해야 한다. '한 번 입에서 떨어진 말은 그 되돌릴 수 없는 성격, 곧 시간의 흐름을 초월해서 남는 확정성을 통해서 삶의 흐름에 따라 흘러가지 아니하고 변화하지 아니하는 어떤 초시간적이고 고정적인 것을 이룩해낸다.'

이렇듯 말의 영향은 엄청나서 말에 의해 목숨이 오감은 물론 인생이 바뀌어 새로운 길로 접어든 사람들이 역사 이래 부지기수다. 시간에 영향을 받지 않는 말은 역시 시간의 영향과는 무관한 불성과 브라흐만에 수렴된다.

또다시 싯달다 고타마가 어둠에 휩싸인 카필라성을 바라보며 외친 말을 상기한다.

"이제 내 몸이 큰 바위에 부딪쳐 산산이 부서질지언정, 독약을 마시고 목숨을 끊을지언정, 굶주리고 목말라 죽을지언정 이 길을 가리라. 만약 고통의 바다에서 중생을 해탈시키지 못한다면 결코 돌아오지 않으리라."

이 말의 중요성을 생각해 본다.


나의 삶은 여우다. 오백 생이 아니라 가이없이 여우로 살며 시간과 공간의 저편, 원인과 결과의 인과율이 존재하지 않는 떨어지지도 않고〔不落〕어둡지도 않은〔不昧〕초월의 세계를 그리워한다. 내가 말 한마디를 주의하지 않으면 그렇게 살아야 한다.

이제 나도 여행을 끝내는 방법을 진지하게 모색할 때가 되었다. 우주의 역사가 모두 들어 있고 더불어 몸을 받아 살아오며 만들어 냈던 수많은 것들이 기록된 아뢰야식에, 말 한마디 잘못으로 혹은 말 하나에 집착하여 겁(劫)의 세월을 여우로 산 공안의 뜻을 스며 넣을 시간이 되었다.

하나의 개체에서 탈피하여 마침내 광대무변한 우주적인 존재에 흡수되는 산도 아니고 물도 아닌 초월적 의식을 그리며 사는 여우.

이름을 알 수 없는 히말라야 남벽의 백장선사에게 가르침을 청하니, 햇살이 밝아지고 바람의 기세가 장해진다.

윤회의 요소 중에 언어가 있고, 말이 씨가 된다는 의미도 히말라야에서 서서히 드러난다. 자신의 어떠한 모습에도 집착이 없는 히말라야를 증인으로, 이생에 그곳까지 가지 못한다면 한 생을 늦추어 다음 세대에는 윤회의 마지막 삶이 되기를 서원한다. 그리고 오늘 만난 야크들은 사람으로의 첫 삶으로 살아, 우리 히말라야에서 다시 사람과 사람으로 만나, 이 산을 도량으로 함께 정진하기를 희망한다.

# 15

히말라야의 아트만

산 역시 움직이지 않는 큰 덩어리로 보이지만, 그 참된 형태는 그렇지 않다.

생명 없는 조개껍질을 볼 때,

우리는 그것이 살아 있는 존재를 갖고 있다는 점을 알 수 없다.

이와 마찬가지로, 겉보기에는 무생물체인 듯한 강과 산 안에도 숨겨진 의식이 존재한다.

즉, 강과 산은 그들이 원하는 형태를 띠는 것이다.

— 〈칼리카 프라나〉 중에서

# 히말라야의 아트만

## ●── 설산의 아트만

설산 곳곳에 추모비가 놓여 있다. 설산을 사랑하다가 이곳에서 죽거나 실종되어 빙하 아래에 몸을 누인 산악인을 추모하는 것들이다.

추모비 너머 백색 단청으로 장식한 고봉들이 경관으로 넘실거린다. 그곳에서 달려온 설산 바람이 묘비들의 허리를 휘감는다. 전생에 이 산자락에서 무슨 인연을 맺었기에 이 산기슭을 들락거렸으며, 또한 이승에서 존재놀이를 마치고서나마 이렇게 명판으로 산과 마주하는 것일까.

모자를 벗어 가슴에 대고 명복 대신 축원을 던진다.

"한 자연아가 이곳에 와서 자연으로 돌아갔다."

"옴 아모가 바이로차나 마하무드라 마니 파드마 즈바라 프라야툴타야 훔."

여기 한 자연아(自然兒)가

그대로 와서

그대로 살다가

자연으로 돌아갔다.

풀은 푸르라
해는 빛나라
자연 그대로.

이승의 나뭇가지에서 우는 새여.
빛나는 바람을 노래하라,

— 김재진의 〈비명(碑銘)〉 전문

히말라야는 사람을 끌어당기는 힘이 있다. 인도에서의 지친 몸을 끌고 포카라에 도착하는 사람들은 물론, 우연히 이 지역에 발을 들여놓은 사람들 역시 그 강렬한 힘에 끌려 히말라야를 향해 나아간다. 그리고 각자 귀향하고는, 때 되면 항상 잊지 못하던 고향을 찾아 되돌아오는 연어처럼 히말라야를 향한 부메랑이 된다.

이런 끌림 역시 눈에 보이지는 않지만 히말라야를 구성하는 하나의 요소[蘊]이니 인온(引蘊)이리라.

친구 혹은 연인의 사이가 좋은 경우, 상대가 좋은 것이 아니라 상대가 내게 하는 행위가 좋은 경우가 많다. 말하자면 내 행동을 이해하고, 내 뜻과 일치하며, 나를 잘 배려하고 등등.

이것을 잘 들여다보면 나와 상대가 사이가 좋은 것은 상대편에서 내 자신을 보는 것과 같으니 바로 나를 좋아하는 것과 동일하다. 바로 아견(我見)과 아애(我愛)다.

그러나 설산의 끌림은 그것이 아니다.

설산이 어디 친절하게 내 배려를 해주는가?

춥고 거칠며 갈증에 시달리고 때로는 목숨을 요구할 정도로 냉혹하다. 그러면서도 끌어당긴다.


『브리하다란야카 우파니샤드』에 의하면 현자 야쟈발리카는 숲속의 수행기를 끝내고 이제 초탈의 세계로 가기 위해 아내 마이트레이를 부른다. 그리고는 재산을 물려주겠다고 했다.

그러자 마이트레이는 물었다.

"만일 이 세상의 모든 재물이 저의 것이 된다고 하면 제가 그것으로 영생을 얻을 수 있을까요?"

그렇지 않다는 대답이 돌아오자 마이트레이는 영생을 주지 않는 재산보다는 떠나기 전에 소중한 가르침을 달라고 부탁한다.

야쟈발리카는 흔쾌히 수락하고 즐거이 설법을 시작했다.

"남편이 사랑스러운 것은 남편의 사랑스러움 때문이 아니라, 그 사람 안의 아트만의 사랑스러움 때문에 사랑스러운 것이오. 아내가 사랑스러운 것은 아내의 사랑스러움 때문이 아니라, 그 사람 안의 아트만의 사랑스러움 때문에 사랑스러운 것이오. 재산이 귀하게 느껴지는 것은 재산의 귀함 때문이 아니라, 그 안에 든 재산의 아트만 때문에 사랑스러운 것이오."

야쟈발리카는 가족에서부터 재산, 사제, 세상, 신, 생물 모두 내재에 대한 아트만에 대해 설한다.


이 이야기가 기록된 『우파니샤드』에 의한다면 설산이 끌어당기는 힘은 설산의 끌어당김 때문이 아니라, 외형을 움직이고 있는 내면의 근본적인 아트만이 있어 그것이 끌기에 끌어당겨지는 것이다. 아견, 아애는 상대가 자신을 배려하지 않으면 떨어져 나가지만 아트만은 그렇지 않다. 진정한 사랑이란 아트만이 작용한다는 이야기다.

고향을 떠나 냉혹한 이곳에서 배회하거나 빙하에 묻혀 있는 사람은, 설산의 아트만에 끌려온 것이며, 이제는 설산의 일부를 이루고 있다. 아직 크레바스 아래, 빙하의 밑에는 냉동의 모습으로 누워 설산화(雪山化)되어 가는 사람들은 히말라야 아트만과 자신의 아트만을 일여(一如)로 만드는 것이니 그 아트만이 설산의 온(蘊)임을 부정할 수는 없다.


하나의 거대한 교향곡은 몇 개의 주제가 반복 화합하며 이루어지듯이, 히말라야 고지대 역시 날카로움, 백색 등등 주제들이 일관되게 흘러가며 선명한 윤곽의 군상들로 장관을 연출한다. 저렇게 눈부시고 찬연한 외적 모습은 물론 어떤 숭고함과 장엄함을 풍겨내는 내적인 무엇이 있다.

눈〔雪〕과 눈〔眼〕 사이는 거리(距離)다. 다시 말하자면 저기 설산에 하얗게 쌓인 눈과 내 눈 사이를 직선으로 연결하면 거리가 나온다. 우리가 이성과의 사랑에 몰두할 때 서로의 살갗을 빈틈 없이 만들며 거리를 없애고 심지어는 상대의 가슴 안으로 서로 파고들어 거리를 (+)에서 (−)로 전환시키려는 행동을 보이기도 한다.

완전한 합일에서 내 육신은 물론 영혼은 상대편의 영혼에 스며들어가 서로 다른 파장의 파도가 맞부딪치며 새로운 길이를 가진 파장을 만들어 내려고 하니, 결국 본래의 거리가 사라진다. 육신은 육신대로 합일되고 정신은 정신대로 파장이 일치한다.

초월적 자연으로 나가는 일은 정신적 자유를 획득하고
더불어 내 안의 불성을 찾기 위함이다.
히말라야가 나를 닦기 위한 도량이냐 혹은 정상등정을 위한 힘 겨루기냐는
그 산행의 목적이 어디에 있느냐에 달려있다.
저 산봉우리에 오르기 위해 이 자리에 온 사람, 저 산정에 절을 하기 위해 이곳까지 다다른 나.
그러나 우리 모두는 히말라야가 품고 있는 아트만에 이끌려 험한 길을 헤쳐왔다.

신과 나 사이, 역시 거리다. 그러나 내가 신의 도움으로 무엇을 이루겠다는 구원(救援)을 선택하면, 신과 나는 영원히 거리를 가지게 된다. 구원의 속성은 구원자의 능력이 나보다 강하고 따라서 차이를 가지게 되며 거리를 만들게 된다. 그런 신과 '거리가 없다'는 주장은 자신의 생각일 뿐이다.

구원을 택한 사막에서 발생한 종교인 유대교, 천주교, 예수교, 회교 등등은 모두 신과의 거리가 있고, 그들의 신은 인간과는 다르게 또 다른 거처인 하늘에 자리하고, 그 종교를 믿는 사람들의 희망의 0순위는 지상과 거리를 두고 있는 하늘세계[天國]다. 그 지역의 종교 창시자들은 모두 지상을 버리고 승천했으니 지상과 거리를 넓혀 가며 멀어져 갔다.

히말라야에서 발원한 종교는 신은 어디든지 편재한다. 내 밖에 있는 산, 강, 바다, 거목, 바위는 물론 심지어 내 가슴 안에도 있다. 말하자면 거리가 있기도 하지만 거리가 없기도 하다. 하여 '눈[雪]과 눈[眼] 사이에는 거리가 있다'라는 말 자체가 존재하지 않는다.

또한 '네가 바깥의 신을 생각해도 신은 이미 그곳에 존재하고, 네가 가슴의 신을 생각해도 신은 이미 존재하고, 설혹 네가 우주의 저 끝에 신이 있다고 생각해도 신은 이미 그곳에 있으니 네 마음보다 빠른 것이 신이다'며 신의 존재 위치는 물론 신의 속도까지 이야기하니 그것이 무장무애(無障無碍)의 범아일여(梵我一如)다. 심지어 불교의 유식학에서는 거리조차 없으며 모두 함께 내재해 있음을 말한다.

나 역시 끌림에 의해 이 자리에 왔으니 설산의 아트만을 맞아들인다. 거리를 좁혀야 한다. 이런 본성은 감각기관으로 느껴지는 것이 아니기에 마음의 문을 활짝 열어 본다. 압도적인 하얀 산은 장하다. 어느 누구에게나 무차별로 깨끗하고 맑은 모습을 내보인다.

'만일 뜻이 같은 선지식(善知識)과 도덕이 높은 선지식이 올 때에는 문을 활짝 열고 맞이하며……집안에 있는 재물을 풀어서 대접하나니……, (중략) 또한 마음의 삼취계(三聚戒)의 문을 열어 놓음으로써 다른 중생들로 하여금 능히 불성을 볼 수 있고……, 마음속의 보물을 열어 보여 주나니, 그럼으로 열어 보여 줌으로 이 문의 뜻을 삼는다'라는 원효의 이야기가 있다.

내게는 선지식에 다름 아닌 설산의 의연한 기운을 아낌없이 받아들인다.

설산 주민들의 아름다운 관습은 건축 과정에서도 발견된다. 흙벽돌을 쌓아가며 벽을 올리다가 창문을 내는 날, 그들은 조촐한 잔치를 벌인다. 설산이 보이는 창틀 위에 꽃을 놓고 노래를 부르고 술을 나눈다.

현지인들은 이제 그 의미를 잊고 그저 하루의 잔치로 치르지만 창문을 열면 히말라야가 방안으로 성큼성큼 깊숙이 들어오고, 그대의 아트만과 내 아트만의 상호교환을 의미하는 뜻깊은 의식이다.

## ●── 히말라야에 이끌린 노인

몇 년 전 타토파니에서 남쪽으로 반나절 거리에서 힌두 노인을 만났다. 바닥에 쪼그려 누운 모습이 애처롭기 그지없었다. 그는 다 죽어 가는 중이었다. 머리맡에는 담요와 물통이 놓여 있었고 반질거리는 대나무 막대기가 노인과 같은 방향으로 내동댕이쳐 있었다.

그곳에서 북서쪽으로 뻗은 칼리간다키강을 따라 젊은이 걸음으로 일주일 거리에, 번뇌를 잊게 해준다는 108개의 샘물이 넘쳐 흐르는 힌두와 불교의 성지 묵티나트가 있었다. 노인은 당시 그곳으로 향하고 있음이 틀림없었다. 그렇지 않다면 그가 그 자리에 있을 이유가 없었다.

죽을 때가 되면 동굴로 스며드는 코끼리나, 깊은 바다의 공동묘지를 찾는 고래처럼 힌두 노인들은 거의 본능처럼 성지를 향해 나간다. 힌두들의 종교적 의무 중에 하나는 신성의 세계와 인간의 세계가 만나는 성지로의 순례로, 초월적인 세계가 지상에 자리한, 혹은 초월적인 세계가 낮은 일상 세계와 만나는 지역으로 가야 한다. 특히 히말라야에 자리한 성지는 살아서 반드시 두 발로 도착해야 하는 곳이다. 설산의 아트만과 자신의 아트만을 일치시켜 브라흐만으로 나가려는 행위다.

묵티나트는 구름도 넘지 못하는 설산 너머의 땅 이름이다.
여름에도 비가 내리지 않아
1년 내내 흙바람이 부는 황량한 산중이다.


거기 만년설 녹은 물이 가늘게 흘러
언덕마다 밀밭이 있고 감자밭이 있다.

돌과 흙과 나무로 지은 사원과 집들이 모여

마을을 이루고 있다.


해발고도 3천7백m

물소리 바람소리 하도 세차서

사람도 가축도 고요할 수밖에 없다.


욕심을 안고는 살 수 없는 땅이어서

그런 이름이 붙었는가

묵티나트—해탈의 아버지


불과 물이 하나가 되어

흐르는 듯 타고 타는 듯 흘러서

깨달은 사람의 미소처럼 고요히 넘치는 마을

수행자의 마을

순례자들의 성지

— 김홍성의 〈묵티나트〉 중에서


　　노인은 그 해탈주라는 의미를 가진 묵티나트에 이르기 전에 죽을 수도 있었
다. 팔다리는 나무젓가락처럼 가늘어 여력이 거의 남지 않았고, 이제부터 고도
는 3천, 4천m로 높아지며 기온은 뚝뚝 떨어지니 성지를 향한 길은 차라리 마
지막 여로가 될 수 있었다. 죽음을 담보로 한 지독한 고행인 셈이다. 그가 가진
것은 아무것도 없으니 신에 바치는 희생 제물은 스스로의 고행뿐.

『바가바드 기타』는 크리슈나의 입을 통해 노래했다.

어떤 사람들은 부를 희생제물로
어떤 사람들은 금욕을 희생제물로
어떤 사람들은 요가를 희생제물로
어떤 사람들은 조용히 책을 읽으며 지혜를 얻는 것을 희생제물로
어떤 사람들은 정신을 집중하고 무서운 결심을 하는 것을 희생제물로
어떤 사람들은 음식을 규칙적으로 먹는 것을 희생제물로
어떤 사람은 호흡을 조절하는 것을 희생제물로 안다.
이 모든 것이 희생제물임을 알라.

세상의 모든 곳에 신이 있다는 힌두에서 이렇게 특별한 성지를 만들어 놓은 의미 중에 하나는 그곳에 도착하는 과정에 고행이 요구되기 때문이다. 가진 것이 없는 가난한 자들과 이미 소유를 내버린 수행자들에게는 고행만이 신에게 드릴 수 있는 유일한 희생제물이다.

찻집 주인이 노인에게 차 한 잔을 대접했다. 기력이 쇠해 일어서지 못하고 눈으로 머리맡에 놓으라는 신호를 보냈다.

"국경을 넘은 지 두 달이나 되었다구 해요."

네팔리는 측은한 눈으로 국경을 넘어 계속 북으로 걸어온 인도 수행자를 바라보며 말했다.

그도 한때는 해맑은 소년이었고 힘센 청년이었으며 아는 것이 많은 장년이었으리라. 그러나 이제는 낡을 대로 낡아버린 육신을 끌고 지쳐 누워 있는 노년이었다. 폐허 위에 무너진 탑처럼 늙은 몸을 보면 한때 소년이었다는 사실이

믿어지지 않을 정도지만 그에게도 분명 그런 시절은 있었다.

참으로 공(空)했다. 소년이 자성(自性)을 가지고 있다면 노화의 과정은 설명할 수 없다. 그러나 그렇게 끊임없이 성주괴공으로 변화하는 이유는 연기(緣起) 탓이다. 시간에 의존하고, 감정에 의존하고, 자연에 의존하고, 음식에 의존해서, 다시 말하면 의존관계에 의해 저런 낡고 늙은 모습을 내보이게 되었다.

경전은 8만 4천 마을들과 또 그만한 궁전들, 회관들, 침상들, 코끼리들, 말들, 수레들, 보석들, 여자들, 가신들, 소들, 8만 4천 벌의 옷들, 8만 4천 벌의 그릇들. 그리고 지구가, 수미산이, 개천들이, 강들이, 호수들이, 그리고 대양마저도 얼마나 비영구적이고 불안정한지 그 행(行)에 대해 반복해서 말해 왔다. 더불어 '남조 사백팔십 개의 절들이 이슬비 속에 과연 몇 개나 남아 있는지(南朝四百八十寺 多少樓臺煙雨中)' 우리에게 묻기도 했다. 진시황이 수많은 인명의 희생을 통해 쌓은 만리장성이 도대체 무엇을 지켰는지도……

이어지는 세대를 과거로 밀어 넣는 죽음은 모든 생명체에게 피할 수 없는 불변의 법칙이다. 오늘 시든 꽃은 어제 피어난 것(今日殘花昨日開)이 아니던가. 그렇게 애지중지하게 금지옥엽으로 생각하던 내 육신은 물론 불조도 죽었고 조사, 선사도 목숨을 잃어 모두 공으로 복귀하지 않았는가.

"흩어지면 본래의 기운으로 돌아가며 그것이 우리의 본성이다. 사라지면 공으로 돌아가니, 시작과 끝〔始終〕이 모두 자연의 법칙이다(始終一貫 自然法則)."

노인이 몸을 통해 공을 설했다.


솔로몬 대왕에게는 늘 그림자처럼 따르던 충직한 신하가 있었다. 위급한 상황에서 왕을 보호하고 길을 헤쳐 나갔으며 정직한 이야기로 왕을 언제나 올바른 길로 인도한 베나이하였다. 그는 왕을 모시게 된 이후 단 한번도 명령을 어긴 적이 없었던 충신 중의 충신이었다.

솔로몬은 어느 날 슬그머니 장난기가 일어나 베나이하를 불러 명령을 내렸다.

"내가 너에게 여섯 달의 기간을 주겠다. 그동안 너는 행복한 사람이 손가락에 끼면 슬퍼지고, 불행한 사람이 끼면 기쁘게 되는 반지를 구해와라."

신하는 몇 달 동안 나라를 헤매고 다녔다. 나라 안에 보석상은 물론 멀리 사막을 건너온 대상에게 그러한 반지를 보거나 들었냐 물었으나, 모두 고개를 저으며 도리어 '그런 반지가 있을 수 있냐?' 되물었다.

약속한 전날 신하의 고통은 정말 말이 아니었다. 그는 거의 폐인의 모습으로 금방이라도 쓰러질 듯 거리를 걷다가 천민이 모여 사는 마을에 접어들게 된다. 마침 어느 집 앞에 사금파리를 갈아 장식품을 만드는 가게가 있었다. 신하는 절망 끝에 머뭇거리다가 이제 마지막으로 생각하고, 힘없이 그런 반지가 있냐고 물었으나 가게주인은 역시 고개를 가로 저었다.

신하가 맥없이 돌아서려는 순간 가게 주인의 어머니가 그를 불러 세웠다.

"여보세요. 그런 거라면 제가 만들어 드리죠."

그러더니 싸구려 낡은 반지 위에 몇 개의 단어를 새겨 주었다. 설마 하고 받아든 신하는 반지를 자세히 들여다보고 기쁨의 눈물을 뚝뚝 흘렸다.

다음날 원기를 회복하고 깨끗하게 단장한 신하는 장난기 가득 찬 솔로몬 왕 앞에 가서 허리를 굽히고는 반지를 바쳤다.

반지를 받아든 솔로몬은 기뻐하며 반지를 들여다보다가 그곳에 씌어진 글을 읽게 되었다. 순간 그는 얼굴이 창백해지며 깊은 비탄에 빠졌다. 눈을 들어 왕궁을 보고 신하를 보고 이어 수많은 후궁을 천천히 내려보며 깊은 한숨을 내쉬었다.

반지 표면에는 이렇게 써 있었다.

독일의 미학자 피셔는 관념이 높을수록
다량의 아름다움을 가지고 있음에 주목했다.
　불행하게도 그는 최고 예술은 인격을 대상으로 삼는 것이라고 주장했다.
그러나 히말라야를 보라.
　그의 이야기는 머리에서 떠올리자마자 순각적으로 폐기된다.
　인격은 대자연 안에서 소도구에도 미치지 못하니
최고의 예술 대상은 웅장한 자연이다.


"그것 또한 지나가리라."

부귀, 명예, 권력, 영광, 모두가 공(空)으로 흘러가는 허무한 것.

삶이 괴로운 사람에게는 노역의 종말이 다가오니 기쁘고, 가진 것이 많은 자
는 죽음이 다가서니 두려웠다. 하여 솔로몬은 〈전도서〉의 입을 통해 말했다.

"헛되고 헛되도다. 모든 것이 헛되도다."

우주의 모든 것들은 이렇게 변화하며 지나가기 마련이라 영원한 가치는 없다. 변화하게 만드는 것은 바로 시간이다. 이렇게 변화하고 사그라지는 것을 미리 알아차리는 법은, 미리 존재하는 것을 없애 그 자리에 드러나는 공(空)을 보는 것이다.

아난다가 마하가사파[摩訶迦葉]에게 묻는다.

"붓다께서 가사와 발우를 전하신 이외 따로 무엇을 전해 주셨습니까?"

그러자 마하가사파가 갑자기 이야기 했다.

"아난다여!"

아난다가 '네' 하고 대답했다.

마하가사파는 말했다.

"대문 앞에 있는 찰간(刹竿)을 없애라."

히말라야에서는 『무문관』〈가섭찰간(迦葉刹竿)〉과 같이, 색(色)은 공(空)하다는 이런 법(法)을 쉼 없이 보여준다.


●—— 바쇼는 진짜인가

"멈추는 일 없이 흘러가는 시간 위에 나그네라면, 현세의 이 공간은 나그네가 머무는 숙소."

"우주의 본질은 유전(流轉)을 거듭하며 멈출 줄 모르는 여행이니, 우주처럼 여행을 거듭하며 사는 것이 우주 근본 정신에 부합하는 순수한 삶."

이것은 각각 중국의 이태백과 일본의 바쇼(芭蕉)의 정신이다.

힌두들은 꾸준히 여행했고, 여행을 기다리고, 여행을 거듭하고 있다. 히말라야 성지들은 베다의 찬가가 산스크리트로 우렁차게 불려지던 고대의 장중한 날들이 아직도 남아 숨쉬고 있는 자리다. 성지로 들어감으로써 하늘 아래 펼쳐진 고대의 정신적 요람과 직접 만나게 된다.

이 성스러움이 바로 히말라야 아트만의 구성성분이 된다.

누워 있는 힌두 노인에서는 나그네, 순례자, 출가자 등에 대한 비장함이 풀려 나와 가슴을 쳤다.

해와 달은 영원한 여행객이고, 오고 가는 해〔年〕 또한 나그네다. 사공이 되어 배 위에서 평생을 보내거나 마부가 되어 말머리를 붙잡은 채 노경을 맞이하는 사람은, 그날 그날이 여행이기에 여행을 거처로 삼는다. 옛 선인들 중에도 많은 풍류인들이 여행길에서 죽음을 맞이했다.

어느 해부터인가, 나도 조각구름을 몰아가는 바람결에 이끌려 방랑하고픈 생각이 끊이지 않아 저 먼 변방의 해변을 정처 없이 거닐다가 지난 해 가을 스미다 강가에 있는 오두막으로 돌아와 오래된 거미줄을 걷어내고 일단은 정착했다. 그러나 이윽고 한 해도 저물고 새해를 맞아 입춘의 안개가 피어오를 즈음이 되니, 봄 안개 자욱할 시라카의 관문을 넘어 아득한 동북지방으로 여행을 떠나고픈 바람으로, 마치 소로조 신(神)이 들린 듯 마음이 뒤숭숭하던 차에, 도조 신(道祖神)이 부르는 듯한 느낌이 드니, 아무것도 손에 잡히지 않았다.

— 마츠오 바쇼의 『바쇼의 하이쿠 기행』 중에서

1689년 5월 16일, 바쇼는 이 글을 쓰고 오쿠(奧)로 여행을 시작했다. 저 깊고 아득한 곳, 혹은 미지의 땅을 상징하는 변방 오쿠는 그에게는 은둔과 무소유의 탈속의 순례였다고 한다. 그리고는 가는 곳마다 기행문을 남겼다.

동시대의 한국을 비교한다면, 어쩔 수 없이 정치의 권력에서 밀려나 귀양길 혹은 귀양지에서 임금에 관한 시를 쓰거나 문학적 활동을 했던 것이 대부분.

문득 이렇게 짐을 꾸려 방랑을 떠나 기행문을 쓰는 인물은 드물었다.

그러나 인도의 많은 사람들은 어느 날 집을 나와 강을 따라 북쪽으로의 순례를 시작한다. 그들은 자신이 왔던 길을 다른 사람에게 설명하고 구걸과 걸식으로 순례의 심연을 찾는다. 대부분 글을 남기지 않고 이야기를 전할 뿐이다.

바쇼는 구도자가 아니다. 힌두처럼 그렇게 집을 나서는 것이 진정한 여행이다. 말하자면 집을 나섬〔出家〕은 진정한 여행으로 '세속 밖의 손님'으로 바뀌면서 우주의 순수한 삶이 된다.

그러나 바쇼와 이태백과는 달리 『중론(中論)』에서 이렇게 말했다.

"사물을 통해 시간이 있는 것이거늘 사물을 떠나 어디에 시간이 있겠는가? 사물은 자성이 없으니 어디에 시간이 있겠는가?"

쉽게 푼다면,

"늙어 가는 노인의 몸을 보면 시간의 흐름을 알겠는데, 몸이라는 것이 자성이 없어 공(空)하다고 결론을 내렸으니 몸에 시간 따위가 있겠는가?"

이것에 대한 대답을 바쇼와 다른 차원의 순례를 거듭하는 힌두 노인쯤이라면 손쉽게 할 수 있을지 모른다. 그러나 바쇼는 답할 수 있는 처지가 아니다.


그날 밤은 이이즈카에 묵었다. 온천이 있기에 우선 목욕을 하고 나서 숙소를 구하고 보니, 토방에 거적을 깔아 놓았을 뿐인 참으로 어처구니없이 허름한 집이다. 등불도 없으므로 화로의 불빛에 의지해 잠자리를 만들어 누웠다. 밤이 이슥해지면서 천둥이 울리고 비가 주룩주룩 내려, 자고 있는 곳 머리 위에서는 비가 새고, 벼룩이랑 모기에게 여기저기 물려 잠을 이룰 수가 없다. 더구나 지병까지 도져 아프기 때문에 정신을 잃을 지경이다. 그러는 동안 길게만 느껴지던 초여름 밤이 새자, 아침 일찍 또 여행길에 올랐다. 하지만 아직 지난 밤의 고통이 남아 있어서 마음이 내키지 않았다.

이것이 일본인에게 칭송 받고, 수많은 사람들이 그의 기록을 따라 지금도 여행을 거듭하며, 국내에서는 몇몇 작가들에 의해 선사(禪師)의 반열에 올려놓은 바쇼의 수준이다. 인도 여행지에서 만나는 일본인은 집을 떠나온 힌두들을 빗대어 바쇼를 자랑한다.

이제 힌두들의 순례를 이해하는 내게, 여행지에서의 불편과 죽음의 두려움을 기행문 곳곳에서 피력한 바쇼는 더 이상 존경의 대상이 아니며, 평범한 힌두 순례자보다 가볍기 짝이 없다. 아무리 뜨거워도, 엄청난 비가 퍼부어도, 히말라야의 찬바람이 몰아쳐도, 벼룩, 모기, 이 등이 우글거려도 그들의 표정은 신을 대면한 듯 환하고 묵묵하다. 숲으로 들어가 자습에 몰두하고, 절제하며, 우호적이고, 마음을 가라앉히며, 항상 주고받지 않으며, 모든 생물에 대해 동정심을 가진 채 고행을 바탕으로 살다가 홀로 죽어 가는 힌두들은 바쇼와는 격이 천지 차이만큼 다르다.

바쇼에게서 믿음과 덕목 그리고 세속을 떠난 마음의 지혜를 찾아보기는 어렵다. 그는 구도자가 아니라 단지 시 잘 쓰는 여행객일 뿐이다.


힌두 노인의 옷과 담요를 본다면 집을 나온 지 몇 년은 족히 넘었다. 내 인기척에 눈을 뜨고 천천히 고개를 돌려 나를 바라보았다.

고개로 인사하는 내 모습에 답례하는 작은 인사소리가 모기소리 같았다.

"하리 옴."

후에 의지해서 일어나기 쉽도록 내동댕이쳐진 대나무 막대기를 옆에 가지런히 놓아주었다. 혼잡하게 붐비는 도시에서 살다가, 집을 떠나 정처 없이 방랑하는 노인에게서 종교적인 분위기를 느끼며 수천 년 전부터 힌두를 끌어온 어떤 거대한 힘을 읽어내었다. 더불어 그 힘은 히말라야와 유리되어 있지 않음도 알 수 있었다.

그의 머리 주변에 한 조각 후광이 있어 기뻤다. 몸은 유한하더라도, 하늘과 땅이 갈라지기 전부터 존재하던 그의 몸에 담긴 아트만(브라흐만)은 그렇지 않다. 그 후광은 성지의 현관에 들어서며 힌두신에 대한 법열에 잠겨가며 신성과 합일하는 순간 마지막 패스워드가 되었을 것이다.

만남도 잠시 나는 차를 다 마셨다. 나는 남으로 가고 그는 북으로 가기 위해 상체를 일으켜 힘겹게 앉았다. 그에게 다시 고개를 끄덕여 주었다.

"무사히 닿을 수 있도록. 성지에서 죽도록. 그리고 비슈누 혹은 시바신에게 안기도록."

"윤회의 수레바퀴에서 빠져나와 고(苦)로부터 자유를 얻어 지복을 누리시기를."

웬일일까, 인연의 별리로 풍화(風火)가 흩어질 때가 가까워진 그의 눈에는 눈물이 가득 고였다. 허공의 집으로 돌아갈 그를 축복하면서도 가슴이 아렸다.

현변스님을 대신하여 시를 읊으며 돌아서야 했다.

> 만수천산의 길에 쓸쓸히 홀로 가는 몸이여.
>
> 가고 오는 것을 논하지 마시게.
>
> 우리 모두 꿈속의 사람이라네.
>
> (萬水千山路 悽然獨去身 無論去興住 俱是夢中人)

벌써 몇 년이라는 세월이 지났으니 그는 추모비의 주인공처럼 지상의 사람이 아니리라. 노인을 위해 만트라를 외웠다. 그 노인은 그 해에 이미 낡은 육신을 벗어 놓았으리라.

히말라야를 걸어가는 일은 고통을 수반한다.

이것은 문턱을 넘어서는 과정이다.

자신의 육체가 얼마나 연약한지 알아차리며,

이 육신이라는 감옥을 깨뜨려, 내부에 자리한 아트만을 본래의 자리로 되돌려 주는 여정이다.

추모비를 이루는 겹겹이 쌓인 옴마니반메훔 마니석 위에 손을 얹어 놓는다. 햇살에 의해 따스하게 변한 표면 온도가 마치 살아 있는 사람의 체온처럼 적당하다.

나와 같은 부류의 사람들은 고도—높이를 추구하지 않으니, 히말라야를 걸으면서 주변의 경관을 바라보고 품으며 설산의 말씀을 듣는다. 푸르고 보드라운 초원, 야생화, 시냇물, 폭포, 광대한 퇴적층 지형을 지나가며 고도에 따라 놓여진 다양한 온(蘊)을 만난다. 알프스를 제 몸처럼 사랑한 에밀 자벨이 이야기한 '아름다운 시냇가, 보드라운 초지, 섬세한 꽃들을 꿈꾸는 사람들, 그리고 이름난 정상 정복 같은 일에는 그다지 집착하지 않고, 마음 내키는 대로 아주 자유롭게 자기만의 기쁨을 위해 쓸쓸한 고산지대를 방황하는, 자존심에서 해방된 등산가' 부류에 속한다.

반면에 고도—높이를 희구하는 사람들은 격류를 넘고 크레바스를 지나가며 으뜸 봉우리의 산정에서의 어떤 울림을 기대한다. 나로서는 알 수 없는 경험을 위해 금지구역으로 들어선 그들은 때로는 영영 돌아올 수 없는 길을 웃으면서 올라간다. 그들을 향한 존경심과 함께 측은한 마음이 차고 더운물처럼 가슴에서 서로 교차한다. 가슴에는 오로지 고독을 품고, 고봉을 자주 오를수록 겸손해지는 마음을 장비 삼아, 얼음사태, 눈사태, 낙석, 몬순이라는 장애를 겪어가며 자신의 길을 찾아나가는 이들의 행군은 존경심을 품게 만들고, 반면 그 엄청난 에너지를 가족들의 걱정을 비롯한 온갖 희생을 바탕으로 오름짓에 투자한다는 사실에는 서글프다. 더구나 산을 이렇게 짜여진 일정 없이 돌아다니는 것에 비해, 베이스캠프에서 정상 공략까지 숨가쁘게 이어지는 그들에게 평온감보다는 긴장감이 더하리라는 사실이 내게는 불편하다.

어느 누구나 인생에 있어서 목숨 걸 만한 일이 있다. 산의 최고봉에 목숨을 건 사람들은 그 끌림으로 죽어갔어도 후회는 않으리라. 그러나 내게 산이란 피안으로 가기 위한 도구이지 최종 목적지는 아니다. 절, 성당, 교회가 우리들의 최후의 목표가 아니듯이.

설산 아트만은 아름다움이라는 이름으로 나를 이끌고, 최고봉이라는 이름으로 고소등반대를 잡아당긴다. 『장자』〈어부(漁父)〉에서의 표현대로 내면의 참된 본성이 정묘한 작용으로 흘러나온(眞在內者 神動於外) 끌림의 기운이 백색 면 위에 도포되어 많은 산악인을 빙화시켰다.

그러나 옳고 그름은 없다. 코스모스는 코스모스대로, 장미는 장미대로, 본성을 따르는 법천귀진(法天貴眞)이다.


일체가 정적과 흰빛인 빙하지대가 가까이 열려 있다. 바람과 햇살이 빚어낸 빙침과 빙탑들이 빙하의 초입부에서 현란하기만 하다. 저 부분부터 백색의 성전이 시작되어 만년설의 사면으로 이어져가며 하늘에 닿는다.

설사면 위의 하늘이 푸르다 못해 검다. 3천, 4천, 5천m를 계속 오르면 오를

칸첸중가 베이스캠프에는 세 사람의 추모비가 있다.

그 중에 두 사람은 1999년 칸첸중가 원정 중에 눈사태로 사망한 한국인이다.
무엇이 그들을 이 먼 곳까지 불러들였을까. 어떤 힘이 그들을 빙화시켰나.
추모비 앞에서 모자를 벗는다.


수록 하늘은 점차로 검어진다. 우주의 검은빛이 스며들어 있기 때문이다. 천지현황(天地玄黃)이라고 하듯 고대 중국에서 하늘은 현(玄)이었다.

노자는 바로 만물의 근원으로의 도를 상징하는 것을 현으로 삼았으니 그는 고봉에 올라보았을지 모른다. 현이라는 색은 오색을 만드는 모색(母色)으로, 현에 바탕한 색은 '문명의 허식, 관능의 탐미, 정욕의 탐닉을 커다란 정적 속에 해체시키고 소멸시켜 가는 색이 없는 색이다.'

하늘에는 일종의 어둠이 깔려 있다. 우주와의 통로인 그 빛은 마음을 차분히 가라앉혀 주어, 죽음 역시 내면적으로 긍정적으로 받아들이도록 포용을 허락한다.


난다데비는 인도의 북서쪽에 있는 7천816m의 봉우리 이름이다. 힌두어로는 기쁨의 여신이라는 뜻을 가지는 아름다운 산이다. 윌리 언솔드는 1949년 원정 중에 이 봉우리를 보고 감동하여 후에 딸에게 이 이름을 주었으니 난다데비 언솔드이다.

1976년, 난다데비 초등 40주년을 기념하기 위한 '인도—미국 난다데비 등반대'가 조직되고 윌리와 딸 난다데비 언솔드는 각각 등반대장과 대원으로 참가하게 된다.

그러나 난다데비 언솔드는 마지막 캠프인 해발 7천300m에서 탈장 증세를 만나게 되었다. 팀원들은 그녀가 하산하기를 권유했지만 끝내 거부하며 정상 공격을 고집했다. 그녀의 아버지인 윌리는 그녀가 스스로 결정하도록 했으나 그녀는 끝내 복막염으로 숨졌다. 그녀의 아버지는 그녀가 숨을 거두기 직전 텐트 밖으로 나왔다.

아버지 윌리와 다른 두 팀원은 그녀의 시신을 침낭에 넣어 난다데비 북서벽 7천300m 지점의 한 끝에서, 난다데비산의 품속으로 그녀를 밀어 떨어뜨린다. 배에서 수장을 하듯 산에서 설장(雪葬)을 시킨 그의 아버지는 '그 애의 몸을 산에게 맡겼다'고 이야기했다.

"아주 특별한 사람입니다. 그냥 옆에 있고 싶어지는 그런 사람입니다."

이런 칭찬을 듣기도 한 매혹적인 난다데비 언솔드는 그렇게 27세의 짧은 삶을 마감했다.

윌리 일행은 모진 고생 끝에 하산했다.

"월리는 머리와 수염이 원래 잿빛이었고 약간 붉은 기운이 감돌았다. 우리가 베이스캠프에 돌아와 하룻밤을 자고 난 후 나는 월리를 보고 충격을 받았다. 턱수염과 머리카락이 불과 이틀 사이에 완전히 하얗게 세어 버린 것이다. 그런 일이 있다는 이야기는 들었지만, 막상 내 눈으로 보니 도저히 믿어지지 않았다. 그만큼 그는 망연자실해 있었다."

그는 3년 후에 미국 시애틀의 레이니어산에서 산사태로 죽었다.

인도의 한 친구가 그녀의 죽음을 다음과 같이 표현했다.

"1949년 월리가 난다데비봉을 처음 보며 딸에 대한 약속을 다짐할 때, 난다데비의 신은 그의 딸로 환생했다. 그녀는 자신의 신성한 존재를 모른 채 죽어야 할 운명으로, 이승에서 몇 년 간 산 것뿐이다. 그녀는 자신의 본래 자리로 돌아가기 위해 그 등반을 이용했다. 그녀는 인간의 모습을 한 신이었다."

설산의 아트만이 그녀 안에 들어왔고, 그 설산의 아트만이 그녀 안에 머물렀다가, 난다데비에 돌아와 정상에 근접했을 무렵 제자리로 돌아갔다는 이야기인 셈이다.

살아도 산 자취가 없고, 떠나도 떠난 흔적이 없이.

사실 깨닫고 보면 아트만은 깨져 버린 컵의 내부 공간처럼 무생무멸(無生無滅)이다. 우리가 차를 담아 마시던 컵 안의 공간은 간다고 했지만 오지도 가지도 않음이다.


얼마나 많은 혼들이 이 바람 속에 수렴되어 있을까. 흙으로 물로 불의 성분으로 돌아간 산악 구도자들의 육신과 함께 바유(바람) 안으로 스며든 넋들. 그들은 바람에 넋을 내맡기고 산기슭을 편안히 맴돈다. 이제는 그들의 묘비이기도 한 기품 있고 고귀한 산을 떠나지 않고 큰산을 싸고 돈다.

천지에 순응하고 육체를 이제 하나의 도구로 보며
내세를 위해 죽음을 초월한 수행자들은 무엇에
일일이 불평하거나 두려워하지 않는다.

그들의 행보는 이제 히말라야와 근원적으로 하나가 되어,
바로 히말라야가 되어 있다.
그들이 설산에 있건 저잣거리에 내려와 있건
그들의 몸에서는 설산향이 풍겨 나온다.

충실하여 광휘로우면서 위대하게 보이고, 그 위대함으로 감화를 이끌어내는 신령스러운 빛인 백색으로 통일된 설산 면에는 어떤 절제된 의식과 고도의 정신적인 면이 있어 많은 사람들의 혼을 끌어당긴다.

다시 한번 만트라를 외운다.

그리고는 시 한편을 짓는다.


산에 간 사람이
돌아오지 않는다.
그리워 그리워하다가
떠난 곳에서
아주 돌아오지 않는다.

지금은 행복할까,
큰산과 하나가 된 그는.

고개 넘어 손 흔들며
떠나간 그가
돌아오지 못한다.
저, 공항이에요, 잘 갔다 올게요.
응답기에 남겨진 들뜬 목소리.
지상에서 내게 남겨진 유일한 마지막 이야기

나는 묻는다.

지금은 행복하니?

춥지는 않니?


지워질까 두려워

다시 조심스럽게 누르는 '재생'

형, 저, 공항이에요, 잘 갔다 올게요.


너도 '재생' 버튼을 마구 누르면, 돌아올 수 있을까.


故 김기섭 1971 마나슬루, 故 김호섭 1972 마나슬루, 故 송준행 1972 마나슬루, 故 오세근 1972 마나슬루, 故 박창희 1972 마나슬루, 故 정양근 1983 안나푸르나, 故 김성규 1986 다울라기리 2봉, 故 이성호 1987 칸첸중가, 故 권대식 1988 추렌히말, 故 정재홍 1989 히말출리, 故 김용규 1989 안나푸르나 2봉, 故 정갑용 1989 안나푸르나 2봉, 故 진교섭 1989 얄룽캉, 故 함상헌 1990 에베레스트, 故 이상구 1991 안나푸르나, 故 이석주 1991 안나푸르나, 故 서성수 1992 푸모리, 故 김백균 1992 푸모리, 故 서영덕 1992 푸모리, 故 김준호 1992 푸모리, 故 김진현 1992 랑탕리룽, 故 남원우 1993 에베레스트, 故 안진섭 1993 에베레스트, 故 변준석 1994 안나푸르나, 故 김여훈 1997 팡, 故 지현옥 1999 안나푸르나, 故 한도규 1999 칸첸중가, 故 현명근 1999 칸첸중가, 故 박영도 2001 K2, 故 김수야 2001 초오유.

— 임현담의 〈돌아올 수 있을까〉 전문

# 16

히말라야의 사람

저는 당신을 그냥 친구 정도로만 알고
'어이 친구여', '어이 크리슈나여'라고 불렀습니다.

— 『바가바드 기타』 중에서

# 히말라야의 사람

람구라 라이는 딸이 둘 있다고 했다. 이번 시즌에 많이 벌어서 고향에 가려고 했는데 생각만큼 많이 벌지 못했딘다. '스스로 짐을 지고 산으로 간 외국인'들이 많았다던가.

그런 그가 내게 술을 사겠다니⋯⋯ 참.

그러나 성의를 거절하는 것도 한도가 있는 법. 몇 번 거절하다가 가게 주인에게 락시와 더불어 야채 스프링롤을 주문하자 그는 이제 안심하겠다는 듯이 도리어 행복해했다.

언제 멈추어 버린 것일까. 금이 간 벽시계는 3시에 정지해 있고, 이가 다 빠진 화려한 꽃병에는 그 못지않은 붉고 노란 조화가 설치미술처럼 어우러진다.

사실 내 시계가 멈춘 지도 열흘이 넘었다. 벌써 7, 8년 동안 히말라야에서 동거동락한 식구였는데 배터리 점검 없이 함께 온 것이 불찰이었다. 놀랍게도 불편한 것은 단 하루였다. 다음날부터 아침에 일어나고, 식사를 하고, 길을 걷는 데 별다른 불편이 없었다. 태양의 방향과 각도, 흐린 날은 명도와 조도를 보면서 지냈고, 밤이면 어둑해짐과 함께 신체 내부의 조짐들이 잠자리에 들라는 권유에 따라 하루를 마감했다. 시계로 인해 수갑처럼 부자유스러웠던 팔목 역시 자유스러워졌다.

그동안 시계를 통해 나는 시계에 구속되고 시간에 억류된 채 지냈다. 시간을 관리하기 위해 시계를 쓴다고 하지만, 시계가 사라지자 시간은 도리어 잘 관리되었다.

조주선사의 이야기가 실행되는 자리라고나 할까.

"그대들은 하루(24시간)에 부림을 당하지만, 나는 하루(24시간)를 부린다네."

친구이자 동료로 지낸 그와 이제 헤어질 시간은 다 됐다. 몬로에서 이곳까지 마지막 4시간을 끝으로 전반부 여행은 끝났고 나는 다른 지역으로 이동한 후 다시 산으로 올라가야 하니 이별주인 셈인가. 사실 친구 동료란 말은 가슴이 훈훈한 의미가 있다.

> "별거 아녜요. 그저 식사를 하는 거죠. 우리는 '친구(conpain)'들이거든요. 프랑스어 '친구'란 말은 곧 같은 빵(pain)을 나누어 먹는 사이(co)라는 뜻이죠. 마치 '동료(camarade, 同僚)'라는 말이 카메라(camera), 즉 방(chamber)을 같이 쓰는 사이라는 뜻이듯이 말입니다." 이처럼 어원에는 심오한 빛이 담겨 있는 법이다.
>
> — 미셸 투르니에의 『예찬』 중에서

가득 부어 위태로운 락시 잔을 가볍게 부딪혔다. 결국 잔을 넘친 락시가 엄지손가락을 적셨다.

람구라 라이는 나와 함께 히말라야 산길을 보름 이상 걸었다. 사실 이런 일은 몇 해 전에는 상상도 할 수 없었다. 아무리 힘들고 지쳐도 사람을 고용해서 짐을 들게 한다는 일은 있을 수 없었으니 람구라 라이가 이야기하는 '스스로 짐을 지고 산으로 간 외국인' 부류였다.

"임 선생님, 강고트리에서 고무크로 올라가는데 말이죠, 하늘에 떠억하니 벽화가 걸려 있는 거예요."

따블라 연주가 김성창 씨 눈은 꿈꾸는 듯했다. 그 날 그 풍경을 기억하기 때문이리라.

"정말 아름답더군요. 산 전체에 그림이 걸려 있었는데요, 대단했어요. 눈물이 다 나더군요."

김성창 씨는 인도 히말라야의 해발 3천140m의 강고트리에서 4천225m의 고무크를 향해 올라가면서 환상을 보았다고 했다. 하늘에 벽처럼 거대한 벽화가 펼쳐져 있었는데, 고산증으로 그것이 현실인지 환상인지조차 구별하지 못했다. 더구나 함께 산행하는 동행에게 도리어 '멋진 벽화를 보았느냐?'고 물어 이상한 사람 취급을 받았다고 했다.

고산증은 누구든지 온다. 통상 3천m를 넘으면—8천m급의 산을 오르내리는 등반가는 제외하자—신체가 저산소증에 반응하여 온몸 세포가 산소 결핍으로 야단법석을 피우고, 그 중에서도 뇌가 가장 큰 문제를 야기한다. 따라서

무거운 짐을 이고 산을 오르내리는

포터들의 유일한 생계 수단은 오로지 자신의 몸이다.

그들이 삶에서 이 짐들을 내려놓는다면 곧바로 가난이 닥친다.

가능하다면 많은 여행객들이 이들에게 짐을 맡겨

일자리를 제공함으로써 그들을 도와주는 일이 옳다.

이렇게 착시, 환시를 만드는 일이 제법 있고 구역질, 현기증 내지는 두통 역시 한몫 한다.

여행의 목적은 체험이기에 환상은 처음 며칠이면 족하다. 지나친 신체 약화는 보아야 할 것을 보지 못하게 만드니, 고산증에 속히 적응되지 못하면 남겨진 몫은 캄캄한 현실과 고단한 여정뿐. 마치 환자로 삶의 대부분을 병상에서 살아가는 경우와 같다.

이것을 해결하는 첫번째 방법이 바로 포터의 고용이다.

배낭의 무게만큼 산소 요구량이 줄어들어 산길이 여유롭다. (물론 다 그런 것은 아니다. 포터를 구할 수 없는 지역도 있다. 또 고행을 목적으로 할 때는 제외다. 구할 수 있으면 구하자는 이야기)

"나는 산에서는 니희들이 부럽다. 왜냐면 잘 걷기 때문이야."

람구라는 웃는다.

히말라야에 포진하고 살아가는 민족의 고산 적응능력은 대단하다. 외국인들이 지도상에 일주일 걷는다는 길을 그들은 이틀이면 도착한다고 한다. 모르기는 해도 그들의 혈액 내부에는 선천적으로 산소를 실어 나르는 헤모글로빈 농도가 높거나, 헤모글로빈 역할이 뛰어날지 모른다. 혹은 세포에서 산소 요구량이 적고 산소의 효율이 높을 수도 있다. 하긴 그들과 함께 고산지대에서 살아가는 야크는 해발 2천m 이하에 내려오면 피가 엉겨붙어 죽는다니 어떤 특별한 요소가 있기는 하다. 또한 국내 산에서 날고 기는 등산가가 3천m를 지나기만 하면 사지를 제대로 가누지 못하는 모습을 여러 번 보았다. 강한 심폐기능 이외 어떤 요소가 작용하는지 반대로 연약한 사람들이 고산에서 노루처럼 가볍게 걷는 일도 있었다. 알 수 없는 체질적 요소가 작용하는 모양이다.

람구라는 술을 아껴 먹는 태도가 역력하다. 하루 일당이 150루삐였으니 포

344

카라 호수가 보이는 음식점에서 마시는 산미구엘 맥주 한 병과 가벼운 안주 값이다. 내가 생각 없이 몇 병을 마시는 비용이라면 몇십 킬로그램의 짐을 지고 그만큼의 날짜를 걷는 것과 같지 않은가. 세상이 공평하지 못함은 잘 알고 있으되 이렇게 차이나는 일은 조금 심하다.

나 역시 그가 사는 락시를 아껴 마시는 수밖에 없다. 그의 노동에 대한 대가를 손쉽게 마실 수는 없다.

솔직히 이야기하자면 그들을 고용하는 것은 그들을 돕는 일도 된다. 내가 이곳에서 맥주 몇 병을 아끼는 대신 그들을 고용한다면, 히말라야에서 가족을 이루고 사는 가난한 제3제국의 형제들을 경제적으로 도와줄 수 있다. 그들에게 노동을 빌리고 대신 값을 치르는 일은 봉사의 한 형태이며, 적선이 아닌 건전한 방법으로 그들을 도와주는 수단이다.

이것이 포터를 고용해야 하는 두 번째 이유다.


미셸 투르니에의 책에 인용된 자크 드보라진느의 『성인전』에 의하면 크리스토포로스는 엄청난 힘과 식욕을 가진 거인이었다.

그는 보잘것없는 신분이었기에 주인을 구하기로 했다. 그러나 주인은 이 세상에서 누구도 당할 수 없는 위대한 사람이기를 원해 우선 그 나라의 왕을 찾아갔다. 그러나 크리스토포로스는 어느 날 자신의 면전에서 누군가가 사탄을 부르자 왕이 가슴에 십자가를 긋는 것을 보게 되었다. 그 때문에 그는 왕보다 사탄이 더욱 위력 있는 존재라고 생각하고 사탄을 찾아가 시종이 되었다.

그러던 어느 날 새로운 주인이 십자가를 피하기 위해 일부러 멀리 돌아가는 것을 보았다.

사탄은 그에게 설명했다.

"그리스도라는 사람이 십자가에 못 박혔다. 그래서 나는 그의 십자가 모양만 보면 몹시 겁을 집어먹게 되므로 소름이 끼쳐 도망간단다."

크리스토포로스는 사탄보다 더욱 힘센 그 존재를 찾아 나섰다가 어떤 은자를 만났다. 그리고는 기독교 신앙을 배웠다. 은자는 일단 그에게 '너는 기골이 장대하고 힘이 세니 냇가에 자리잡고 있다가 나그네들이 냇물을 건너는 것을 도와주도록 하라'고 했다.

크리스토포로스는 오랜 세월 동안 이 일을 했다.

어느 날 물가에 앉아 있는데 작은 아이가 물을 건네달라고 했다. 그는 아이를 어깨에 걸치고 물에 들어갔다. 그런데 웬일인가. 어깨 위에 올려놓은 아이가 엄청나게 큰 납덩어리처럼 무거운 것이 아닌가. 거인은 너무 힘들고 괴로워 거의 숨이 끊길 지경이었다.

마침내 아이를 반대편 강기슭에 내려놓고 나자 그는 아이에게 말했다.

"네가 얼마나 무거웠는지 이 세상 전체를 다 내 어깨에 짊어지고 있는 줄 알았다."

그러자 어린아이는 말했다.

"놀라울 것 없지, 크리스토포로스. 너는 이 세상만 어깨에 짊어진 것이 아니고 이 세상의 모든 죄를 떠안은 아기를 짊어진 것이었단다. 내가 바로 너의 왕인 예수니까 말이다."

어린 예수를 업고(Christo-phoros) 개울을 건넜다는 기독교의 전설적인 인물 크리스토포로스는 전통적으로 여행자들의 수호자였으나 오늘날엔 자동차 운전자들을 지켜 주는 성인으로 간주되고 있다.

이 글을 읽고 난 후부터 히말라야의 꿀리들이 크리스토포로스처럼 보이기

헤겔에 의하면 '결핍과 고통은 모순에 빠지게 하고
아름다움과 예술은 이러한 압박과 위기로부터
인간의 생명력을 회복'시켜 준다고 한다.
히말라야 주민들의 부족함과
고통은 히말라야라는 거대한 아름다움이 있기에 상쇄되고
그들의 고난은 설산이 주는 힘에 의해 극복된다.

시작했다. 그들의 짐은 자신의 기나긴 과거 삶의 결과일 터이니.

그러나 삶의 어느 날 세상의 짐을 떠안은 아기 예수를 만나기보다는, 무거운 짐을 통해 자신의 과거 카르마를 모두 내려놓는 날이 오리라 생각했다.

"그 날이 속히 오도록……."

람구라 라이는 락시를 마치 뜨거운 차를 마시듯 조금씩 홀짝이며 아껴 마신다. 그의 머리에는 시즌이 끝나기를 기다린다는 노모, 두 딸, 그리고 아내가 있으리라. 아껴 먹는 태도가 안타깝다.

그의 태도를 보는 일은 마치 우리의 지난 세대를 응시하는 일과 같다. 우리 부모형제들이 전후(戰後)에 필연적으로 겪었던 가난이라는 삶의 흔적. 그 질곡의 시대를 벗어나기 위한 몸부림도 이러했으리라. 그들의 이야기는 내 자신의 이야기와 같으므로 이렇게 과거를 돌아보는 성찰은 지금의 삶이 어떻게 이루어졌고, 또 제 길을 가고 있는지 숙고하게 만든다.

산에서 포터 혹은 가이드와 함께 걷는 일, 한편으로는 현지인 집에 들어가 음식을 사먹고 이야기를 나누는 일은 중요하다. 나라는 존재가 또 다른 지역의 이질적인 문화 혹은 영혼과의 접촉을 통해 하나가 되기 때문이다. 이런 과정에서 이해가 싹트고 하나가 된다. 말하자면 내 세계는 또 다른 세계로 확장이 되는 것이니, 숲속의 생태계가 서로 도움을 주듯이 함께 앞으로 나가는 일을 계몽한다. 타자에 관한 인식을 통해 자아가 앎으로 가는 것이다.

홀짝거리는 모습을 참지 못한 내가 이야기한다.

"람구라 라이, 이 술은 내가 산다."

그가 당연히 거절한다. 이 지역 사람들은 옛날 우리들처럼 일단 거절하는 것이 예의로 되어 있다.

"그렇지 않으면 나는 마시지 않는다."

고개를 젓는다.

"아니요."

"내가 산다니까."

"아니요."

관습대로 람구라는 몇 번 거절을 하더니 대답대신 조금 전까지 아껴 마시던 술잔을 단숨에 비운다. 좋다는 뜻이다.

그럴 줄 알았다. 이번에는 내가 행복하다. 좋아하는 안주인에게 튀긴 야채만두도 하나 더 주문한다. 내가 계산을 치르는 일은 그의 가족들에게 현금을 선물하는 일과 마찬가지다. 진작 이야기할 걸 그랬다. 확인이나 하듯 컵을 들어 흔들어보는 그의 모습 안에서 동양의 사고를 읽는다. 우리에게는 예가 아니오를 품고, 아니오 안에는 예를 포함한다. 말하자면 긍정과 부정이 서로 스며들어 있는 병렬의 세상이다. 이것이 도(道)가 아니면 무엇이랴.


사실 고산증을 피하는 가장 좋은 방법은 '아무것도 하지 않기'다. 증세가 시작되면 가던 길을 멈추고 누워 질편하게 잠을 자면서, 깨어나면 가끔 설탕이 듬뿍 든 차를 마시는 일이 최고의 치료방법이다.

고산에서의 식욕 저하는 저혈당을 만들어 신체를 점점 통제불능으로 빠지게 만든다. 더불어 탄수화물을 적절히 섭취하는 일이 탄소탑재이론에 따라 산길을 걷는 연료로 도움이 된다.

해발 4천m의 페르체에서 만난 브라질 국적의 한국인은 내가 3일 동안 걸었던 길을 벌써 열흘째 헤매고 있었다. 그가 게스트하우스 방문을 열고 들어와 제일 먼저 했던 일은 침대 위에 나무토막처럼 쿵 쓰러지는 동작이었다.

잠시 정신을 가다듬은 그가 창백한 얼굴로 말했다.

산길에서 무거운 짐을 지고 가는 그들을 보면 때로는
자신의 죄를 고행으로 갚아나가는
수행자처럼 보이기도 한다.

언젠가 그 짐을 모두 내려놓고 새처럼 가볍게 세상을 살아보기를 기원한다.

"죽겠어요, 발이 안 떨어져요, 어지러워요."

첫째, 물을 많이 마실 것, 둘째, 차에 설탕을 많이 넣어 마실 것, 셋째, 끼니를 건너뛰지 말고 먹는 시늉이라도 할 것, 넷째, 가끔 숨을 깊게 들여마신 채 아랫배에 힘을 줄 것.

고산증을 이겨내는 방법을 설명하는 도중에도 그의 시선이 흐리멍텅하게 풀렸다.

힘든 길을 가는 고(苦), 그 고통(숨이 차고·춥고·배고프고)이 무엇인지 한데 모아 보는 집(集), 그것을 없앰을 찾아보는 멸(滅), 그 길을 가는 도(道)라는 고집멸도(苦集滅道)의 도정.

히말라야는 불교와 힌두교의 바탕이다. 이역승의 방문에 이어 이차돈 이래 이 땅에 뿌리내려 강물처럼 흘러 내려온 불교. 그 불교를 만들어 낸 원료였던 힌두교가 탄생한 히말라야는 불교의 성지가 아닐 수 없다. 그러나 설산에 서면 힌두교, 불교는 없으니 모두가 하나다. 더불어 히말라야와 내가 있다가, 나는 사라지고 히말라야가 남고, 결국 히말라야가 사라지면 힌두교, 불교, 설산, 나, 모두의 분별이 없는 상락아정(常樂我淨) 장엄 불국토에 가 닿는다.

몸이 힘들면 이런 것들은 모조리 소실되어 고단한 중생의 삶만 침전물처럼 남는다. 즉 고난이 지나치면 근원적 방정식에 관한 관조는커녕 눈앞이 캄캄하니 살기 위한 하산만이 유일한 해결책이다. 그에게 조금 고도를 낮추어보라고 권했다.

몇 잔의 술이 긴장을 풀어준다. 히말라야 토속주가 우리의 술과 유사한 맛을 가지고 있으니 애정이 간다. 『리그 베다』의 1천28개의 찬가 중에서 250개는 인드라에게, 200개는 불을 담당하는 아그니에게, 그리고 아그니의 입 속에 부어진 희생 제물의 술인 소마에게는 120개의 찬사가 주어졌다는 이유를 알 수 있다.

캐나다로 이민간 형이 있었다. 그는 늘 마지막 잔을 비우지 않고 조금 남겼다.

"형, 왜 다 마시지 않아?"

그의 말인즉 그렇게 남겨 놓아야 다음에 또다시 마실 기회가 생긴다는 거였다.

"완전히 다 마시면 그야말로 마지막 잔이야. 끝장이 아니라 '끝잔'이라구. 너도 다 먹지말고 좀 남겨."

이민 환송회 날 역시 마지막 잔 1/4을 남겼다. 태평양 건너 저편에서도 여전히 그러할까.

바닥에 술을 남기자 람구라 라이는 아깝다는 표정으로 내게 다 마시도록 권유했다. 그러나 술을 남기는 일은 다시 만나자는 것보다 또다시 포터를 고용하겠다는 스스로 약속의 막잔.

스프링롤은 이미 깨끗하게 먹어치웠고 이제 두 개 남은 만두. 람구라는 하나를 들어 입안으로 쓰윽 밀어 넣었다.

현지인의 생활에 공감한다는 것은 바로
나의 감정이 그들에게 속하는 것과 같다.
말하자면 나의 감정이 나로부터
해방이 되어 바로 그들의 것이 되는 일이다.
이것은 바로 진정한 이해이며 모든 것을 주는 사랑이다.
히말라야 여행에서 이들의 의미는 바로 공감을 통한 사랑이다.
공감과 사랑이 함께 하는 순간 서로의 사이에는 환한 웃음이 터진다.

나는 공부하기 위해 젓가락으로 가운데를 가르고 튀어나온 내용물을 살펴보았다.

"무엇이 야채만두인가?"

다시 새삼스럽다.

"무엇이 히말라야인가?"

얼음으로 층층이 그리고 켜켜이 올려진 저 산정, 회색빛 혹은 갈색의 너덜지대, 야생화들이 소박하게 살아가는 수목 한계선 부근, 제법 키가 큰 우림지역.

모두가 머리 안에서 그 형태를 분주하게 나누더니 합쳐지기 시작했다. 또한 이것들의 배경인 하늘과 대지로 뿌리를 내린 테라이, 더불어 이곳에서 사는 수많은 생명체들과 사람들이 함께 보이고, 다시 조합되면서 당당한 히말라야를 구축하기 시작했다.

야채, 으깨진 감자, 이름을 알 수 없는 몇 가지 나물 종류, 그리고 이것을 감싼 밀가루와 이 모든 것을 반죽한 물. 이런 요소들은 자신들의 이름을 버려가며 야채만두라는 새로운 명칭 안에 혼재되어 있다. 그러나 무엇보다 중요한 것은 이 만두를 주문하고, 만든 사람의 마음〔心〕.

오로지 마음뿐이로니.

지나온 길에서 만난 다양한 산의 주체들과 그들이 마음에 남긴 흔적의 가치를 더듬으니 슬며시 미소가 만들어진다.

쪼개진 것들을 일일이 입안에 넣는다.

만두가, 히말라야가 내면으로 들어온다.

바깥으로 나오니 함박눈이 내리기 시작했다. 엄청나게 커다란 눈송이가 매우 빠른 속도로 하강했다. 이제 더운 기류가 차가운 히말라야에 맞닿아 궂은 날을 만들기 시작하는 모양이었다.

천지는 순식간에 온통 백색으로 휩싸여 갔다.

눈을 맞으며 람구라 라이를 포옹했다. 등을 토닥였다.

"고맙다, 건강해라."

그는 이제 고향으로 돌아가리라. 그리고 한철 동안 벌었던 돈을 꺼내 놓을 것이다. 취기가 도는 붉은 얼굴이 보기 좋았다. 머리에 눈이 내려 어느새 생크림을 토핑한 케이크처럼 수북해졌다. 오랫동안 함께 다녔는데 얼굴을 자세히 보기란 이렇게 헤어질 때가 처음이라니.

햇살, 눈보라, 바람이 만든 거칠고 깊은 주름이 카르마를 내려놓기 위해 고통을 스스럼없이 겪어나가는 현인처럼 보였다.

우리는 만남으로 가슴을 연다. 내가 배낭을 스스로 메고 산을 다니는 일은 자연과의 만남이지만, 포터와 산길을 걷는 일은 또 다른 민족과의 가슴의 개방이며 교류다. 그들은 내 일을 절대로 방해하지 않는다. 가부좌를 틀고 앉으면 한없이 기다리고, 빨리 가자고 주문하면 서둘러 가니 고맙기 그지없다. 같이 먹고 함께 잠들면서 서로 간의 경계가 많이 무너져 이제는 형제 같다.

그래도 헤어져야 하는 것이 삶이다. 그들에 대한 사랑을 가슴에 남긴다.

『반야경』을 떠올린다. 그리고 포옹을 풀고 합장으로 헤어진다.


이 때문에 보살 혹은 마하살은, 모든 사람에 대해 그들이 내 어머니, 내 아버지, 내 아들, 내 딸이라는 생각을 일으키고, 나아가 '내 자신이 어떠한 경우에도 모든 고통에서 해방되어야 하듯이, 모든 사람들 역시 온갖 방법으로 어떠한 경우에도 모든 고통에서 해방되어야 한다'는 의미에서 '다른 모든 사람'이 내 자신이라는 생각을 일으켜야 한다.

## ● 고산병이란 ●

고소에 적응하지 못해 발생하는 신체의 여러 가지 불편함을 고산병이라고 하며, 산소 부족과 저기압으로 발생한다. 보통 3천m 이상의 고도에서 나타나지만 개인에 따라 2천m에서부터 증세를 느끼는 수도 있다. 전에 고산병을 경험한 사람이 전과 똑같은 속도로 오르면 재발할 가능성이 크다.

급성 고산증의 증상에는 두통, 식욕부진, 수면장애, 숨가쁨, 불규칙한 호흡, 얼굴과 손발의 부종 등의 가벼운 증상에서부터 기침, 구토, 쇠약, 소변 감소, 심한 권태, 운동실조, 뇌부종, 폐부종 등의 심각한 증상까지 있다. 심각성은 이미 가벼운 고산증세에서부터 나타나므로 초기의 증상에 심혈을 기울여야 한다.

고산증은 치료보다 예방이 더 중요하다.

**(1) 단계적으로 오를 것** 빠를수록 발병률이 높으므로 고소 한계를 느끼기 전에 수분 섭취, 운동, 적절한 식사 등이 필요하다. 고소를 처음 경험하는 사람들은 ⓐ 비행기나 기차, 버스를 이용하여 높은 고도에 오르지 말고 3천m 이하에서부터 걷는 것이 좋다. 만약 교통편으로 높은 고도에 올라왔다면 24시간 동안 행동을 자제한다. ⓑ 3천m 이상에서는 하루 고도 300m 이내로 올라가는 것이 좋다. ⓒ 높은 곳에 오른 후 수면은 낮은 곳(계곡이나 낮은 고도의 야영지)에서 취하는 것이 이상적이다. ⓓ 3천m 이상의 고도에서는 막영지에서 이틀을 보내며 고소에 적응한다. 일단 고소 순응이 잘되면 3천m 이상에서도 하루 1천~1천500m의 고도를 올릴 수 있으므로 저소에서의 초기 적응이 무엇보다 중요하다.

**(2) 탈수를 예방할 것** 맑고 풍부한 뇨량을 유지하기 위해 충분한 수분 섭취는 매우 중요하다. 높은 고소에서 하루에 1리터의 소변량을 유지하려면 4리터 정도의 물을 마셔야 한다.

**(3) 과로를 피할 것** 평지보다 가벼운 배낭과 휴식걸음(Rest-Step)으로 올라야 한다. 빠른 맥박이나 호흡이 정상적으로 돌아오는 시간이 길어질수록 고산병에 걸리기 쉬우므로 조심해야 한다.

**(4) 고탄소화물 음식을 섭취할 것** 아주 높은 산 또는 극히 높은 고소에서는 점차로 체중이 줄어 원래 체중의 20% 정도 감소할 수 있다. 가장 중요한 원인은 식욕부진과 칼로리의 섭취의 감소이다. 높은 혈중 산소농도를 유지키 위해 식사 중의 영양분 비율을 탄수화물이 70~80%에 이르도록 충분히 섭취하는 것이 좋다.

**(5) 약물 요법** 아무리 좋은 약이 많아도 급성 고산증에 상용할 만한 약은 아직 없다. 실험 비교된 유일한 약품인 다이아목스는 권할 만하다. 그러나 수분섭취와 함께 병행하는 것이 좋으며 이러한 약물의 복용은 전문의의 처방을 따르는 것이 안전하다.

**(6) 고도를 낮춘다.** 고산병을 치료하는 가장 확실한 방법은 낮은 고도로 내려오는 것이다.

후
기

와서 보라(ethi-passika)

— 〈붓다〉

# 후기

●── 히말라야를 말하기는 어렵다

2001년 KBS에서 방영한 『몽골리안 루트』 3부 '대지의 초상' 도입부에는, 하얀 설원에서 개썰매를 끌고 오는 인디언 부자가 등장한다. 그들은 하얗고 커다란 산 앞에 멈추어 선다.

아들이 말한다.

"저 산은 노인이 하얀 모자를 쓰고 있는 것 같아요."

그러자 아버지는 그 산을 물끄러미 바라보며 말했다.

"말하지 마라. 네 입은 작다."

이어 화면은 하얀 산을 클로즈업한다.

나레이터의 설명이 뒤따른다.

"대지를 보고 그 크기나 형상을 말해서는 안 된다. 거기엔 만물의 영이 깃들어 있기 때문이다. 알래스카의 코유콘 인디언은 대지 앞에서 겸손해지는 법을 이렇게 가르치고 또 배운다."

눈밝은 분들은 이렇게 너절하게 늘어놓은 히말라야 이야기에 대해 꾸짖을지

358

모르겠다. 아버지 인디언처럼 입을 다물라고 주문할지 모른다. 더구나 상대는 극적이며 장관으로 이어진 설산으로 만물의 영이 깃들어 있는 곳이 아닌가.

사람들이 히말라야에서 감동을 받고 온갖 언어로 히말라야를 있는 그대로 묘사하려 하지만 글의 속성이 그렇듯 늘 실패하기 마련이며, 나 역시 예외 없이 그 대열에 서 있다. 히말라야는 나가르주나[龍樹]의 달변도 어쩔 수는 없으리라.

또한 지명과 고도 등등을 포함하는 일반적인 기행문을 기대했던 사람들의 실망은 대단하리라. 여기까지 읽어오는 중에 책을 여러 번 닫아버린 분들도 있으리라.

그러나 일단 말을 시작했으니 '히말라야 모양은 히말라야 같다'고 할 수는 없어 이렇게 길게 되어 버렸다. 끝까지 함께 온 분들 중에 단 한사람이라도 이 책을 통해 '이 글이 진짜인가? 이런 경험이 가능할까?' 갸우뚱거리며 정신세계에 말을 거는 언어를 넘어선 히말라야 풍광을 대면하여, 손가락 끝의 둥실 떠있는 밝은 달이라는 진실을 바라본다면 큰 기쁨이 아닐 수 없다.

히말라야는 설봉, 설암, 설두로 이루어진다. 그런데 공교롭게도 이런 지형적 명칭은 한 시대를 풍미하며 법등을 밝혔던 선사들의 이름과 같다. 백두대간을 마구 파헤치고, 곳곳에 도로를 만들어 자연을 훼손한 땅덩어리에서 살다가 히말라야에 도착해서 바라보는 풍경은 마치 선사들이 주석하는 선기 충천한 선방에 들어온 듯 긴장을 불러일으킨다.

저잣거리의 풍진의 바람 대신 청명한 대기와 풍광 안에서 하얗게 빛나는 모습을 보면서 선풍 서늘한 설선사(雪禪師)를 알현하는 기분이 드는 일은 당연하다.

위대한 구루를 한 번 바라보는 것만으로, 말씀을 듣는 자체로, 던져주는 눈길 한 번으로도 내적 해방과 어떤 영적 각성을 얻을 수 있다는 사실을 알고 있다. 의문을 품고 그런 눈높이를 가지고 귀를 열어 선사와 구루의 땅을 밟는다면 그 사실만으로도 같은 경험을 겪는다.

이 책에서는 히말라야에서 과연 무엇을 보았는지, 무엇을 히말라야라고 느꼈는지 돌아보았지만 세상의 모든 존재의 운명처럼 히말라야 역시 제행무상, 제법무아하다는 사실의 중언부언에 지나지 않는다. 이 책의 지면을 가득 채운 너저분한 이야기는 형(形), 색(色), 명(名), 성(聲)을 넘어서 큰산의 온(蘊)에 존재하는 무상, 무아 고를 확실히 알아차리는 정견(正見)을 만나자는 것이 핵심이다. 히말라야는 산이 넓고, 크고, 깊어 그 울림과 떨림이 다르기에 어느 곳보다 이런 사실을 절실하게 느낄 수 있는 도량(道場)이다.

"히말라야는 무엇으로 이루어져 있는가?"

"그것들은 서로 어떤 관계가 있는가?"

"영원한 것은 어떤 것이고 변해 가는 것은 무엇이며 그 이유는 어디에 있는가?"

히말라야로 가는 길은 결코 불 꺼진 화로를 뒤적이는 일은 아니라, 보디난다〔菩提樹〕 아래 깨달음의 자리로 나아가는 일과 같다. 차차 자신을 내려놓고 끊는 길로 가게 되니 해탈의 씨앗이 심어진다고나 할까. 히말라야에서 불성을 찾지 못한다면 그 어느 곳에서도 불성을 찾기는 어려울 것이다.


사실 어떤 존재를 명확하고 정확히 파악하기 위해서는 분리가 필요하다. 내가 나뭇가지에 내려앉은 아름다운 새를 알아보기 위해서는 숲에서 나무를, 나무에서 새를 구별해야 하고, 군중 속에 섞여 있는 친구를 알아내기 위해서는 군중 모두를 친구와 분리해야 한다. 관찰을 위해서는 사물을 다른 것으로부터 떨구어 고립시키는 방법을 써야 한다.

또한 정확한 판단을 위해서는 그 안으로 들어서야 한다. 절을 알기 위해서는 일주문 안으로 직접 걸어 들어가야 하고, 대웅전을 정확히 파악하려면 안으로 들어가 구석구석 살피는 일이 필요하다. 탑을 알기 위해 이리저리 탑돌이로 바라보고, 손으로 만지기도 하며 정보를 얻어내는 일이 필수다.

이런 행위 안에 형상에 자리한 기호와 신호들이 내 마음에 읽힐 수 있는 언어로 변형되기 시작한다.

히말라야를 보는 법도 그렇다. 히말라야로 가야 함은 당연지사이며, 이곳저곳 다니면서 바라보고, 인도(印度)에서 히말라야를 분리하고, 또 구성요소를 히말라야 자체에서 하나씩 독립시키고 고립시키며 확인하는 작업이 필요하다.

이렇게 해서 나타나는 요소들을 의미를 찾아보고 바라보다가 빈자리에 드러나는 참으로 존재하는 것〔眞如〕를 보고 다시 응결시켜 원상태로 만드는 작업이 필요하다. 그리하면 히말라야는 제대로 구축된다.

이 작업이 바로 공교롭게도 불교의 역사인 원시불교, 아비다르마의 방법, 중관불교의 공사상에 이은 화엄, 그리고 유식불교로 진행하게 된다.

이런 작업 끝에는, 마치 악보를 바라보면 아름다운 음률이 흘러가는 음악가처럼, 방정식을 들여다보면서 환한 빛을 보는 물리학자처럼, '히말라야'라는 이야기에 그 웅장한 산의 모습을 그대로 떠올리며, 이어 마음에 종교심을 고양하는 하얀빛이 꽉 차 오르며 합장하게 된다.

● —— 히말라야 안거

안거라는 것이 있다. 이것은 기후와 관련된 제도다. 안거(安居)는 바르시카 (Varssika)로 '비'라는 의미를 가진 바르샤(Varsa)에서 유래된 단어다.

인도에서는 4월 말부터 더위가 심해지면서 5월, 6월이면 곧바로 몬순이라는 우기가 시작된다. 이 시기는 폭우로 인해 길이 위험하고 또한 오랜 건기 끝에 빗줄기로 인해 무럭무럭 자라나는 초목이나 곤충을 자신도 모르게 밟아 살생을 범할 수 있기에 나다니기에 부적합하다. 따라서 동굴이나 사원에 들어앉아 좌선과 수행을 했다.

이 우기의 수행을 안거(安居), 우안거(雨安居), 하안거(夏安居)라 하며, 우리나라와 중국에서는 기후에 맞춰 겨울 동안 동안거(冬安居), 설안거(雪安居)가 함께 행해진다. 안거 제도는 붓다 이전의 힌두교에서 행해지고 있던 것을 불교에서 받아들인 제도다. 승속(僧俗)이 유별(有別)하기에 출가조차 하지 않은 사람으로서 안거에 참여하기는 어렵다.

다행히 히말라야 도량은 일 년 내내 열려 있어 마음이 준비된 사람을 차별없이 받아준다. 출가로 치자면 사류출가(四類出家) 중에 몸과 마음이 모두 출가한 심신출가(心身出家)를 흉내낼 수 있다.

히말라야 하얀 회랑에서의 한철은 수행자들의 안거처럼, 혹은 산림학파(유행기)의 바라문처럼 고산증, 고행을 통해 내면적 성찰을 안겨준다. 순수한 에너지가 가득한 히말라야를 방문하는 일은 선사를 뵙는 일처럼 좋은 결과를 남겨준다.

히말라야라는 험한 지형 안에서 충만감, 심원한 평온감, 안락함을 느끼게 되는 일은 이상한 경험이 아니다. 성냄, 욕망, 무지의 세 가지 독약이 소멸되며 해독되는 경험은 하루를 지내고 머리를 바닥에 누일 때 절정에 달한다. 이것은 카르마에 정교한 영향을 미쳐 앞길을 탄탄히 닦는 지름길이 되리라.

떠나가는 것은 내가 아니다. 아프리카를 떠난다는 것은 나의 연약한 힘으로는 도저히 할 수 없는 일이다. 반대로 썰물처럼 완만하게, 또 엄숙하게 멀어져 가는 것은 이 아프리카 쪽인 것이다.

— 카렌 브릭센의 『아웃 오브 아프리카』 중에서

히말라야를 떠날 때마다 나는 아프리카를 떠나는 카렌 브릭센이 된다. 봄철에는 저부에서 피어오르는 아지랑이로 인해 무중력처럼 하늘에 떠 있듯이 보이고, 여름의 몬순에는 두터운 구름의 옷을 입고 엄청난 비를 내려 설산에 거주하는 생물에게 생명력을 선사하고, 건기에 접어들면 끝이 보이지 않는 청색 하늘을 바탕으로 눈부시도록 하얀 스카이라인을 형성하는 히말라야.

이 엄청난 히말라야를 내가 어찌 떠날 수 있겠는가.

떠나며 멀어지는 것은 바로 히말라야다.

산을 여행하는 일도 마찬가지다. 히말라야가 허락하지 않으면 엄청난 비, 눈사태, 산사태, 안개 등으로 한 걸음도 앞으로 나갈 수 없으니, 떠나는 것은 물론 다가서는 일도 설산이 결정한다.

다시 말하면 다가서는 것은 내가 아니다. 나의 연약한 힘으로는 도저히 할 수 없는 일이다.

카트만두를 떠나올 때는 비행기의 왼편 자리에 앉는다. 비행기가 기수를 하늘로 향하며 동쪽으로 이동하는 동안 히말라야는 시선 아래에서 주름지고 패어가며 험준했던 모습을 부드럽고 온화한 모습으로 변화한다. 이별의 순간에 늘 보여주는 다시 만나자는 기약이다. 산에서 만났던 강렬한 광채와 장엄한 모습은 회백색 봉우리로 흐리게 변해가며 이별의 모습을 준비하니, 히말라야가 떠난다.

그제서야 산문을 나서 만행을 떠나는 기분이 든다.

히말라야는 말한다.

떠나거라. 금욕생활을 하며, 고행을 실천하며, 경건한 믿음을 소중히 여기며 또 한 해를 살아가거라.

— 핍팔라다(Pippalada)

그리하여 또다시 다음 히말라야를 기약하며 조용히 손을 흔든다.

"옴 .싸르베브요 뿌스빠안잘림(모든 분들에게 손을 모아 꽃을 올립니다)."

# 참고서적

『가이아』, 제임스 러브록, 범양사, 1990

『감산의 장자 풀이』, 감산, 서광사, 1990

『결혼 · 여름』, 알베르 카뮈, 청하, 1994

『과학동아』, '3월 하늘에 북두칠성 시계', 2000년 3월호

『구술문화와 문자문화』, 월터 J. 옹, 문예출판사, 2000

『길 끝나는 곳에서 길을 묻는다』, 임헌갑, 웅진닷컴, 2001

『남자가 겪는 인생의 사계절』, 대니얼 J. 레빈슨, 이화여자대학교출판부, 1996

『내 몸에 우주가 손을 얹었다』, 이성선, 세계사, 2000

『노자 도덕경』, 윤천근, 법인문화사, 1996

『논쟁으로 보는 불교철학』, 이효걸 · 김형준 외, 예문서원, 1998

『대반열반경』, 민족사, 2000

『라마야나』, 발미키, 민족사, 1993

『라마크리슈나』, 로맹롤랑, 정신세계사, 1988

『마누법전』, 한길사, 1999

『마조록 백장록』, 장경각, 2000

『만트라의 힘과 수행의 신비』, 판딧 라즈마니 티구네이트, 대원출판, 2000

『말의 힘』, 이규호, 좋은날, 2000

『물리학과 대승기신론』, 소광섭, 서울대학교 출판, 1998

『물속의 물고기가 목마르다 한다』, 까비르, 지혜의 나무, 2000

『모험으로의 출발』, 라인홀트 메스너, 수문출판사, 1990

『미린다 팡하』, 서경수, 동국대학교 역경원, 1993

『미망에서 깨달음으로』, 최병식, 여래, 1998

『바가바드 기타』, 시공사, 2000

『바쇼의 하이쿠 기행』, 마츠오 바쇼, 바다출판사, 1998

『밥그릇이나 씻어라』, 이은윤, 자작나무, 1997

『방거사어록』, 김영사, 1998

『방망이 깎던 노인』, 윤오영, 범우사, 1976

『백가지 인연과 비유』, 김달진 역, 동국대학교 역경원, 1992

『법구경』, 거해스님 역, 고려원, 1992

『베단따 철학』, 김선근, 불광출판부, 1990

『벽암록』, 현암사, 1999

『변신 이야기』, 오비디우스, 민음사, 1994

『빛을 향한 명상』, 달라이라마, 좋은글, 1992

『사미율의』, 대한불교조계종 교육원, 2000

『사유와 운동』, 앙리 베르그송, 문예출판사, 1998

『사진과 함께 읽는 삼국유사』, 일연, 까치, 1999

『사찰, 그 속에 깃든 의미』, 김현준, 교보문고, 1991

『산거일기』, 김달진, 문학동네

『산시』, 이성선, 시와 시학사, 1999

『삶의 모습 있는 그대로』, 정화, 장경각, 1996

『삶 이후의 삶』, 레이먼드 A. 무디, 시공사, 1996

『삼국유사』, 일연, 서문문화사, 1985

『선과 시』, 두송백, 민족사, 2000

『선방일기』, 지허스님, 여시아문, 2000

『선(禪)을 찾는 늑대』, 로버티 M. 퍼시그, 고려원미디원, 1991

『선의 세계』, 고형곤, 운주사, 1995

『생명의 기원』, 폴 데이비스, 북스힐, 2000

『소쉬르』, 조너선 컬러, 시공사, 1999

『수타니파타』, 범우사, 1998

『숲과 종교』, 신원섭, 수문출판사, 1999

『숲속의 생활』, 헨리 데이빗 소로우, 서문당, 1996

『신의 가면 II-동양 신화』, 조지프 캠벨, 까치, 1999

『신화와 현실』, 미르세아 엘리아드, 성균관대학교 출판부, 1998

『아름다운 삶, 사랑 그리고 마무리』, 헬렌 니어링, 보리, 1997

『아웃 오브 아프리카』, 카렌브릭센, 포커스, 1991

『어느 등산가의 회상』, 에밀 지벨, 평화출판사, 1991

『열반의 개념』, 테오도르 체르바스키, 경서원, 1994

『역동의 히말라야』, 남선우, 사람과 산, 1998

『예기』, 혜원출판사, 2001

『예술에 있어서 정신적인 것에 대하여』, 칸딘스키, 열화당, 1993

『예찬』, 미셀 투르니에, 현대문화북스, 2000

『오래된 미래』, 헤레나 노르베리-호지, 녹색평론사, 1996

『우리별자리』, 안상현, 현암사, 2000

『우파니샤드』, 한길사, 1996

『운명』, 루이제 린저, 바다출판사, 1999

『원시불교』, E. 후라오 르너, 고려원, 1991

『원시불교 원전의 이해』, 최봉수, 불광출판부, 1993

『원시 유가 도가 철학』 방동미, 서광사, 1999

『원효의 대승기신론소 · 별기』, 은정희 역주, 일지사, 2000

『유식무경』, 한자경, 예문서원, 2000

『유식의 구조』, 다케무라 마키오, 민족사, 1995

『이야기 인도신화』, 김형준, 청아출판사, 1994

『인도의 철학』, 하인리히 짐머, 대원사, 1992

『인도철학사』, 라다크리슈난, 한길사, 1999

『인디언의 지혜』, 베어 하트, 황금가지, 1999

『일심과 실존』, 신옥희, 이화여자대학 출판부, 2000

『중국예술정신』, 서복관, 동문선, 2000

『중국 선불교 답사기』, 이은윤, 자작나무, 1998

『파리, 생쥐, 그리고 인간』, 프랑수아 자콥, 궁리, 1999

『푸코의 진자』, 움베르토 에코, 열린책들, 1998

『짜라투스트라는 이렇게 말했다』, 니체, 문예출판사, 2001

『장자』, 현암사, 1999

『저무는 산은 아름답다』, 윤석홍, 장산, 1998

『종용록』 상, 장경각, 1993

『죽창수필』, 운서주굉, 불광출판부, 1998

『중국철학과 예술정신』 조민환, 예문서원, 1998

『참선요지(參禪要旨)』, 허운 화상, 여시아문, 1998

『초감각적 세계 인식』, 루돌프 슈타이너, 물병자리, 1999

『침굉집』, 침굉현변, 불교춘추사, 2001

『침묵 속에 떠오르는 소리』, 에르네스또 까르데날, 분도출판사, 1977

『통윤의 유마경 풀이』, 통윤, 서광사, 1999

『티베트의 지혜』, 소걀 린포체, 민음사, 2000

『티벳, 그 신비와 마술』, 알렉산드라 데이비드 닐, 화이트백큠, 1995

『티벳 해탈의 서』, 파드마삼바바, 정신세계사, 2000

『학파로 보는 인도사상』, S.C.Chatterjee & D.M.Datta, 예문서원, 1999

『한글 아함경』, 고익진, 동국대 역경원, 1996

『한산시』, 한산, 세계사, 1989

『해심밀경』, 민족사, 1997

『현대미술, 그 철학적 의미』, K. 해리스, 서광사, 1988

『현재를 찾아서』, 옥타비오 파스, 범양사, 1992

『활과 리라』, 옥타비오 파스, 솔, 1998

『히페리온』, F.횔덜린, 범우사, 1998